VICENTE HUIDOBRO Y EL CREACIONISMO

PERSILES-77
SERIE *EL ESCRITOR Y LA CRITICA*

EL ESCRITOR Y LA CRITICA

Director: RICARDO GULLON

TITULOS DE LA SERIE

Benito Pérez Galdós, edición de Douglass M. Rogers.
Antonio Machado, edición de Ricardo Gullón y Allen W. Phillips.
Federico García Lorca, edición de Ildefonso-Manuel Gil.
Miguel de Unamuno, edición de Antonio Sánchez-Barbudo.
Pío Baroja, edición de Javier Martínez Palacio.
César Vallejo, edición de Julio Ortega.
Vicente Huidobro, edición de René de Costa.
Jorge Guillén, edición de Biruté Ciplijauskaité.

TITULOS PROXIMOS

El Modernismo, edición de Lily Litvak.
Rafael Alberti, edición de Manuel Durán.
Novelistas hispanoamericanos de hoy, edición de Juan Loveluck.
Jorge Luis Borges, edición de Jaime Alazraki.
Juan Ramón Jiménez, edición de Aurora de Albornoz.
Novelistas españoles de hoy, edición de Rodolfo Cardona.
José Ortega y Gasset, edición de Antonio Rodríguez Huéscar.
Ramón del Valle-Inclán, edición de Francisco Ynduráin y Pablo Beltrán de Heredia.
El Romanticismo, edición de Jorge Campos.
Vicente Aleixandre, edición de José Luis Cano.
Octavio Paz, edición de Pedro Gimferrer.
La novela picaresca, edición de Fernando Lázaro Carreter y Juan Manuel Rozas.
Francisco de Quevedo, edición de Gonzalo Sobejano.

VICENTE HUIDOBRO
Y EL CREACIONISMO

EDICION DE

RENÉ DE COSTA

taurus

Cubierta de AL ANDALUS

INDICE

III

OBRA: ESTUDIOS Y VALORACIONES

NOTA PRELIMINAR *

No obstante los numerosos estudios aparecidos durante los últimos cincuenta años acerca de Vicente Huidobro y el Creacionismo queda todavía mucho por hacer. Un buceo en el mar de artículos dedicados al gran poeta chileno revela que aunque no faltan comentarios meritorios, por lo general pecan de estrechez de visión, de enfoques demasiado personales. Parece como si cada crítico trabajara en el vacío, ajeno a los esfuerzos y aportaciones de los otros. Esto es, en parte, comprensible, dada la dispersión geográfica y la diversidad lingüística de quienes se han interesado en la producción creacionista. Sin embargo, y a pesar de ciertas divergencias, hay también algo así como un meridiano cultural huidobriano que pasa por Varsovia y Madrid, así como por París y Santiago, engloba al Nuevo Mundo y al Viejo, al modernismo y al vanguardismo. El hecho es que Vicente Huidobro es uno de los escritores hispánicos más universales de nuestro siglo.

Para la serie «El escritor y la crítica» hemos tratado de reunir aquellas piezas que, en conjunto, habrían de considerarse esenciales para una visión integral de Huidobro y su creación literaria. Una lectura de los artículos aquí recogidos revelará, desde luego, repeticiones y contradicciones; pero el lector atento no podrá dejar de apreciar también un consenso, inesperado en tan amplia gama de perspectivas. Es que cada crítico, panegirista o denun-

* Quisiera expresar aquí mi gratitud al *Joint Committee on Latin American Studies of the Social Science Research Council and the American Council of Learned Societies* cuya beca en 1971 me permitió realizar en Chile mis investigaciones de la poesía de Huidobro.

ciador, comparte con los otros ciertos supuestos fundamentales en cuanto a Huidobro como gran artífice de la
lengua.

Huidobro fue para la vanguardia lo que Rubén para
el modernismo. Hermano mayor de la renovación literaria en la década de los veinte, fue a la vez por autodesig-
nación su representante y su impulsor. «Agente viajero
de la poesía», le llama, con acertadas palabras, el crítico
David Bary. Como Darío —a quien tanto admiró Huidobro—, con sus novedades, transformó la práctica poética
de su época tan por completo, que desde la perspectiva de
hoy su poesía parece pertenecer más a la época misma que
a la persona que la escribió. Como en el caso de Darío,
la primera crítica sobre Huidobro se interesó menos en
la profunda originalidad de su obra que en una porme-
norizada investigación de sus posibles «fuentes». Y el
poeta mismo, con la soberbia arrogancia del auténtico
ácrata que era, en un principio desdeñó toda cuestión de
primacía y de escuelas literarias.

Es de notar que en sus primeros pronunciamientos sobre el Creacionismo (contenidos en una entrevista de 1919
que aquí se reproduce), no proclama para sí ni la invención de la tendencia ni la del término. En lugar de ello,
habla de una «continuación de la evolución lógica de la
poesía», y reconoce antecedentes «en casi todos los grandes poetas de épocas anteriores». En un ensayo de 1921
(«La Création pure»), aun después de la conmoción crítica sobre la «paternidad» del Creacionismo, el poeta chileno insiste más en la teoría de la nueva literatura que en
su procedencia. Atento, pues, al origen helénico de la palabra «poesía» y a la antigüedad del concepto que encierra (creación), hubiera sido absurdo erguirse entonces
como su inventor único.

Sin embargo, más tarde, hacia 1925 y en los albores
del Surrealismo, Huidobro se esforzaba por depurar su
propia estética: quería fijar un sello único sobre el Creacionismo. En un artículo («Le Créationnisme»), incluido
en la colección *Manifeste... manifestes* (1925), casi llega
a afirmar que él, y sólo él, ha logrado ser un auténtico
creacionista. Creador *ex nihilo*. Y al tratar de establecer
una historia personal del Creacionismo hace retroceder la
fecha de su aparición en su propia obra a algunas publicaciones juveniles de 1912. En este esfuerzo vano por adelantarse a sí mismo Huidobro parece sugerir que él nació

Creacionista, inocente de cualquier influencia; libre, en fin, del pecado original de las «fuentes» que por entonces hipnotizaban a la crítica seria. A la larga, la terca insistencia de Huidobro en su unicidad ha sido contraproducente; tanto desvió a la crítica subsiguiente que aún hoy encontramos estudiosos que laboran por probar o negar las influencias de Reverdy, de Apollinaire, de Marinetti, etc. Para bien o para mal, estos críticos, y sus secuaces, pasan por alto un hecho obvio, y es un *hecho*: el Creacionismo, pese a los conceptos teóricos tan brillantemente precisados por Huidobro, no es, ni ha sido jamás, una escuela, un movimiento, ni siquiera una tendencia. Es simplemente un nombre más dado al cubismo literario, y Huidobro es quizá el nombrador. Si no el único, el más porfiado. Pero sus manifiestos importan menos que su actuación y su práctica, las cuales indican que nunca quiso ser jefe de escuela; trataba más bien, como Darío anteriormente, de asertar su unicidad, de probar que era como ningún otro: «mi poesía es mía en mí.» Prueba evidente es el hecho de que tras las tajantes aseveraciones de 1925, Huidobro abandonó su defensa del Creacionismo como tal. Se entregó a la búsqueda de una nueva unidad total.

A la edad de Cristo, como él mismo dijera en el prefacio a *Altazor*, Huidobro nace de nuevo; su expresión cambia y su poesía se torna menos audaz, más metafísica, más «hermética», en el sentido nerudiano de la palabra. De hecho, este libro de Huidobro (como la *Tentativa del hombre infinito* de Neruda) es un extenso poema narrativo de búsqueda, un viaje inmóvil hacia adentro, una indagación en el tenebroso misterio del proceso creativo. Es que en estos libros Huidobro y Neruda logran presentar una crítica del lenguaje y de la poesía en el poema mismo. Y es curioso: cuanto más se semejan en la obra, más se distancian en la vida. Sabido es que en la década de los treinta fueron enemigos feroces. Ni su común simpatía por la tragedia de España bastó para acercarles.

Después de la primera guerra mundial y durante los años veinte Huidobro había realizado el sueño modernista de ser un artista reconocido en París. Poco después la fortuna le era adversa, y tras su regreso definitivo a América, en 1933, su renombre y su fama internacionales serían eclipsados muy pronto por el ascendiente del joven Neruda. En más de un sentido Huidobro sacó ventaja en el cambio, pues fue solamente entonces cuando la crítica de su país empezó a tomarle en serio. Hacia 1940 algunos intelectuales chilenos de la generación llamada de 1938 (Fernando Alegría, Nicanor Parra, Eduardo Anguita, Teófilo Cid y Braulio Arenas) deciden continuar la interrumpida labor crítica de otra generación europea, la de Rafael Cansinos-Assens, Tadeusz Peiper, Nicolás Beauduin, Ferdinand Louis Berckelaers, y Maurice Raynal. A Huidobro, por fin, le es otorgado un sitial en Chile. Antes se le consideraba allí algo burlonamente como «un poeta francés nacido en Chile», o más simplistamente aún como el inventor de «los versos más raros del mundo».

La reivindicación de Huidobro como creador se realizó en Santiago de Chile en 1945, con la edición selecta de prosas y poesías que preparó Eduardo Anguita para la editorial Zig-Zag. Después Cedomil Goic y Antonio de Undurraga le dedicaron sendos estudios extensos. Y en 1964 Braulio Arenas prologó las *Obras completas*. Gracias a estos esfuerzos se hizo posible dejar a un lado la anterior preocupación excesiva por las «fuentes» del Creacionismo para volver a estudiar las creaciones de Huidobro. Pero esto, hasta la fecha, sólo se ha logrado en parte.

Los artículos aquí recopilados configuran una imagen multifacética de Huidobro: el vanguardista comprometido, el juguetón polemista, el creador auténtico pero siempre insatisfecho consigo mismo y con lo ya hecho... Su obra presenta un desafío constante a la crítica. En este contexto es especialmente significativo que entre los huidobristas más perspicaces figuran muchos poetas. Huidobro es pues, un poeta para poetas. Hasta Pablo Neruda, veinte años después de la muerte de su compatriota y rival en poesía sintió la obligación casi perentoria de reconocer su grandeza. Y medio siglo antes, otro poeta, el fino modernista Angel Cruchaga Santa María supo interpretar los valores positivos de la novísima estética en una entrevista que sostuvo con Huidobro a raíz de su primer retorno a Chile, en 1919. ¿Y cómo no recordar a Gerardo Diego, compañero madrileño del chileno, quien ha intuido mejor que nadie la teoría y la práctica creacionista desde dentro, con la perspectiva única del auténtico creador? ¿Y Rafael Cansinos-Assens, cuyos sentidos ensayos poéticos sobre Huidobro le lanzaron en el orbe hispánico? Hasta el malogrado Alberto Rojas Giménez, el de la famosa elegía de Neruda, vanguardista estridente en la capital chilena durante la década de los veinte, comunica en su crónica irreverente todo el aire de la época. Otros poetas de aquellos años son más concretos en su aprecio por los efectivos logros de la poesía huidobriana. Por ejemplo, el «poliplanista» francés Nicolás Beauduin es atraído por la fuerza expresiva de la disposición gráfica de la nueva poesía—arte de la «yuxtaposición», según el término feliz del polaco Tadeusz Peiper, otro poeta vanguardista cuyas expresivas notas sobre Huidobro y la nueva poesía hispánica emulan el estilo abreviado del cubismo literario que quiere captar en su crítica. Y en la época actual, el poeta chileno Enrique Lihn vuelve a la poesía de Huidobro para explicar desde Cuba su lugar en la revolución efectuada en la literatura del siglo xx.

La crítica literaria más débil suele ser la periodística. Meras impresiones, por lo general. Pero, en el caso de Huidobro, por la abundancia de noticias sobre él y sus hazañas literarias, ha sido posible rescatar del olvido algunos testimonios efímeros y entrevistas pasajeras que a la luz de hoy tienen gran valor documental. El periodismo nos ha legado las descripciones más vivas del artista que, irónicamente, tanto guerreó contra la anécdota y la descripción: «Rien d'anecdotique ni de descriptif». En sus crónicas, «Alone» (Hernán Díaz Arrieta), por ejemplo, al retratar el sofocante ambiente religioso del Huidobro adolescente, explica su posterior actitud rebelde; ofrece además una sugestiva indicación del origen de sus problemas constantes con la crítica: «A un escritor, en cierto sentido, le conviene ser pobre. La riqueza inspira dudas.» Ricardo Latcham y otros publicaron en la prensa diaria ensayos no menos perspicaces, dejándonos así un bien documentado memorial.

De los muchos artículos sobre la llamada «polémica creacionista» sólo hemos juntado los que primeramente causaron la controversia, más algunos que han tratado de solucionarla. De esta manera, el lector podrá fácilmente trazar la trayectoria de la polémica desde la primera acusación de Enrique Gómez Carrillo en 1920 al estudio que medio siglo después certificó la existencia de un ejemplar de El espejo de agua.

En resumen, hay que reconocer que los temas críticos más ampliamente tratados versan sobre Huidobro como polemista y teórico de la nueva poesía. Pero, considerando, lo mucho que se ha escrito sobre él y el Creacionismo, es sorprendente cuan poca atención se dio hasta la fecha a los aspectos intrínsecos de su obra, al arte de sus caligramas, a la factura de sus poema-dibujos, a la estructura de la imagen creacionista, en fin, al sistema expresivo de sus aportaciones más originales. Con la única excepción de *Altazor*, libro de 1931, que sí ha gozado de atención crítica constante y seria, son escasos los estudios monográficos dedicados a la elucidación de obras concretas.

Por esta razón, nuestra selección presenta, en cierto sentido, la «obra gruesa» de la labor constructiva llevada a cabo hasta el momento. El andamiaje del edificio huidobriano ya está levantado. Sólo hace falta ahora otro equipo de huidobristas «al día», para acabar la tarea. A los lectores interesados en la obra de Huidobro, nos incumbe llenar los notables vacíos en la crítica de su creación.

RENÉ DE COSTA
The University of Chicago.

I

VIDA: TESTIMONIOS Y ENTREVISTAS

GERARDO DIEGO

VICENTE HUIDOBRO (1893-1948)

El profesor Roque Esteban Scarpa nos explicaba en la cátedra «Ramiro de Maeztu» el panorama de la poesía chilena contemporánea. Esto sucedía pocos días después de otras conferencias del malagueño José María Souvirón, poeta incorporado ya a la vida intelectual chilena, de tal modo, que las conferencias de ambos poetas se completaban ofreciéndonos una visión del pasado literario y del presente poético chileno. Lo que no sospechaban Souvirón ni Scarpa era que transcurridas unas semanas apenas, sus noticias iban a quedar amarillentas de historia, al menos por lo que se refería a uno de los mayores poetas de Chile, que pasaba de la vida a la eternidad con súbita brusquedad en los primeros días del nuevo año. Este poeta era mi inolvidable amigo y maestro Vicente Huidobro.

Coincidían nuestros informantes en subrayar el hecho de que un país como Chile, hasta hace poco reputado como tierra de historiadores y pobre en cambio en poetas, de pronto, y justamente desde la visita y residencia de Rubén Darío, que inicia en Valparaíso con su *Azul*... la poesía nueva, se convierte en país de poetas. A la generación modernista sucede hace unos treinta años la de los grandes poetas personalísimos, de vuelo continental y aun universal. Y a ésta, en plena actividad creadora hoy, la de los jóvenes, muy fecunda en nombres y vocaciones, varia en inquietudes e iniciando quizá en los más recientes un nuevo entronque con lo mejor de la poesía española contemporánea.

Yo no sé si algún otro país hispánico, como no sea nuestra España, obligada a ello por densidad de población, puede presentar hoy un trío de grandes poetas como el que forman (o, ¡ay!, formaban) «Gabriela Mistral», Vicente Huidobro y «Pablo Neruda». Trío o triángulo de vértices o instrumentos más opuestos que concertados, porque en nada se parecen y es de temer que tampoco mutuamente se comprenden. Las diferencias empiezan en lo racial. «Gabriela Mistral», o sea, Lucila Godoy, la maestra rural de Elqui, hoy gloriosa en todo el mundo con su Premio Nobel, que tanto hemos celebrado sus amigos españoles, parece acusar en sus rasgos físicos la huella del mestizaje. Neftalí Reyes, verdadero nombre oculto del seudónimo «Pablo Neruda», desciende de hebreos. Totalmente español, de la montaña burgalesa y cantábrica, emparentado nada menos que con el Cid, con su *Mío Cid Campeador*, pretendía ser Vicente Huidobro. Escepticismos genealógicos no impedirán que Huidobro sienta lo castellano tan adentro como lo revela la humorística y cinematográfica familiaridad épica con que trata a su posible antepasado en su «hazaña», el más popular de sus libros. Pero por otra parte, Huidobro sentía tan hondo la atracción de París y el arte moderno, que pasa en Montmartre y Montparnasse lo mejor de su juventud y que durante algunos años abandona su idioma natal, para adoptar el francés como lengua más bien esencial, universal o telegráfica, de sus poemas creacionistas. Este que a tantos se les antoja pecado imperdonable, no lo es dentro de una estética, de una poética como la suya, en que el idioma sólo cuenta en lo que tiene de interior o creador y no en lo fónico, castizo o sintáctico. Ganado yo en mis mocedades a la causa del creacionismo poético, tal como Huidobro lo creó y lo entendió, no soy el más indicado para defenderla en este momento, y sólo diré que, al menos en aquel período absolutista y evangelizador, la indiferencia del instrumento idiomático para la poética de la creación era un dogma de fe entre nosotros.

Era Vicente Huidobro, cuando yo le conocí, hace treinta años, un muchacho lleno de vida, de ímpetu juvenil, de simpática petulancia y simpatía abierta y generosa. Era, sobre todo, aparte sus virtudes de artista, un amigo leal, óptimo y optimista. Sus terribles pasiones y sus pueriles vanidades quedaban olvidadas ante el espectáculo pintoresco que la vida le deparaba al pasear del brazo de cualquier amigo de buena fe. Una barraca de feria, un tocado extravagante de mujer bonita, un verso bonito o ridículo sorprendido en un viejo infolio o en un libro oscuro de provincia, una estampa japonesa o una historia heráldica de cualquier posible antepasado, bien del tronco de *Mío Cid*, bien de la rama de sus abuelos los Brind de la Morigandais, bastaban para hacerle al pie de la letra feliz.

Ante todo, Vicente Huidobro estimaba en la vida como en el arte, la lealtad y la comunicativa humanidad. En años en que el papel «Rubén Darío» estaba en baja y en momento peligroso para su estética personal, Vicente Huidobro le defendía a capa y espada, ganado por el temblor humano y el calor de autenticidad que de su pecho de gran cantor emanaba. Cierto: el «nicaragüense sol de encendidos oros» venía con frecuencia a sus labios como ejemplo del error en poética, de la «albarda sobre albarda», contrario a la perfecta economía creativa de su técnica. Pero hasta el consabido sol nicaragüense terminaba por encontrar indulgencia a sus ojos de conterráneo de la inmensa maravilla americana. Jamás le oí aplicar al indio de Managua los epítetos y más que epítetos gruesos con que solía obsequiar en las violentas discusiones a los jerifaltes del modernismo, del indigenismo o del postsimbolismo decadente. Quería él para su arte como para su vida esa suma de «audacia» y «precisión» con la que, a mi juicio, caracterizaba exactamente la obra increíble de nuestros navegantes, exploradores y conquistadores de Indias. Técnica de geógrafos y de nautas, aliada al heroísmo de aventura y de acción. Así debía ser la poesía como todo. Corazón y cerebro. Espíritu y manos fabriles.

En España, después de su primera aparición legendaria —Huidobro adolescente, y ya con mujer, hijos, un negrito y millones, se decía por la pobretería de las tertulias cafeteriles de madrugada— allá por el año 1916, cuando apenas alboreaba la consigna creacionista entre el verdor de sus primeros libros, el poeta era esperado como un meteoro fabuloso; y, en efecto, sus visitas tenían la fatal irregularidad imprevisible de los cometas de larga cola y contradictorio presagio. Si la primera visita le puso en contacto con el Valera de turno —léase Cansinos-Assens—, y con el Menéndez Pelayo en sus «Cuatro Naciones», tradúzcase Ramón en «Pombo», la de 1918, ya con el creacionismo flamante, y *Ecuatorial* y los *Poemas Articos* en la imprenta, fue la decisiva. Pocos meses después, y como consecuencia, nacía el ultraísmo y se armaba en España la que se armó. Polémicas, conferencias, revistas, libros, artículos, manifiestos, exposiciones, a todo acudía Huidobro con admirable constancia en la explicación y defensa de su credo. En España entonces no se le comprendió muy bien, y de ello pueden dar fe los escritos en que se daba cuenta de su obra, por no hablar ya de las necedades que, tomando por las hojas el rábano de la poesía, emitían en tertulias, redacciones y domicilios ciertos santones del poema y del artículo crítico.

¿Cómo iban a comprender los apenas convalecientes de la acuarela modernista poemas tan aparentemente vacíos en su ártica luminosidad, como por ejemplo éste, prodigio de antirretórica y de concentración y equilibrio esencial?:

HORIZONTE

Pasar el horizonte envejecido
y mirar en el fondo de los sueños
la estrella que palpita

Eras tan hermosa
        que no pudiste hablar

Yo me alejé

           Pero llevo en la mano
Aquel cielo nativo
Con un sol gastado

Esta tarde

      en un café

        he bebido
        Un licor tembloroso
        Como un pescado rojo

Y otra vez en el vaso escondido
Ese sueño filial

Eras tan hermosa
        que no pudiste hablar

En tu pecho algo agonizaba
Eran verdes tus ojos
        pero yo me alejaba

Eras tan hermosa
        que aprendí a cantar

Hasta el blancor de la página con tanta superficie virgen y los versos desparramados, buscando una construcción plástica y expresiva para sustituir mallarmeanamente a la estorbosa puntuación, contribuía a la incomprensión y a la rechifla en que era penoso ver cómplices a personas, por lo demás inteligentes. Magnífica lección de humildad para el orgullo humano que algunos muchachos no dejábamos ya de aprender curándonos en salud para el día de mañana. Resulta hoy difícil de explicar a un posible muchacho poeta que me lea, lo que la poesía de *Ecuatorial*, de *Horizon carré*, de *Poemas Articos* o de *Automne régulier* suponía para el aprendiz de poeta que estrenaba ilusión y ambiciones en los días de la posguerra del 14. Para ello, habría que extenderse largamente sobre el ambiente de París, visto o reflejado en el rincón donde se habitase, y el espléndido botín de renovación incesante, de maravilla deslumbradora y técnica que ofrecían las artes humanas, la pintura, la escultura o la música, sin contar con los prodigios de la vida misma. Sobre todo, la pintura, apenas comprensible ante la reproducción, nos ganaba inmediatamente a la contemplación directa y terminaba por conquistarnos cuando escuchábamos de labios de los mismos artistas creadores las nobles preocupaciones del oficio. Por lo que a mí respecta, hubo en esta conversación dos momentos sucesivos. Uno, de presentimiento, de instintiva simpatía que me orientó inequívocamente hacia Huidobro y sus amigos cubistas, a la simple lectura de sus primeros libros, más sentidos que comprendidos desde mi rincón, avaramente copiados en acariciado cuaderno, para poder devolver puntual los raros ejemplares prestados. Y otro, de entrega deslumbrada al contacto con la persona y con su ambiente, vivido día a día como antiguo vecino de la ciudad.

Ahora, a distancia de tantos años y ante la sacudida que produce la separación definitiva, la amputación enérgicamente operada por la muerte, todas las maneras evolutivas de una obra truncada se nos actualizan en una suprema presencia. Huidobro luchó toda su vida por imponer su credo y vio con amargura que no se le comprendía, no ya en lo puramente poético, sino en su actitud vital, tachada de egoísmos y megalomanías, que en todo caso mostraban en él la infantilidad de su alma de artista. Al porvenir que podríamos llamar «político» o «social» del creacionismo, tal como Huidobro lo entendía, al contagio extensivo y éxito mundano de su doctrina y de su obra, perjudicaron, al lado de su ascetismo y pureza difícil de abrazar por el impaciente de gloria, la propagación de nuevas doctrinas disolventes, corrosivas, escandalosas, que abarataban la fabricación poética entregándola a los bajos instintos y pronto habían de involucrarla con actitudes correlativas de subversión política. Huidobro luchó en sus manifiestos contra el automatismo infrarrealista y proclamó la lucidez creacionista y la primacía de la inteligencia, no reñida con la integridad del hombre total. Ni deshumanización ni onirismo. Vigilia, ambición y sanidad biológica. Pero el signo de los tiempos estaba escrito. Y la era «surrealista» vino a pesar de todo.

Un estudio de la poesía de Huidobro y de su poética creacionista requeriría un espacio que no es de esta ocasión. Puede admitirse o rechazarse el creacionismo puro. Puede suceder que, incluso para sus mismos inventores, la atmósfera de la plena creación poética, de la perfecta autonomía del poema frente a la naturaleza, resulte a la larga irrespirable. El mismo Huidobro posiblemente admitía en sus últimos años el fracaso del creacionismo intransigente y aislado, no menos que el de su hermano mayor el cubismo pictórico. Pero siempre resultará, en el peor de los casos, que la generosa ilusión ha dejado una honda estela fecunda y el haber puesto el punto de mira tan lejos ha hecho posible la conquista de otros objetivos inalcanzados cuando años atrás no se sabía ver más allá de ellos. El creacionismo no realizó, sino excepcionalmente, la poesía creacionista (o viceversa), pero superó, consiguiéndolo por primera vez en toda su limpia plenitud, el simbolismo, lo mismo que el simbolismo fracasado treinta años atrás había realizado el puro romanticismo. Demostrar esto quedará para otro día.

Porque el creacionismo es todo lo contrario de un movimiento subversivo o destructor, nihilista o irresponsable. El creacionismo es clásico «per se», sano por esencia y normal por definición. Lo que quizá no sea es poesía, en el sentido en que la palabra se ha venido usando en las aulas de Retórica y en el comercio sentimental. Quizá hubiese sido conveniente inventarle una palabra, con lo que se hubieran podido evitar tantos equívocos. El creacionismo es a la poesía literaria lo que el fumar es al comer. O lo que el volar es al andar. Requiere una sustentación estática y dinámica, completamente de nueva planta. Tal expresión, tal verso, bellísimo en una poesía romántica, es horrible en un poema creado. Lo que en un caso aparece verde, en el otro pinta colorado. Hasta la gramática —no digamos la lógica— hay que inventarla según una nueva distinción de valores y categorías. Sobre todo esto, Huidobro había reflexionado, y yo tuve la fortuna de oírle confidencias que luego me han sido utilísimas para mi modesta obra.

Claro está que Vicente Huidobro evolucionó mucho en su obra escrita durante más de treinta años. Poemas tan amplios como *Altazor* y *Temblor de Cielo*, suponían una renuncia a ciertas purezas teóricas y un contubernio con oscuras potencias enemigas, pero siempre con una radical fidelidad a la raíz humana. En sus últimos libros *Ver y palpar*, *El ciudadano del olvido*, el tono se torna sensiblemente elegíaco y la imaginación pura se tiñe de reflejos de exquisita fantasía. Los poemas aspiran a una desenvoltura sintáctica y expresiva mucho más rica que los de sus comienzos, y quedan expuestos, por lo tanto, a mayores desigualdades. Ved, por ejemplo, el contraste entre el ejemplo reproducido arriba y este simple fragmento del poema *Boca de corazón*:

Estoy solo y blanco
Miro la vida que se levanta
Miro los ojos azules y los ojos negros
Siento la gracia desnuda de estos campos
Cuando los colores se quedan dormidos en su color
Y sufro a pesar de la luz desparramada

Para llorar con los ojos azules
Tenía una tristeza la tristeza
La tarde se llenaba de aparecidos en oscuros ritos
Yo me alejaba solo y blanco

Para llorar con los ojos negros
Tenía una montaña la montaña
Se oían batir las alas de la luna
Yo me alejaba como un suspiro a sus estrellas

Para llorar moría el mar
Moría el viento lleno de animales doloridos
Sobre las playas de tu voz
Sufría el mundo en ataúd de cielo
Es mejor alejarse de estos destinos y estos sueños
Como el suspiro que cumple con su deber
Alejarse alejarse

En la cumbre de la montaña
Hay una piedra que habla

La obra en prosa de Huidobro —narración, teatro, polémica, manifiesto, «hazaña»— es, en realidad, obra exclusiva siempre de poeta. Le perjudica más que en sus versos la indecisión idiomática. Huidobro no era buen prosista, ni en francés ni en castellano, en el sentido académico e idiomático. En cambio, su expresividad, su personalidad y estilo eran evidentes y eficaces, aunque a unos les molestasen tales incorrecciones, y a otros, cuales barbarismos. Vicente Huidobro quedará en la historia de la poesía de lengua española como un nombre esencial, sin cuya clave un aspecto de la obra colectiva de nuestro tiempo resultaría inexplicable.

[*Revista de Indias* (Madrid), VII, 33-34, julio-diciembre 1948.]

VICENTE HUIDOBRO: DATOS BIOGRAFICOS

I. FAMILIA, INFANCIA, JUVENTUD

Vicente Huidobro nació en Santiago, el 10 de enero de 1893. Sus padres fueron don Vicente García Huidobro García Huidobro, y doña María Luisa Fernández Bascuñán. Ambas familias, tanto la del padre como la de la madre, pertenecían a la más rancia aristocracia del país.

Don Vicente García Huidobro García Huidobro descendía de una familia cargada de títulos y blasones y era el heredero del Marquesado de Casa Real[1].

Doña María Luisa Fernández contaba entre sus antepasados a destacadísimos prohombres de nuestra vida institucional. Su padre fue don Domingo Fernández Concha, destacado financista, filántropo y hombre público. Figuró en el Congreso Constituyente de 1870. Partiendo de un pequeño capital llegó a ser banquero. Compró los terrenos del antiguo portal de Sierra Bella, situado al lado de la Plaza de Armas, centro de la ciudad comercial y social; pagó una subidísima suma para esa época, que luego ha sido un semillero de millones[2]. Erigió en su lugar el Portal Fernández Concha, que hasta hoy, en su construcción más moderna, conserva su nombre.

Fue autor de numerosas fundaciones de carácter social y religioso. Antes de que se suscitaran las primeras cuestiones sociales hacia el año 1910, creó cooperativas y clubes para obreros.

En su hacienda vitivinícola de Santa Rita, formada por él, estableció, cuarenta años antes de sobrevenir los con-

---

[1] VIRGILIO FIGUEROA, *Diccionario Biográfico*, t. III, pp. 437 y 480.
[2] Idem.

flictos entre patronos y obreros, todo un enlace de obras sociales: cajas de ahorros llamadas de Santa Rita, cooperativas de despacho en que las utilidades se repartían entre los accionistas que eran sus inquilinos, íntimamente unidas a las cajas de ahorros. Los directores eran elegidos entre los más inteligentes y cultos de sus empleados y bajo su inmediata dirección[3].

«Humilde y altivo —aunque parezca contradicción— nunca quiso representar en la comedia humana —dice Virgilio Figueroa—; sus acciones no buscaron ni la aprobación ni los aplausos sociales, sino el reino de Dios y su justicia»[4].

Su hija, doña María Luisa Fernández, madre de Huidobro, fue una de las figuras más destacadas del feminismo del primer cuarto del siglo.

«Estamos en presencia de una gran dama —dice Figueroa— enaltecedora de toda tradición familiar, cristiana y patriota; intelectual y artista por temperamento; delicada escritora de costumbres y polemista de extraordinaria energía; mujer de acción, que ha revelado sus capacidades sociales con la organización de la «Unión patriótica de las mujeres de Chile», y la creación y redacción de tres periódicos literarios y de batalla: *La Voz Femenina*, *La Unión Patriótica* (1925) y la revista *Aliados* (1916) en que firmó con el pseudónimo de *Latina*.

De apergaminada estirpe, ha sostenido, sin embargo, que la mejor aristocracia es la del talento y la del valor personal, la de la virtud y el heroísmo»[5].

Este último pensamiento era también el de su padre y lo encontraremos repetido en Vicente Huidobro, quien proclamó reiteradamente la aristocracia del espíritu por encima de los blasones; y no era realmente porque éstos le escasearan.

Doña María Luisa Fernández fue conocida en el mundo de las letras nacionales bajo el pseudónimo de *Monna Lisa*, con el que acostumbraba firmar sus artículos críticos, polémicos o simplemente literarios. Mantuvo en su señorial mansión de Alameda y San Martín una tertulia literaria concurrida, verdadero *salón* literario a donde concurría lo más granado de las letras nacionales de entonces. Este salón era en buenas cuentas una prolonga-

---

[3] Idem.
[4] Idem.
[5] *Op. cit.*, p. 437.

ción de la tertulia política que mantuvo don Domingo Fernández Concha, durante muchos años, y el antecedente inmediato de la que sostendría Vicente Huidobro, desde su temprana iniciación en las letras nacionales.

Estos hechos favorecieron sin el menor asomo de dudas la formación intelectual de Huidobro, quien tuvo en su madre una favorecedora amable para sus inclinaciones literarias.

Vicente Huidobro estuvo a temprana edad en Europa, a donde se había dirigido su familia. Y al regreso, en 1900, institutrices y gobernantas francesas y nórdicas dieron cierta nota francesa y europea a su vida familiar [6].

Más tarde realizaría sus estudios secundarios en el Colegio San Ignacio, de los Padres Jesuítas, de Santiago.

Sobre este período escolar de su vida, Huidobro, nos ha dejado recuerdos dispares y acaso intencionados. Participó entusiastamente en las actividades literarias entre estudiantes, desde edad muy temprana. El crítico norteamericano, Henry Alfred Holmes, recogió algunas de las apreciaciones de Huidobro, sobre esta época de su vida.

«Me habló con placer —dice Holmes— de actitudes anarquistas emparentadas con el Bolchevismo, que habían predominado en estas reuniones del *liceo*, mucho antes de que el Bolchevismo tuviera éxito en Rusia» [7].

En *Pasando y pasando* [8], su primer libro en prosa, aparecen datos importantes en relación a su permanencia en el colegio de los jesuitas, donde el carácter impulsivo y la inquietud espiritual vivamente manifestada, le traerían dificultades con sus superiores.

Sobre este período de su vida se refiere acremente en el libro mencionado, pero a ese espíritu corresponde otra realidad distinta; aquí nos contentamos con señalar el hecho.

Sobre su vida adolescente, tiene Huidobro, en *Vientos Contrarios* [9], algunas observaciones que son útiles, porque están cargadas de la intención del autor, contribuyen a configurar el perfil biográfico que el poeta desea dejar de sí, que tiene para la biografía una importancia singular.

«A los trece años —escribe Huidobro— mientras mis

[6] H. A. HOLMES, *V. H. and. creationism*, p. 7.
[7] *Op. cit.*, p. 8.
[8] *Pasando v pasando*, Santiago, 1914.
[9] *Vientos Contrarios*, Santiago, 1926.

compañeros de colegio hacían coleciones de sellos, yo perdía mi tiempo escribiendo cartas de amor a la Lanthel-
me, entonces la reina de París, y por las noches soñaba
con la Comtesse de Noailles, cuyo retrato por De la Gán-
dara me tenía obsesionado.

La Comtesse venía a visitarme y cuando se iba de mi
cuarto, espantada por el filo de espada de la primera luz
que entraba por la cerradura de la puerta, me decía alegre y satisfecha: *Tu es un bon poète, mon petit, mais tu
es bien mieux comme amant.*

Yo me hinchaba de orgullo y saltaba de la cama para
irme al colegio» [10].

«A los quince años —apunta luego— me enamoré per-
didamente de la princesa Tatiana. Tenía mi cuarto lleno
de retratos de la princesa, recortados de revistas y diarios.

¡Ah! —exclamaba Huidobro— si el día de la revolución rusa ella me hubiera llamado, yo habría dejado mi
pellejo a sus pies por salvarle la vida. Pero ella debía
amar entonces a algún ruso cuadrado que, le decía en
ruso:

—Ya vas, lublu.

Y ella le respondía:

—Yac vam lechou.

¡Pobre Tatiana, cómo recordé mi infancia, el día de
tu muerte!

Las coleciones de sellos de mis amigos aumentaban
más rápidamente que mi colección de retratos. Pero yo
ponía tanta pasión en cada una de mis pasiones. Era tan
sincero.

En las noches, cuando desfilaban las caras amadas
¡cómo saltaba de gozo mi corazón! Sus aletazos me tenían trizadas las costillas.

Y aquí, agregando a esta reseña las sonrisas anglicana
o francófila de alguna institutriz, terminan los ensueños
de la primera adolescencia» [11].

Luego viene el mundo de la realidad, al que el poeta
adviene, según confesión, junto con la revelación erótica
y sexual de la mujer. En esta parte, hallamos algunos datos que es importante señalar, porque delatan parte de la
personalidad secreta del hombre, que si bien no encontró
un eco abiertamente manifiesto en su obra poética, tiene,
sí, una gran importancia biográfica.

[10] *Op. cit.*, p. 28.
[11] Idem, p. 29.

«A pesar —señala Huidobro— de una inclinación fatal hacia el amor, de una necesidad de ternura y de expansión de caricias y de delirios exaltados, había en mí algo contradictorio. Quería ser un huraño, me sentía sólo, aun en medio de mis amigos y del bullicio, una especie de muralla china me separaba de los demás.

Había nacido para tigre, quería ser un solitario, encerrado en mí mismo, y de ahí que la cambiadora de rumbos se anuncia y se presenta. Una fatalidad de un metro setenta y dos...» [12].

En 1911, Huidobro publica su primer libro de poemas: *Ecos del Alma*, libro adolescente, cargado de un sentimiento sincero, que la bonhomía de Fernando Santiván saludó en la revista *Musa Joven*, en carta dirigida al poeta Jorge Hubner Bezanilla [13], amigo y compañero de generación de Huidobro. Este libro recogía sus composiciones escolares, y no tiene más importancia que la que le confiere la psicología adolescente que delata y la iniciación en la vieja y nueva retórica de clásicos y modernistas, bajo la probable dirección del profesor de Retórica del colegio donde estudiaba.

Musa Joven comenzó a publicarse en junio de 1912. Huidobro dirigía la revista que agrupaba a la juventud de su generación. En la redacción de esta revista estaban: Juan Guzmán Cruchaga, Gabry Rivas, Angel Cruchaga Santa María, Jorge Hubner Bezanilla, y Mariano Latorre.

En *Musa Joven*, escribieron todos los valores jóvenes de la generación de Huidobro, y varias plumas de la generación, que por ese entonces comenzaba a entrar en pugna con la generación modernista anterior, como Latorre, Pedro Prado, Daniel de la Vega, Francisco Contreras, Fernando Santiván, Joaquín Edwards Bello, Martín Escobar, Jorge Silva S., Claudio de Alas, Natanael Yáñez Silva, y «Monna Lisa», la madre de Huidobro, que hace comentarios teatrales.

Aparecen artículos, relatos o poemas de Azorín, Baroja, Darío, Valle-Inclán y Juan Ramón Jiménez; Amado Nervo, Francisco Villaespesa o Eça de Queiroz; Sudermann, o J. E. Rodó. Los diferentes números de *Musa Joven* traen como portadas sendos retratos de Baudelaire, Banville, Rubén Darío, que delatan de alguna manera la sensibilidad vigente.

[12] Idem, p. 31.
[13] *Musa Joven*, Santiago de Chile, año I, núm. 2, 16 de junio de 1912.

Huidobro aparece firmando artículos y necrologías dedicadas a Marcelino Menéndez y Pelayo, a Juan Agustín Barriga, a Strindberg, a D'Annunzio, a Amado Nervo.

El número 55, de septiembre de 1912, de la revista, está totalmente dedicado a Rubén Darío, cuyo arribo estaba anunciado para esa fecha, pero que no se realizó. Huidobro hace también crítica teatral. Es la época del paso de Borrás, por Chile, y de las obras de Villaespesa.

La personalidad de Huidobro, se revela en estas publicaciones dentro de un equilibrio espiritual marcado, con algunas tímidas salidas de romanticismo adolescente. Pero ellas dejan escapar un cabo de lo que será su crisis espiritual posterior.

En su artículo sobre *Amado Nervo* [14] confiesa:

«Yo también sufro como tú una ansia insaciable de lo desconocido pero no me desespero; tengo fe.»

Esta fe de Huidobro, es confirmada una y otra vez expresamente en sus artículos de esta época.

En *Musa Joven* publica también Huidobro casi la totalidad de las poesías que recogerá luego en *Canciones en la noche.*

Canciones en la noche, libro de modernas trovas, aparece en 1913, año en que también aparece *La gruta del silencio,* con prólogo de Armando Donoso, y se representa en la capital con gran éxito una comedia escrita en colaboración con Gabry Ribas, poeta tropical que colabora con Huidobro en *Musa Joven,* titulada *Cuando el amor se vaya.*

En esta época la poesía de Huidobro está abierta a todos los vientos y sus preferencias son las que en cierto modo responden al momento poético nacional. Darío, Nervo, Lugones, Martínez Sierra, Banville, Baudelaire, Rimbaud, Mallarmé son algunos nombres que influyen en tal momento de la poesía nacional y que recoge la poesía de Huidobro. Huidobro ensayará todas las formas métricas, y aun usará de formas nuevas, y todos los humores, escandalizando con sus «audacias» a los hierofantes de la generación anterior encauzada ya definitivamente en una actitud que le será característica, en que la mesura y lo antirretórico, o bien el tono menor son las notas definidoras. La poesía juvenil de Vicente Huidobro da pábulo a una lucha cuyas divergencias de opinión sirven para se-

---

[14] «Amado Nervo», *Musa Joven,* I, 6 octubre 1912.

ñalar las rutas distintas por donde marchan dos generaciones diferentes.

Por ese entonces Huidobro firmaba libros y artículos con todos sus apellidos: *Vicente García Huidobro Fernández*. Luego una *F.*, con punto, disminuyó la firma, desapareciendo después junto con el *García* de su primer apellido, hasta que su libro *Las pagodas ocultas* aparece firmado con el nombre que lleva en la posteridad: *Vicente Huidobro*.

El poeta contrae matrimonio a los 20 años con una distinguida y aristocrática joven de nuestra sociedad: doña Manuela Portales Bello.

He aquí cómo el notable cronista y novelista Joaquín Edwards Bello nos describe las circunstancias que precedieron al matrimonio:

«La novela comenzó en el colegio. Un hermano de Manuelita murió, y Huidobro recibió el encargo de llevar la ofrenda fúnebre de sus camaradas. Así conoció a Manuelita. Verla y enamorarse fue todo uno. Huidobro fue un fino perdiguero para el arte y para la belleza femenina, y Manuelita nació predestinada. Los poetas la adoraban a primera vista. No se podía concebir espíritu mejor dispuesto y cabal de joven esposa para un hombre impresionable en extremo, sediento de gloria y de infinito» [15].

A M. P. B. había ya dedicado Huidobro su primer libro adolescente de 1911.

En su libro *Pasando y pasando*, donde recoge sus ensayos y artículos publicados en *Musa joven* y otros, aparece marcada una nueva actitud muy decidida en la conducta espiritual de Vicente Huidobro. Una ruptura total y completa con el tradicionalismo no sólo literario sino familiar y social. La edición de este libro fue recogida por su abuelo y quemada prolija e inquisitorialmente. Los ejemplares que existen de este libro son escasos y difíciles de encontrar. En él Huidobro se refiere no sólo a ciertos sectores familiares, sino también a sus ignacianos profesores a quienes acusa de maquiavelismo y de otras cosas. Una actitud poderosamente iconoclasta que arrastra con todos los prejuicios y tradiciones, prepara su espíritu para la revolución poética que en él se va gestando. A través de

---

[15] JOAQUÍN EDWARDS BELLO, «Vicente Huidobro», *La Nación*, Santiago de Chile, 8 de enero de 1948.

3

esa poderosa crisis espiritual, dominantemente en el sentimiento religioso, éste quedará definitiva y aparentemente
relegado del bagaje espiritual de Huidobro para dar paso
a un espíritu, a una actitud intelectual, sedicentemente
científica, más bien cientificista.

Las pagodas ocultas, libro de salmos, poemas en prosa, ensayos y parábolas, muestra ya ciertos indicios de lo
que será el Huidobro creacionista que reelaborará más
adelante algunos elementos que en este libro encontramos.

Con la publicación de Adán, poema, en 1916, se cierra
este período inicial, de formación y adquisición de experiencia de su vida que corresponde a la fase primera del
desenvolvimiento normal del curso de la vida humana [16].
Junto con señalar aquí que los rasgos generales de la vida
de Vicente Huidobro muestran cierta precocidad notable,
entraremos en el análisis somero de algunos datos interesantes para configurar esta fase de su vida.

En el poeta, generalmente, el desarrollo de su calidad
de tal dentro de la sociedad va aparejado a un desarrollo
peculiar de su organización psíquica. En Huidobro podemos decir que su personalidad poética se afirma así
como se desenvuelve el principio de individuación que lo
sostiene. Este principio de individuación se hace patente
en el descubrimiento de su interioridad que el poeta realiza, en el atento rebuscar de su propio espíritu que delata su obra poética. Así, bastaría señalar algunos títulos
sucesivos pertenecientes a esta etapa de sus obras para
que ello quede de manifiesto. Enumeraremos: La gruta
del silencio, Las pagodas ocultas, que no delatan sino la
interioridad en la que el poeta bucea con ojo maravillado
en busca de su individualidad. Asimismo, podemos señalar en Adán, todo un arquetipo, el símbolo del logro inicial de la cima del proceso de individuación. El símbolo
adamita será eternamente el arquetipo de la individualidad humana, de ahí que el renacimiento le confiera una
importancia tan destacada. Por otra parte la imagen ar-
quetípica adamita ha sido perennemente la imagen del
poeta.

Digamos para finalizar este capítulo que hacia la publicación de Adán y manifiestamente con ella, Huidobro
ha logrado la lucidez teórica, no todavía traducible en

---

[16] CHARLOTTE BUHLER, El curso de la vida humana como problema psi-
cológico, Espasa-Calpe Argentina, S. A., Buenos Aires, 2.ª edc., 1950.

praxis, de su creacionismo, bajo la influencia de los ensayos de Ralph Waldo Emerson.

Culminando esta fase está también lo que Carlota Buhler llama 'autodeterminación'. Esta autodeterminación se traduce por esta época en Huidobro, de la manera siguiente:

«En mis primeros años —dice Huidobro refiriéndose a esta época que analizamos— toda mi vida artística se resume en una escala de ambiciones. A los 17 años me dije: debo ser el primer poeta de América; luego al pasar de los años pensé: debo ser el primer poeta de mi lengua. Después a medida que corría el tiempo mis ambiciones fueron subiendo y me dije: es preciso ser el primer poeta del siglo» [17].

En 1916, Huidobro decide su viaje a Europa. En tal decisión predominaban los factores más ligados al futuro de su creación poética, Huidobro creía no encontrar, y de hecho no encontraba, las condiciones favorables para el desenvolvimiento de sus anhelos creadores, en su patria. Y es en busca de otros vientos, más favorables, que decide partir. Parte seguido de la atención constante que sus incondicionales compañeros de generación le dispensaron durante su ausencia en diferentes publicaciones que hablaron durante toda su ausencia de sus actividades en Europa.

Refiriéndose a sus últimos años entre nosotros y los azares de su labor poética escribe Huidobro en *Le Créationnisme*:

«Lo que cada vez me afirmaba más en mis convicciones, fue la crítica violenta, los comentarios burlescos de mis poemas, sobre todo de mi libro *La gruta del silencio*, publicada en 1913. Todos los críticos caían en crisis de nervios justo en los versos que me agradaban, sin tal vez saber por qué.

Jamás adivinará nadie cuánto me hizo reflexionar este hecho sin importancia. Sin quererlo, los críticos me ayudaron mucho en mi trabajo cortando con tijeras precisas versos e imágenes como:

En mi cerebro hay alguien que viene de lejos

O bien:

---

[17] *Vientos Contrarios*, p. 35.

Las horas que caen en silencio como gotas de agua sobre un vidrio
La pieza se ha adormecido en el espejo
El estanque azogado
Hacia la orilla del libro me acercaba una tarde.

¿Saben quiénes eran los poetas que yo citaba en la primera página de ese libro? Rimbaud y Mallarmé. ¿Y saben cuál era la cita de Rimbaud?

Et j'ai vu quelquefois ce que l'homme a cru voir.

Después de la aparición de mi libro *La gruta del silencio* yo asignaba también una gran importancia al subconsciente y aun a cierto sonambulismo. Daba a la revista *Ideales* un poema que se llamaba «*Vaguedad subconsciente*» y anunciaba el mismo año un libro dentro de ese estilo que se llamaba «*Los espejos sonámbulos*».

Esto ocurrió en un paréntesis de algunos meses. Pronto me sentí perder pie y caía, seguramente por reacción, casi miedosa, en el polo opuesto, en ese terrible panteísmo mezcla de hindú y de noruego, esa poesía de buey rumiante y de abuela satisfecha. Felizmente esta caída fue de corta duración y al cabo de algunas semanas tomé mi buen camino con mucho entusiasmo y muchos conocimientos más que antes.

Luego vino el período de las confidencias a los amigos y las sonrisas equívocas de los unos y compasivas de los otros. Las burlas irracionales, la atmósfera irrespirable que debía obligarme a dejar mis montañas nativas y a buscar otros climas más favorables a los buscadores de minas» [18].

Antes de abandonar el país había cobrado Huidobro una fama sin compromisos entre la juventud poética de Chile. Los antologistas de *Selva lírica* nos dan una clara prueba de ello:

«Este muchacho artista —dicen— es un carácter. Cuando otros a su edad, con su posición social y sus millones, se entregan a la esterilidad de una vida estragada de ocios blandos u obscuros libertinajes, él, demasiado poeta y con algo de un Quijote moderno en el alma y las pupilas, alza la pluma como una bandera de luminosos ideales, depone sus prejuicios de estirpe, y escribe sus libros que son como una rebelión para su cuna, puesto que canta a los

---

[18] *Manifiesto*, Editions de la Revue Mondiale, París, 1925, p. 45.

desheredados del mundo blasfemando contra las cadenas sociales, que son una amenaza, pues su prosa centelleante tiene apóstrofes sangrientos contra los falsos ídolos que ensombrecen las alturas: y que son un triunfo, pues sus versos los aplaude la vigorosa generación actual... y los gruñen sordamente, como perros sarnosos, los veteranos vencidos de la peluca y pluma de ave de nuestra literatura [19].

Y más adelante:

«Vicente Huidobro es un orgulloso.

Contra toda marea, contra todo prejuicio, lanza sus libros robustos, de versos que huelen a pólvora y a adelfos para los pelucones literarios de esta edad media que estamos renovando; y que son para nosotros apocalipsis de acentos nuevos, jornadas de alma y sensaciones imprecisas de un arte propio y firme» [20].

Esa es, pues, la imagen que a los veintitrés años dejaba Huidobro a los jóvenes de su generación que va afirmando ya con decisión por ese entonces una sensibilidad nueva y pujante que iría a promover cambios substanciales en la marcha de la literatura del país. Queda aquí también de alguna manera trazada la imagen que de él se formaban los recalcitrantes de la literatura nacional pertenecientes a la generación vigente, a la sensibilidad al uso.

En el año de su partida a Europa había dejado ya Huidobro en evidencia la escisión real y necesaria entre la generación vigente y la joven generación a que pertenecía. Huidobro es precisamente quien sirve de motivo y signo a esta escisión que lleva su tono distintivo en la avanzada poética que propugna. La ruptura de Los Diez con Huidobro no alcanzó a toda su generación, pero ésta tuvo siempre en consideración la calidad y la validez de la obra realizada por Huidobro. Los autores de la antología Selva lírica son, según lo hemos señalado, particularmente conscientes de la lucha que en el campo literario se suscitaba por ese entonces.

En su viaje a Europa y de paso por Buenos Aires, Argentina, publicó Huidobro El espejo de agua, «plaquette» que reúne nueve poemas. Poemas que inician la nueva modalidad creacionista, aunque todavía de una manera incipiente. En esta «plaquette» va en primer lugar su cono-

---

[19] JULIO MOLINA NÚÑEZ y AGUSTÍN ARAYA, Selva lírica, estudios sobre los poetas chilenos, Imp. y Lit. Universo, Santiago de Chile, 1917, p. 294.
[20] Idem.

cida *Arte poética*, síntesis que desenvolvería en sus ensayos y manifiestos posteriores.

Luego de su primer manifiesto *Non serviam* leído en el Ateneo de Santiago en 1914, y del *Prefacio* a su poema *Adán* donde comienza a esbozarse su teoría creacionista, es en Buenos Aires donde dicta su primera conferencia sobre la nueva poesía creacionista, leída en el Ateneo de Buenos Aires en junio de 1916. A esta conferencia asistieron entre otras personalidades intelectuales de Argentina, Leopoldo Lugones y José Ingenieros. El primero, viejo modernista, perteneciente a una generación ya superada, no vislumbró siquiera la importancia ni las posibilidades de la nueva poesía. José Ingenieros manifestó a Huidobro las dudas que le ofrecía una poesía inventada en todas sus partes. Con motivo de esta conferencia Huidobro fue bautizado con el nombre de *Creacionista*, por haber afirmado «que la primera condición del poeta es crear, la segunda crear y la tercera crear».

Con estos datos se cierra el primer ciclo vital de Huidobro desarrollado en América. Luego de las actividades últimas señaladas se traslada a Europa con su mujer y sus hijos.

II. PARÍS

«Hacia fines de 1916 —dice Huidobro— caí en París en medio de la revista *Sic*. Yo conocía muy poco la lengua. Me di cuenta rápidamente que se trataba de un medio muy futurista y no se iban a olvidar que dos años antes en mi libro *Pasando y pasando* yo había atacado el futurismo como demasiado viejo, en el momento mismo en que todo el mundo pedía la llegada de alguna cosa completamente nueva»[21].

La revista *Sic*, dirigida por Pierre Albert-Birot, había aparecido ese año. Batallaba —al decir de Maurice Nadeau— tenazmente en favor del arte moderno. Ahí se encuentran Apollinaire y Reverdy, mantenedores del futurismo y del cubismo literario. Y colaboraban circunstancialmente Breton y Aragon. En esta revista se publicaron los *Calligrammes* de Apollinaire.

El 8 de febrero de 1916, en Zurich, Suiza, Tristan Tza-

---

[21] *Manifestes*, p. 45.

ra y Hans Arp promueven el *Dadaísmo* que ejercerá una viva influencia luego en París principalmente en el futuro movimiento surrealista.

De *Sic*, pasó Vicente Huidobro a la revista *Nord-Sud*, en la cual colaboró asiduamente. *Nord-Sud* se publicó a partir de marzo de 1917, mensualmente, hasta 1918

«En el momento de la revista *Nord-Sud* de la que fui uno de los fundadores —escribe Huidobro— teníamos una línea general más o menos común en nuestras búsquedas, pero en el fondo estábamos bien lejos unos de otros» [22].

Esto es lo que primero se advierte. Bajo la paternidad de Apollinaire todos los colaboradores de *Nord-Sud* mostraban una línea común, no sólo de intenciones estéticas, sino también de realizaciones. El *caligrama*, las nuevas disposiciones tipográficas de los poemas, los blancos y espacios, la ausencia de puntuación, eran adquisiciones comunes a todos los poetas. Pero tras estas formas nuevas un contenido diferente, y sobre todo una personalidad diferente, se ocultaba y en este aspecto Huidobro es un poeta absolutamente distinto, y admirado entre los franceses. En *Nord-Sud*, Huidobro tradujo al francés algunos de sus poemas de *El espejo de agua* adaptándolos a la nueva forma vigente, ganando éstos, en inusitada manera, en gracia poética y frescura.

En *Nord-Sud*, que dirigía Reverdy, colaboraban Apollinaire, Tzara, que hace, él sí, una poesía distinta y más avanzada, Paul Dermée, Cocteau, Breton, Aragon, Max Jacob y otros.

El 28 de julio de 1916, Tzara, publica *La première aventure céleste de M. Antipyrine* siguiendo su tendencia dadaísta de las palabras en libertad, que es un precedente, aunque de intención muy diferente de acuerdo a las fundamentales diferencias que los separaban, de la disposición de los últimos cantos de *Altazor* de Huidobro.

Más tarde, Huidobro colaboró en las revistas más representativas del momento poético de París como *L'Elan*, *L'Esprit Noveau*, y mantendrá estrecha amistad con las figuras más brillantes y geniales de ese momento como, aparte de los nombrados anteriormente, Picasso y Juan Gris, bajo la dirección de los cuales completará su formación estética, Jacques Lipchitz, el escultor, Francis Pica-

[22] *Manifestes*, p. 46.

bia, dadaísta frenético, Joan Miró, Max Ernst, Paul Eluard, Blaise Cendrars y los españoles y jóvenes poetas Juan Larrea y Gerardo Diego, que adhirieron ardientemente a su credo estético.

Refiriéndose al año de su llegada a París escribe J. Edwards Bello:

«Huidobro llegó a París en 1917 [23]. Seguía la guerra, pero suavemente, alejada después del Marne. Puso su casa primero en la calle Saint Georges, según creo. Después se cambió al 41 de la calle Victor Massé. Esta calle se conserva silente y recatada, no obstante su cercanía con el Bal Tabarin y el Circo Medrano, entre las calles Trochat y des Martyrs [24].

La casa de los Huidobro en París, se convirtió pronto en salón literario de vanguardia. Los asiduos fueron Blaise Cendrars, Paul Dermée, Pierre Reverdy, Juan Gris. Recuerdo haber cenado con Huidobro y su esposa, cuando era invitado de honor Guillaume Apollinaire, poeta francés de origen polaco y nacido en Roma. Le acompañaban su señora, tipo de *dame de monde* gruesa y con collar de perlas en el escote. Guillaume con una venda en la frente vestía el traje de soldado, color azul cielo.

Huidobro —agrega a continuación— no tardó en fundar el creacionismo con Pierre Reverdy. Publicó un periódico y luego un libro llamado *Horizon carré*. El prólogo decía: «Hacer un poema como la naturaleza hace un árbol.» La dedicatoria: *Pour toi Manuelita*. Todo en francés.

Venía de Chile, casado, dispuesto a lanzar sobre París su nueva escuela lírica. Había en sus ojos la vibración y el entusiasmo que produce la ciudad Luminaria hasta el punto de hacer pensar en un aire que magnetiza y tonifica» [25].

En 1917, publica, pues, *Horizon carré* donde aparecen varios poemas de *El espejo de agua* traducidos, disminuidos y adaptados a las nuevas modalidades poéticas, y otros poemas nuevos que aparecieron en *Nord-Sud*.

En el otoño de 1918, va a Madrid, iniciando así una serie de viajes anuales a la capital española. Allí publica simultáneamente cuatro libros, dos en francés: *Hallali* y *Tour Eiffel*, y dos en español: *Poemas árticos* y *Ecuatorial* que revolucionaron completa y totalmente el ambien-

---

[23] Ya sabemos que fue a fines de 1916.
[24] *Loc. cit.*
[25] Idem.

te poético madrileño encerrado hasta entonces en las formas decadentes del más pobre modernismo y ajeno por completo a la verdadera revolución que se realizaba en Europa.

Dejo a la pluma de Guillermo de Torre, uno de sus críticos más apasionados, el relato de su influjo en el Madrid artista de 1918:

«Intelectualmente, los que estábamos más acá de las trincheras aguardábamos impacientes ver cómo se venían abajo las cortinas de hierro que nos habían cortado la comunicación con el resto de Europa. De cuando en cuando comenzaban a filtrarse nombres cargados de prestigio nuevo, de misterio seductor.

Y uno de ellos, el nombre por excelencia en que vino a cifrarse la voluntad transformadora, el que surgió como bandera de novedad, fue el de Guillaume Apollinaire. ¿Dónde lo oí o leí por primera vez? En casos como éste es cuando lamento no haber llevado un diario puntual de mis jornadas literarias o poseer una memoria inmune a la estratificación de capas que las gentes, los libros y los días van acumulando en nosotros, obscureciendo aquellas más antiguas. Sin embargo, creo no errar si digo que fue en casa de Vicente Huidobro. Este poeta chileno llegaba a Madrid después de haber pasado varios años de la guerra en París. Ahí pese a las bombas —la guerra no era aún total y totalitaria— la actividad intelectual había logrado mantenerse y hasta intensificarse en algunos aspectos. Germinaban las simientes que tan poderosamente frutecieron después, de 1918 a 1922 ó 1925. Prueba de ello en lo literario es que pululaban las revistas nuevas. Se habían eclipsado temporalmente algunas de las más depuradas, como *La Nouvelle Revue Française*, pero subsistían el *Mercure de France*, *Les Marges* y entre las que aportaban nuevos mensajes: *Sic*, *L'Elan*, *Nord-Sud*. Al frente de esta última aparecía nominalmente Pierre Reverdy, pero en rigor su cabeza inspiradora era Guillaume Apollinaire, y probablemente su sostenedor más generoso Vicente Huidobro. No me interesa ahora puntualizar el papel desempeñado por el autor de *Horizon carré* en ese grupo —Max Jacob, Jean Cocteau, Paul Dermée, el pintor Braque, el escultor Lipchitz y otros—, quizá ni tan de primer plano como él se lo atribuía, ni tan secundario como, por necesidades de la polémica, yo se lo asigné en un capítulo de mis *Literaturas europeas de vanguardia*, que exige revisión.

El caso es que Vicente Huidobro, tras haber convivido con aquel grupo, embebiéndose de sus favores y sus negaciones, tornaba de París como el adelantado, como el primer viajero que después de largo temporal de nieves, atraviesa las montañas, trayendo en su equipaje novedades y sorpresas. Al menos todas lo eran para aquel muchacho inquieto, ávido hasta lo increíble, que se asomaba a la literatura como a un serio juego y en cuya imagen distante trato ahora de reconocerme. Lo era ante todo, la abertura principal espiritual y la generosidad del viajero. En su casa, en aquel departamento amueblado de la plaza de Oriente, casi esquina a la calle Felipe V y al Teatro Real —dando frente a la plaza en cuyo centro galopaba Felipe IV sobre un pedestal y en cuyo derredor se tambalean las estatuas desnarigadas de los cuarenta y cuatro reyes godos—; en aquel piso de muebles claros y luz simpática tuve el primer contacto con la hospitalidad doméstica sudamericana. Acontecimiento nada extraordinario en sí, pero comparativamente más singular de lo que pueda suponerse, pues en una ciudad como Madrid donde la vida de cafés con rigurosa exclusión y sempiterno ocultamiento de los domicilios resultaba en verdad no sólito el hecho de que un escritor os invitara a su casa, y más aún, que rompiendo la adustez varonil, y la consiguiente chabacanería en que degeneran siempre las reuniones de hombres solos, incluyese entre sus convivios a personas del otro sexo.

De boca de Huidobro oí alguno de los primeros nombres verdaderos que iban a definir la época amaneciente; en su casa vi los primeros libros y revistas de las escuelas que luego darían tan pródigas y discutidas cosechas. Allí, en casa de Huidobro, o por la mediación de éste, conocí a algunos artistas extranjeros, supervivientes del naufragio europeo, que habían logrado hacer esa escala en Madrid. En primer término a los esposos Delaunay, Sonia y Robert; luego a un grupo de pintores polacos, Wladyslaw Jald, Marjan Paszkiewicz; a teorizantes políticos rusos, compañeros hasta poco antes de Lenin en Ginebra, pero que ahora más bien se mantenían a la espectativa. Allí se incubó originariamente el óvulo ultraísta, entre los contertulios españoles, de cuyos nombres sólo he de recordar aquí, a modo de homenaje, el de dos escritores que ya no existen, el de Mauricio Bacarisse, y el de otro que no llegó a alcanzar notoriedad, pero que se anunciaba como el ingenio más abierto al futuro, si cierto amora-ismo ingenuo, cierta bohemia trasnochada no hubiera es-terilizado su gran talento y malogrado sus cortos días; me refiero a Alfredo de Villacián»[26].

Por su parte César González Ruano, cuya poesía sufre la influencia manifiesta de Huidobro, escribe en sus *Veintidós retratos de escritores hispanoamericanos*:

«Huidobro llegó por vez primera a París en 1916, presentándose en Madrid en el otoño de 1918. En este año o a principios del año siguiente le conocí yo en el Ateneo de Madrid, en un momento de desconcierto y evolución de la poesía española, en que Cansinos-Assens nos lo presentó a los jóvenes como a una especie de Mesías de una nueva era literaria. Aunque mayor que nosotros, Vicente Huidobro, no tendría entonces más de veinticinco años. Era moreno, más bien grueso o redondeado, suave y *snob*. Hablaba con mucha seguridad y traía verdaderamente hasta nosotros huevos puestos por gallinas o avestruces que aún no conocíamos. Su filiación poética tuvo la etiqueta creacionista, sin demasiadas seguridades por nuestra parte de qué era aquello. Nadie sabía en España quién era Reverdy, ni siquiera quién era Apollinaire»[27].

Para terminar el dibujo de esta visita matritense y las características de su influjo en los poetas y en la poesía española dejo ahora a la pluma polémica de Guillermo de Torre, que pese al apasionamiento de sus *Literaturas europeas de vanguardia*, en contra de Huidobro y de su Creacionismo, no puede dejar de exponer ciertos hechos sustanciales:

«Vicente Huidobro que procedente de su país llegó a París por primera vez en 1916, a su regreso a Madrid en el otoño de 1918, trasladó en ésta, a un círculo estrecho de amigos, las teorías y las sugestiones estéticas que venía de captar en el encrespado y vivaz ambiente parisino. Y dejó caer entre el reguero de sus interesantes libros una etiqueta que al pronto nos pareció mágica: Creacionismo. Sus teorías (?), sus libros, su entusiasmo y su fervor admirable y juvenil (¿verdad Mauricio Bacarisse, Carlos Fernández Cid y tú el más agudo, aunque voluntaria-

    [26] GUILLERMO DE TORRE, *Guillaume Apollinaire*, Editorial Poseidón, Buenos Aires, 1946, pp. 18-20.
    [27] CÉSAR GONZÁLEZ RUANO, *Veintidós retratos de escritores hispanoamericanos*, Ediciones Cultura Hispánica, Madrid, 1952, pp. 69-73.

mente frustrado Alfredo de Villacián?) hubiesen pasado totalmente desapercibidos en el frío ambiente madrileño de no haber hallado el eco próximo y la curiosidad cordial que le ofrecimos unos pocos poetas jóvenes; y también Cansinos-Assens que tras un momento de desconcierto se repuso y devino su más fervoroso turiferario, consagrándole estudios y apologías a granel. Bajo la investigación de éste varios ultraistas que ignoraban las obras de Huidobro trabaron conocimiento con ellas. Y la entronización de la lírica de Huidobro que Cansinos en un principio, y con la mejor buena fe aunque con bastante ignorancia de sus fuentes y precedentes, ponía como *standard*, acabó de evidenciarnos, en efecto, la agonía del ciclo precedente, y la necesidad de rebasar sus límites, mas no la de detenernos o limitarnos al espacio de *Poemas árticos*» [28]. ¿Acaso el mismo Huidobro se detuvo en ellos?

Aparte las afirmaciones gratuitas que han quedado al desnudo si comparamos las afirmaciones de Guillermo de Torre entre sí, vale la afirmación del valor inexcusable que la presencia de Vicente Huidobro tiene en ese momento madrileño de 1918 para la poesía española. Juan Larrea, el gran crítico y poeta creacionista español considera el influjo de Huidobro en la poesía española más decisivo que el de Darío en el momento modernista. De él nace el movimiento *ultraísta*, promovido por Guillermo de Torre bajo el influjo inmediato del creacionismo huidobriano y utilizando sus adquisiciones. De él proviene el nuevo espíritu que anima a la juventud poética de España y ese resurgimiento que la hace contemporánea de la europea con la aparición de numerosas revistas imbuidas del espíritu nuevo como *Ultra* (enero 1921, marzo 1922), *Tableros* (cuatro números), *Reflector* (1920), *Vértice* (1923), *Tobogán* (1924) y muchísimas otras. Así como también de los nombres de los poetas jóvenes como el mismo Guillermo de Torre y de César González Ruano, anteriormente citados, Alfredo de Villacián, Carlos Fernández Cid, José de Ciria, Eugenio Montes, Isaac del Vando Villar, Pedro Garfias, Eduardo de Ontañón, José Rivas Panedas y otros [29].

Directamente adhirieron al creacionismo de Vicente

---

[28] Guillermo de Torre, *Literaturas europeas de vanguardia*, Rafael Caro Raggio, Editor, Madrid, 1925.

[29] Vid. César González Ruano, *Antología de poetas españoles contemporáneos en lengua castellana*. Editorial Gustavo Gili, S. A., Barcelona, 1948.

Huidobro y han sido sus más nobles defensores dos notables poetas españoles que han seguido luego por distintos caminos: Juan Larrea, notable crítico y colaborador de *Cuadernos Americanos*, de México, que recogió toda su obra poética en un libro, *Obscuro dominio*, de edición muy restringida, y Gerardo Diego, uno de los más grandes poetas españoles de la actualidad que reedita en ciertas obras recientes el mismo espíritu creacionista de sus primeros libros *Imagen* y *Manual de espumas* de 1922 y 1924.

Los libros *Poemas árticos* y *Ecuatorial* constituyen de cualquier manera el signo de la revolución hacia la poesía nueva de toda la literatura de habla española. Esto de manera inamovible. No puede ser ya discutido ni negado, y es lo que hace necesaria la mención de Huidobro en cualquier estudio de la poesía moderna de lengua española; puesto que también a América se extiende este influjo y esta revolución, tanto por la presencia poética de Huidobro como la de los poetas argentinos Jorge Luis Borges y Francisco Luis Bernárdez, por ejemplo, que llevan la semilla de esta nueva poesía a Buenos Aires, creando publicaciones periódicas dentro de las nuevas tendencias poéticas como *Prisma* y *Martín Fierro*.

II. PRIMER REGRESO

En esta época hay dos hechos de carácter universal, que ejercen influencia evidente en la poesía y la literatura de la época y vienen a ser sendos motivos generacionales. Ellos son: primero, la guerra mundial de 1914-18 y la revolución bolchevique de 1917. Ambos hechos son registrados en la literatura y su eco lo podemos encontrar por odas partes. Los poemas de tema bélico y los llamados poemas «maximalistas» penetran hasta la poesía de aquellos que hoy han adherido a las líneas más tradicionales y estables de la vida social, política y literaria.

En 1919, realiza Huidobro un corto viaje a Chile, regresando a Europa ese mismo año. Por entonces había comenzado a escribir su extraordinario poema *Altazor*.

Refiriéndose al momento anteriormente señalado, Huidobro, respondía en un cuestionario[30] a la pregunta ¿cuál

---

[30] Vid. *Pro-Arte*, Santiago de Chile, I, 25, 1.º de enero de 1949: «Cuestionario a Vicente Huidobro», pp. 2 y 16.

es el período de su vida que contribuyó a enriquecer más
su espíritu, a revelarlo, a madurarlo? ¿Dónde y cuándo?:

«El período de la gran guerra y de la revolución rusa
Yo vivía entonces en Francia. Era la época heroica en que
se luchaba por un arte nuevo y un mundo nuevo. El estampido de los cañones no ahogaba las voces del espíritu
La inteligencia mantenía sus derechos en medio de la catástrofe; por lo menos en Francia. Yo formaba parte del
grupo cubista, el único que ha tenido importancia vital
en la historia del arte contemporáneo. En el año 1916-1917
publiqué en París con Apollinaire y Reverdy la revista
Nord-Sud, que es considerada hoy como un órgano capital en las grandes luchas de la revolución artística de
aquellos días. Mis amigos más íntimos entonces eran Juan
Gris y el escultor Jacques Lipchitz, éste y yo éramos los
menores del grupo. A mí me llamaban el *blanc-bec*, lo que
podría traducirse: el Benjamín de la familia. No puedo
evocar aquello sin sentir cierta emoción, agravada hoy
por las circunstancias... Apollinaire venía a comer a casa
los sábados. También venían a menudo Max Jacob, Paul
Dermée, a veces llegaba Blaise Cendrars, Marcoussis, Maurice Raynal, que venían del frente de batalla. Entonces conocí a Picasso, que volvía del sur de Francia y que pronto
debía estrenar el memorable ballet *Parade*, con música de
Erik Satie, otro viejo amigo encantador, hoy muerto como
Apollinaire. Es triste recordar esos tiempos ¿En dónde
está Picasso en estos momentos? ¿En dónde están Lipchitz, Picasso, Breton, Braque, Laurens, Léger, Gleizes
Metsinger y tantos otros? ¿Qué ha sido de ellos, qué suerte habrán corrido en medio de la vorágine?

Por aquellos días se vendían en veinte francos los cuadros de Derain, que dos años más tarde valdrían veinte
mil. Todos ellos, todos, cual más cual menos, todos contribuyeron con su ladrillo propio al gran edificio del espíritu de una época histórica de la más alta importancia en
la evolución humana.

Al final de la guerra llegaron al grupo Paul Eluard
uno de los más grandes poetas que ha producido el mundo; André Breton, con su fuerte espíritu siempre abierto
y sin miedo; Soupault, Picabia, que volvía de Nueva
York; Tristan Tzara, que llegaba de Suiza; Benjamín Pe-
ret, Aragon y luego Georges Vildrac, Masson, Joan Miró
Max Ernst y por último Hans Arp, que todos conocían

por ser uno de los creadores de la nueva plástica en Zurich, donde vivió durante la guerra».

En Chile, la vuelta de Huidobro, que regresó, como hemos dicho, el mismo año a Europa, encontró eco en la juventud poética y Neftalí Agrella publica, siguiendo a Huidobro en su creacionismo, en 1920, sus *Paisajes verticales*. En octubre y noviembre del mismo año, Alberto Rojas Jiménez y Martín Bunster, ambos pertenecientes a la combativa Federación de Estudiantes, inauguran el movimiento *Agú*, que con cierto humor juvenil pretendía seguir las líneas de vanguardia. Luego, en julio de 1921, la revista madrileña *Cosmópolis*, que dirigía Enrique Gómez Carrillo y desde donde saludó calurosamente a Huidobro, Rafael Cansinos-Assens publicaba poemas vanguardistas de los chilenos Neftalí Agrella, Julio Walton y Merihana Lefevre [31].

En Europa Huidobro realizó estudios en varias universidades sobre diversas materias. Estudió en París, en España y en Alemania. Tomó cursos en Freiburg y en Berlín, mostrando particular preferencia por la Psicología y la Filosofía. En relación a este período Huidobro mismo escribe:

«Como si mi cerebro estuviera dividido en dos compartimentos absolutamente independientes, me sentía atraído con igual pasión por el espíritu de las ciencias, lo que me hizo seguir cursos en la Sorbonne y en otras universidades europeas sobre Biología, Fisiología y Psicología Experimental, y por el estudio de lo maravilloso, lo que me hizo dedicar muchas horas a la Astrología, a la Alquimia, a la Kabala antigua y el ocultismo en general» [32]. Estos estudios ejercieron una influencia manifiesta en su obra poética en general.

Su actividad como poeta y divulgador de su creacionismo por Europa es intensísima. Huidobro trabaja constantemente, viaja de un lugar a otro haciendo lecturas o exposiciones de sus poemas y dictando conferencias sobre creacionismo. Da conferencias en Madrid, Estocolmo, en París, en la Sorbona y en el centro de Altos Estudios Filosóficos, en 1922 y 1925, en Alemania, etc.

En Madrid, en 1921, dicta en el Ateneo su famosa conferencia sobre *la poesía* [33], que luego servirá de prólogo

---

[31] V. FIGUEROA, *Dicc...*, t. I, p. 16.
[32] *Vientos Contrarios*, p. 34.
[33] Recogida en *Temblor de Cielo*, Madrid, 1931; Santiago, 1942.

a su edición española de *Temblor de Cielo*. El mismo año, 1921, aparece en París su antología *Saisons choisies*, donde se recoge parte de su obra hasta entonces publicada en francés y traducida del español, y algunos poemas que recogerá más tarde en *Automme régulier*. Como prólogo lleva un ensayo publicado en *L'Esprit Nouveau*, en abril de ese año, con el título de *La création pure: essais d'Esthétique*, uno de sus mejores ensayos teóricos del creacionismo.

Huidobro recuerda de este modo aquella época:

«Por encima de todo el poeta latiendo en cada instante, el recuerdo vivo de las batallas literarias allá en París, aquí en América, en Alemania, en España. La fe entusiasta en imponer un arte que nos parece más auténtico que el otro. Las batallas en los teatros y en conferencias públicas. ¿Cuántas veces salimos expulsados por la policía?» [34].

Los poetas de la época poseen una viva preocupación por los problemas sociales y políticos. Huidobro, siguiendo esta actitud general, publica en 1925 un libro en contra del imperialismo británico con el título de *Finis Britanniae*, en donde endilga a cada una de las colonias británicas un discurso literario. Este libro le trajo graves consecuencias, pues, a causa de él fue raptado y retenido por tres días, al cabo de los cuales se le devolvió maltrecho, golpeado y sangrante, en las cercanías de su casa a la que llegó arrastrándose.

«¿Cómo olvidar —dice Huidobro, recordando sus actividades políticas— aquellas reuniones de irlandeses exaltados cuando me dio por romper lanzas contra el imperialismo inglés y aquellas caras de orientales rebeldes con ojos luminosos de profetas y las frases ardientes y los terribles juramentos?

¿Cómo olvidar esos tres días de Dublín perseguido por la policía inglesa y obligado a dormir cada noche en una casa distinta?

Y luego, después, las luchas políticas, arrastrado por un ideal sincero, indomable en medio de las amenazas y la catástrofe» [35].

En 1924, aparece en París su revista *Création*, en la que colaboran las figuras más destacadas del momento

---

[34] *Vientos Contrarios*, p. 34.
[35] Idem, p. 33.

y los valores más representativos de la avanzada literaria de Europa.

En este año también se constituye el movimiento *surrealista* con los mismos nombres que formaran anteriormente, en 1920, el grupo *Littérature,* que reunió a los más
exaltados dadaístas y a los jóvenes que se fueron incor-
porando entre esos años. A la cabeza del movimiento apa-
recían Breton, Eluard y Aragon; Soupault y Péret conti-
nuaban en cierto modo la ruta iconoclasta inaugurada por
futuristas y dadaístas y proclamaban el superrealismo del
inconsciente. Apollinaire, padre de todas las renovaciones,
también le dio el nombre a este movimiento: *surrealismo;* así como Matisse se lo había dado al cubismo:
¡assez de cubes! El surrealismo será el más joven y el último de los movimientos de la poesía nueva, en cierto modo opuesto totalmente a lo que fue la vanguardia de cinco años atrás. Llevado también por el momento político
que se vivía, la gran mayoría del surrealismo pasó al Partido Comunista, del que se separarían varios al poco tiempo. Por ese entonces las corrientes más avanzadas en la
literatura se correspondían con las más avanzadas postu-
ras políticas europeas. No pasaría mucho tiempo, sin embargo, antes de que aquéllas divergieran totalmente, pro-
clamándose en Rusia y en Alemania una vuelta al realismo como manera de acercar el arte al pueblo.

En 1925, Huidobro publica dos nuevos libros, *Automne régulier* y *Tout à coup,* que muestran una nueva faceta de su obra con poemas de una mayor estructura orgánica. A la par y frente a los manifiestos últimos del surrealismo, Huidobro fija sus posiciones en una serie de
ensayos reunidos en volumen bajo el título de *Manifestes.* En él analiza los nuevos postulados del surrealismo y
sus aproximaciones dadaístas, proclamando frente al in-
frarracionalismo que postulaban, el singular suprarracio-
nalismo de su teoría creacionista, condenando la intervención del azar propio de las nuevas «técnicas» surrealistas como la «descripción onírica» y la «escritura auto-
mática».

Guillermo de Torre publica este año sus *Literaturas
europeas de vanguardia,* libro que intenta historiar los
movimientos europeos del último tiempo, cargado de ani-
mosidad en contra de Huidobro y de su creacionismo. Este libro suscitará una polémica entre De Torre y Huidobro, que puede seguirse en la revista *Atenea,* de Concep-

4

ción de Chile. De Torre, en un libro largamente posterior dedicado a *Guillaume Apollinaire*, precisa y rectifica sus afirmaciones del libro precedente, como hemos constatado más arriba. Diez libros publicados en menos de diez años en Europa trae Huidobro en sus maletas cuando regresa ocasionalmente a Chile en 1925. Su obra creacionista ya ha evolucionado en parte y puede decirse que aquí se cierra una etapa importante de ella.

IV. POLÍTICA

Recién llegado a Chile, en 1925, Huidobro se enrola en la política confusa y alterada de esos años. De esta manera aparece dirigiendo el diario *Acción*, «diario de purificación nacional» [36], cuyo primer número aparece el 5 de agosto de ese año.

Se trataba de una publicación combativa e intentaba, al tiempo de remover las conciencias adormecidas y desidiosas, responder efectivamente a su lema «diario de purificación nacional». Así, en uno de los primeros números apareció el artículo «Gestores administrativos y políticos peligrosos», en el que se recogían los datos proporcionados por una comisión de civiles y militares como antecedentes personales pedidos por una Junta de Gobierno. En este artículo se fustigaba duramente a personeros del último régimen. Aparecido el 7 de agosto, al día siguiente Huidobro fue asaltado al llegar a su casa y salvajemente golpeado con un laque, sufriendo una grave conmoción cerebral.

La prensa de todo el país solidarizó con la desgracia de Huidobro y en todos los órganos de prensa de la época se levantó una voz unánime de protesta. *Julio César* (Hugo Silva), Conrado Ríos Gallardo, Angel Cruchaga Santa María, Carlos Préndez Saldías, saludaban al poeta y periodista caído; y en su casa recibía Huidobro los votos solidarios de amigos y personalidades, visitas que eran reseñadas en el diario *Acción*.

En su artículo, *Julio César* decía:

«Llegó trayendo dentro diez años de Europa, y cuando

---

[36] RICARDO DONOSO, *Alessandri, agitador y demoledor*, Fondo de Cultura Económica, México, 1952, p. 434. Dice que el diario era publicado por Marmaduque Grove, «y al frente de él puso en calidad de testaferro a Vicente Huidobro».

muchos, todos, lo creían exotizado hasta la médula, indiferente e insensible para todo lo que no fuese Montparnasse, creacionismo, Juan Gris, vimos con maravilla cómo había repuntado en él ya hombre, el brote ignorado del nacionalismo. París nos devolvió a Huidobro tan chileno como jamás lo hubiéramos sospechado» [37].

Y Vicente Huidobro escribía a los pocos días en su diario:

«Una bandada de cuervos se cierne en los aires y empesta nuestro cielo.

¿Acaso Chile será un inmenso animal muerto tendido en las laderas de los Andes?

Sacúdete, Patria mía, despierta de esa larga agonía. Ruge, ruge de tal modo que los cuervos huyan despavoridos» [38].

En el mes de agosto dejó de salir *Acción* después de su número 14.

En las elecciones presidenciales de ese año aparece como candidato a la Presidencia de la República apoyado por la Federación de Estudiantes.

En 1926 publica en Santiago un libro de apuntes biográficos, ensayos y aforismos: *Vientos Contrarios*, que delataba por el título su posición frente al estado de cosas, en lo moral y literario dominantemente, a que se enfrentaba el poeta. Desde el punto de vista de la biografía es interesante este libro y proporciona más de un dato fundamental para la comprensión de la vida que aproximadamente a partir de este año toma un carácter decididamente anárquico o más bien autárquico. Bajo el influjo directo de Nietzsche, a quien toda su generación leyó con verdadera fruición, se entregó a un amoralismo dionisíaco, a una consideración de la vida como naturaleza que todo lo justifica.

Al cabo del año realiza una fuga galante a Europa, luego de separarse de su familia. En París lo encuentra R. A. Latcham, en 1928, en los momentos en que el entonces joven crítico se hallaba en Francia.

Luego, en 1929, aparece en Madrid bajo el signo editorial de CIAP, su "hazaña" *Mío Cid Campeador*. Una de sus obras más reputadas y leídas y con mayor número de ediciones. Constituye ella por sí todo un verdadero géne-

---

[37] JULIO CÉSAR, «El porqué», *Acción*, Santiago de Chile, I, 5, 10 de agosto de 1925, p. 1.
[38] *Acción*, I, 11, 18 de agosto de 1925.

ro experimental, donde la poesía y el relato, la relación histórica y la epopeya se mezclan con elementos modernos y una técnica insospechada. También ha sido traducida al inglés, publicada en Inglaterra y los Estados Unidos, con el nombre de *Portrait of a Paladin*. Con esta obra se inicia también un período de intensa labor creadora en el terreno exclusivo de la prosa española, con la sola excepción de *Altazor*.

Altazor o *El viaje en paracaídas*, subtítulo que no aparece en la edición chilena, se publicó en Madrid en 1931, pero el poeta había estado trabajando en él desde 1919 y fragmentariamente se le había publicado en diferentes periódicos y revistas de Europa y de América. Se trata de un extenso poema dividido en siete *Cantos*, en el cual Huidobro utiliza todos los hallazgos poéticos y los más extremos resultados de la técnica creacionista de imágenes, conceptos y palabras creadas. Este poema es fundamental para la comprensión de la poesía creacionista de Huidobro y puede decirse que se trata de un poema único en la historia de la literatura.

El mismo año, 1931, se publica en Madrid *Temblor de Cielo*, poema en prosa escrito en 1928, cargado de espíritu nietzscheano y presagios de fin de mundo. Al año siguiente, en París, publica una excelente versión francesa de este poema en prosa, con el nombre, más genuino que el español, de *Tremblement de ciel*, puesto que, como es evidente, ha sido pensado en francés.

Este año también, 1932, se publica en París una extraordinaria, curiosa, pieza teatral en cuatro actos y un epílogo, *Gilles de Raiz*. Obra que no ha sido nunca representada. Se trata de una pieza de espíritu medieval, mágico, en la que el protagonista, que da nombre a la obra, es una mezcla de doctor Fausto y de Don Juan en búsqueda incesante de la piedra filosofal y del amor absoluto de mujer, ansias ambas nunca satisfechas. La obra no es realmente representable y más bien podría catalogársela entre las novelas dialogadas a la manera de *La Celestina* o algunas piezas históricas de Shakespeare y de Galdós, a lo que habría que agregar el espíritu poético de elementos mágicos, astrológicos y de ocultismo. Huidobro tiene presente al escribir la obra, todos los precedentes literarios del personaje principal (Fausto, D. Juan) y en el epílogo hace reunirse a escritores de dos y tres siglos que los han tratado. Es interesante la aparición de Juana de Arco y la justificación de su fama que hace Huidobro en esta pieza.

V. SEGUNDO REGRESO

Hacia fines de 1933, regresó Huidobro a Chile. En el intertanto se habían producido en el movimiento poético de Chile y en el desarrollo institucional y social de la República cambios manifiestos.

Para esta época ya habían aparecido las obras iniciales de Angel Cruchaga Santa María, su temprano libro *Las manos juntas* (1915), *La selva prometida* (1920), *Job* (1922), *Los mástiles de oro* (1923), libros que ya lo habían definido dentro de su línea de pureza y misticismo; en 1933 publica *Afán del corazón*. Pablo de Rokha publica su primer libro en 1922, *Los gemidos*, y luego *U* (1925), *Satanás* y *Suramérica* (1927), *Escritura de Raimundo Contreras* (1929). Pablo Neruda publicaba en 1921 su primer libro, *La canción de la fiesta*, luego *Crepusculario* (1923), *20 poemas de amor y una canción desesperada* (1924), *Tentativa del hombre infinito* y *Anillos* (1926), *El habitante y su esperanza* (1926) y, el año de la llegada de Huidobro, su primera *Residencia en la tierra*. Rosamel del Valle había publicado, en 1926, su *Mirador* y su *País blanco y negro* en 1929. Los jóvenes poetas, ya pertenecientes a la generación siguiente, Juvencio Valle y Humberto Díaz Casanueva habían publicado *La flauta del hombre Pan* (1929) y *Tratado del bosque* (1932), el primero; y *El aventurero de Saba* (1926) y *Vigilia por dentro* (1931), el segundo. Juan Marín publicó su *Looping* en 1929 y concluiría su obra poética con *Aquarium* (1934). Los poetas de la Federación de Estudiantes que colaboraron en las publicaciones que dirigía Alberto Rojas Jiménez, *Claridad* y *Juventud*, como Juan Egaña, Domingo Gómez Rojas, Armando Ulloa, Joaquín Cifuentes Sepúlveda, Romeo Murga, Alberto Rojas Jiménez, Alejandro Galaz, muestran una obra dispar cargada de cierto romanticismo enfermizo; casi todos ellos murieron jóvenes. Es uno de los hechos más curiosos y dignos de estudio de nuestra literatura. Sólo tardíamente, casi, diré, póstumamente, se ha conocido obra poética perteneciente a estos poetas donde sea posible hallar el sello de la poesía nueva. Arriba quedan reseñados los nombres más representativos de la generación de Huidobro y habrá que agregar a ellos los nombres de Daniel de la Vega y Jorge Hübner Bezanilla, casi epígonos de la generación anterior y Francisco Donoso, Winet de Rokha, Neftalí Agrella, Salvador Reyes, Tomás Lago, Chela Reyes y otros.

Hacia 1928, algunos jóvenes poetas de la generación siguiente, Alfredo Pérez Santana, Clemente Andrade Marchant, Raúl Lara y Benjamín Morgado, lanzaron el *Manifiesto Runrunista*, que seguía dentro de un margen humorístico las tendencias de la poesía creada que inauguró Huidobro.

Como es posible apreciar, atendiendo a las fechas consignadas más arriba, el movimiento de la poesía nueva no se hace carne en la poesía chilena, sino después de 1920, y con una real madurez recién hacia 1926. Huidobro ha sido de una precocidad tremenda en el desenvolvimiento de su poesía; y los poetas de su generación, los que en la mayoría recibieron su influjo, consolidaron su personalidad poética mirando hacia los poetas franceses, con los que Huidobro convivió hacia 1917-1924 y al posterior movimiento surrealista de Breton, Eluard, Aragon, Péret, Soupault, etc., en quienes bebieron ávidamente las aguas de las nuevas tendencias. En este aspecto, Huidobro y los poetas que le fueron más próximos mantuvieron una actitud contraria al surrealismo y tal vez sea esto lo que los separa más claramente de los demás y permitiría precisar promociones diferentes en una misma generación, lo que, por otra parte, nos parece evidente.

Arriba Huidobro en 1933 a Chile y desencadena de inmediato un interesante movimiento juvenil, tanto en poesía como en pintura y artes plásticas. En diciembre de ese año se realiza la primera exposición de pintura nueva por un grupo de jóvenes pintores que expone sus obras siguiendo las tendencias últimas de la pintura europea, cubista y surrealista. En ella participan, entre otros, María Valencia, Jaime Dvor, Gabriela Rivadeneira, Lira Espejo, Carlos Sotomayor y Waldo Parraguez.

Periódicamente, Huidobro dictaba conferencias antibelicistas en la librería de Julio Walton, a las que asistían entusiastas muchos jóvenes de la generación nueva.

El año 1934 es para Huidobro de una actividad editorial extraordinaria. Aparecen en ese año sucesivamente sus novelas *Papá o el diario de Alicia Mir*, de la que se hacen dos ediciones simultáneas. Es una novela escrita en forma de diario íntimo, que relata el desenlace de un conflicto familiar, en el cual se ha pretendido ver semejanzas con la vida del poeta; *La próxima*, "historia que pasó en un tiempo más", novela irregular de giro ensayístico a la manera de las obras de Benson y H. G. Wells, obras que se proyectan hacia el tiempo futuro de la sociedad en el desenvolvimiento de la técnica. La novela de Huidobro tiene páginas admirables como las de la petrificación de París, pero, por otra parte, un estilo periodístico de dudosa calidad literaria y, lo que es más grave, cierta inconsistencia en la ideología de esta novela-ensayo la hace desmerecer al lado de otra: *Cagliostro*, una novedosa novela-film, premiada en Hollywood en un concurso de guiones cinematográficos, de los que la novela conserva la técnica. Versa sobre la personalidad de José Bálsamo, el médico ocultista, que ha servido de tema anteriormente a Dumas y que es, en la personalidad poética de Huidobro, asociado a *Gilles de Rais*, un dato más que responde a la experimentación de las posibilidades extremas del espíritu humano en su lucha por la conquista del infinito. Publica también este año un "pequeño (no tan pequeño en verdad) guignol" en cuatro actos y trece cuadros de intención política, escrito con gracia y habilidad: *En la luna.*

En 1935, un año más tarde, aparecen sus *Tres inmensas novelas* escritas en colaboración con Hans Arp, el escultor dadaísta, que fuera gran amigo de Huidobro; se trata de una serie de breves novelas humorísticas, pero cargadas de cierta crítica acre poco encubierta. Es muy interesante para comprender la intención de las novelas allí reunidas, y de gran parte de la obra de Huidobro, la carta dirigida por él a Hans Arp, que aparece en la segunda parte del volumen.

Este año, 1935, también publica una revista que inaugurará una serie de publicaciones periódicas de corta vida, en ocasiones de un solo número; se llama *Vital* y en ella colaboran por primera vez algunos poetas de la generación joven, entre ellos Omar Cáceres, que el año anterior publicó *Defensa del ídolo*, libro de poemas prologado por Huidobro, en el que se saluda a un verdadero poeta, y Eduardo Anguita, que seguirá más de cerca que nadie la avanzada espiritual de Huidobro e inventará el efímero *Decorativismo*. Se trata, en verdad, de una revista de polémica hecha con ese humor que caracteriza los juicios intencionados de Huidobro, que no se detienen en ocasiones tales en pelos de ninguna clase. En ella, Huidobro se defiende de plagios y de imputaciones falsas y gratuitas de sus enemigos.

En 1936, enrolado en el Frente Popular, colabora en el diario *La Opinión*, en artículos en que los ideales democráticos, populares y libertarios que lo animan condenan el fascismo italiano en su invasión de la desamparada Etiopía de Haile Selasie, como el *Triunfo romano* [39]; el asesinato del joven escritor Barreto en *El escritor Barreto asesinado por los nacis* [40] y luego, con motivo de la guerra civil española, *Conducta ejemplar del pueblo español* [41]. Ese mismo año, en *Madre España* [42], homenaje de los poetas chilenos a España, publica un extraordinario poema, *Gloria y sangre*, no recogido en libro.

Ese año partirá a España y participará activamente en la guerra civil.

En 1938, de regreso a Santiago, publica su novela *Sátiro o el poder de las palabras*, sin duda la más acabada de sus novelas. Obra de gran penetración psicológica e importante también para la comprensión de su obra poética.

En 1936 había aparecido el primer número de otra de sus revistas: *Total;* en julio de 1938 aparece el segundo y último número de la revista. Esta revista recoge en sus páginas la obra de poetas de dos generaciones, que representan las más variadas tendencias. Colaboran en ella Rosamel del Valle, Gerardo Seguel, Julio Molina, Eduardo Molina, Volodia Teitelboim, Enrique Gómez Correa, Braulio Arenas, Teófilo Cid y aparecen colaboraciones de Picasso, Dali, Breton, Arp, Eluard, René Daumal, Juan Larrea.

Los jóvenes poetas de entonces, que vivían cerca de las obras de poesía y arte europeo contemporáneo, particularmente francés, y que se inclinaban, más que a seguir a Huidobro, hacia los surrealistas franceses encabezados por André Breton, encontraban en las reuniones en casa de Huidobro, en la calle Cienfuegos, el ambiente

---

[39] *La Opinión*, Santiago de Chile, 12 de mayo de 1936, p. 3.
[40] Idem, 24 de agosto de 1936, p. 3.
[41] Idem, 21 de julio de 1936, p. 3.
[42] *Madre España, Homenaje de los poetas chilenos...*, Editorial Panorama, Santiago de Chile, 1936, pp. 6-8.

propicio y el conocimiento de los autores que les interesaban, por intermedio de Huidobro, que jamás influyó sobre los poetas jóvenes para convertirlos a su credo estético. Así, realizando ellos una obra predominantemente surrealista, aunque no todos, colaboraban en la revista de Huidobro y realizaban, por iniciativa propia, revistas con el carácter de sus propias tendencias. Ellos fueron quienes primeramente alcanzaron la conciencia del valor de la nueva poesía en Chile y quienes, en 1935, publicaron la *Antología de la poesía chilena nueva* con los nombres de Vicente Huidobro, en quien reconocían el valor más alto; Angel Cruchaga Santa María, Pablo de Rokha, Pablo Neruda, Rosamel del Valle, Juvencio Valle, Humberto Díaz Casanueva, Omar Cáceres y finalmente los autores de la antología y de dos excelentes prólogos, Eduardo Anguita y Volodia Teitelboim.

Hacia 1938, nace el movimiento surrealista en Chile, bajo el nombre de «*Mandrágora*», con una publicación y una editorial del mismo nombre. En él participaron, en primer término: Braulio Arenas, quien intentó consolidar el movimiento sin éxito; Enrique Gómez Correa, Jorge Cáceres, tempranamente fallecido; Gonzalo Rojas, Fernando Onfray y otros. Su existencia se prolonga luego con la revista que dirige Braulio Arenas, *Leit Motiv*, pero puede decirse que el movimiento como tal terminó con el número 1 de esta última publicación al historiar el movimiento, Arenas, en su interesante ensayo *Actividad crítica*[43]. Por las interesantes exposiciones surrealistas, por el espíritu revolucionario y su gran actividad intelectual, la multiplicidad de facetas de la obra de los poetas-dibujantes y la novedad de sus manifestaciones, éste ha sido de los movimientos más importantes de la poesía chilena contemporánea, y aunque efímero, como todos ellos, es, sin duda, el más vivo e interesante de todos. De cualquier modo el surrealismo supervive en la obra de varios de ellos. Se hace necesario un estudio sobre este grupo.

VI. Ultimo regreso

A partir de 1939, Huidobro colabora en *Multitud*, que aparece ese año y que dirige hasta hoy, pasando por diversas épocas de publicación y de formato, Pablo de

---

[43] *Leit Motiv*, I, núm. 1, Santiago de Chile, diciembre de 1942.

Rokha. *Multitud* es un periódico de batalla, en el que colaboran dominantemente intelectuales cuyo círculo es hoy día demasiado estrecho si lo comparamos al que colaboraba en él hacia 1939 y 1940. En esa época era un órgano genuino de intelectuales del Frente Popular y en él colaboraban, por ejemplo, Ricardo A. Latcham, Juan Marín, Fernando Alegría, Braulio Arenas. En esta revista publicó Huidobro gran parte de los poemas que formaron, más tarde, sus dos últimos libros de poesía. La prensa nacional, por entonces, rompe igualmente el silencio que hasta entonces había rodeado su obra.

En 1941, publica dos de sus capitales libros de poesía, en los que recoge gran parte de las obras del último tiempo, publicadas en revistas de Chile y del extranjero, ellos son *Ver y palpar*, que continúa en algo el espíritu de *Altazor*, en su aspecto humorístico y creacionista, y *El ciudadano del olvido*, que sigue la faceta oscura y honda del poema nombrado y su espíritu humanísimo y desesperanzado. *El ciudadano del olvido* debe tenerse como una de las más sobresalientes obras poéticas de Huidobro, junto a *Poemas Articos*, *Altazor* y *Temblor de Cielo*, para sólo nombrar su obra poética en español, que de por sí ya es abundante.

En 1942, se publican segundas ediciones de *Temblor de Cielo*, *Cagliostro* y *Mío Cid Campeador*.

En 1945 aparece su *Antología* preparada por Eduardo Anguita.

Huidobro participó activamente en la segunda guerra mundial. Con el grado de capitán formó parte del ejército del general Delattre de Tasigny y participó en la caída de Berlín en manos de los aliados al finalizar la guerra. Fue el único oficial de lengua española y también el primero en entrar en Berlín, en 1944. Como botín de guerra gustaba exhibir el teléfono particular de Hitler.

En la acción bélica, recibió una herida en el cráneo, que más tarde precipitó su muerte.

Vicente Huidobro murió el 2 de enero de 1948, ocho días antes de cumplir sus cincuenta y cinco años de edad, en su hacienda de Llolleo, y días después de haber sufrido un derrame cerebral, al que había quedado proclive después de la herida recibida en la última guerra mundial.

Ese mismo año, su hija Manuela recogió los *Ultimos*

poemas, en los que es posible hallar un agudo presentimiento de la muerte.

Al cumplirse un año de la fecha de su muerte, *Cruz del Sur* publicó la segunda edición de *Altazor*.

Sus familiares más cercanos y sus amigos dilectos inauguraron la tumba de Huidobro en una colina frente al mar en Cartagena, tal como el poeta lo había deseado.

[Primera parte de «La poesía de Vicente Huidobro», *Anales de la Universidad de Chile*, 100, 1955.]

CONVERSANDO CON VICENTE HUIDOBRO
(1919)

Las figuras intelectuales más interesantes acaso son aquellas que a través de combates arduos logran vencer, premunidas de su grandeza.

El artista que ha nacido en un ambiente de paz y no conoce el resquemor que produce una herida sin bálsamo, no posee el mérito máximo del esteta que ha ido cotidianamente auscultando el corazón del mundo en una compenetración íntima y aceda.

Entre los intelectuales chilenos existe un poeta que después de sufrir el turbión de las diatribas burdas y del sonreír liviano de los histriones malévolos y oscuros ha encontrado una senda en la cual gustará un perenne reposo espiritual.

Este artista se llama Vicente Huidobro. El será un desorientado para aquellos que viven adorando a muchas de nuestras risibles momias literarias. La bizarría de sus versos novísimos, el grito de su corazón sano y profundo, batido por vientos potentes, parecerán sacrilegios en la conciencia de los iconoclastas.

¡Santa inocencia que me hace sonreír desde mi rincón luminoso!

Pensando que nadie podría darme una idea más precisa de las escuelas literarias de hoy, especialmente de las de Francia y España, fui a conversar con Vicente Huidobro. Su estada de más de dos años en Europa lo facultaba para guiarme por los caminos intelectuales por él recorridos. Huidobro al saber que deseaba entrevistarlo quiso enmudecer, como lo había hecho con muchos literatos; pero mi tenaz insistencia logró el propósito.

Sus palabras traducen un formidable soplo estético que hallará comprensión en todos aquellos que han aguzado el alma en la angustia lírica.

He aquí nuestro diálogo:

—¿Qué orígenes tiene el «Creacionismo», o sea la escuela así bautizada?

—Ante todo no sé por qué a esta escuela han dado en llamarla creacionista.

Si nos viésemos forzados a buscarle antecedentes a toda costa, algunas de sus características podrían verse en ciertas frases de Rimbaud y de Mallarmé y en casi todos los grandes poetas de épocas anteriores. Por esto yo considero que el creacionismo no significa una revolución tan radical como han creído los críticos en el primer momento, sino la continuación de la evolución lógica de la poesía.

—¿Qué tendencias literarias modernas existían a su llegada a París?

—Cuando llegué a la capital francesa conocí varios círculos literarios de las últimas tendencias, muchos de los poetas jóvenes que deseaban escapar del molde simbolista habían caído en algo mucho peor: «el futurismo». Estos jóvenes publicaban la revista *Sic*, cuyo director era Pierre-Albert Birot, y en la cual colaboraban entre otros Pierre Reverdy, Jean Cocteau, y en algunas ocasiones Guillaume Apollinaire.

Birot, aunque creía ser futurista, era solamente un simbolista, y esto acontece a todos aquellos que comulgan en la escuela auspiciada por Marinetti.

—¿Cómo se manifestó en París el «Creacionismo»?

—Después de largas conversaciones y de un cambio continuo de ideas con el más interesante de los jóvenes poetas: Pierre Reverdy, fundé con él la revista *Nord-Sud*, en marzo de 1917. En esta revista, pues, ha nacido la nueva tendencia, la más seria y profunda después del simbolismo. Nosotros no hemos pretendido como los futuristas hacer el arte de mañana, ni como los neo-simbolistas interpretar el arte pretérito, nos contentamos simplemente con hacer el arte de hoy.

—Antes de seguir hablando de los poetas creacionistas, dígame qué otras tendencias sobresalen en la literatura francesa.

—La escuela de los «unanimistas», fundada por Jules Romains y Georges Duhamel y la de los «simultaneístas», representada por H. Barzun, Sebastián Voirol y Fernand Divoire.

—¿Cuál es el credo estético de los «unanimistas»?

—Los unanimistas pretenden sentir la vida en su unanimidad, o sea, en el sentimiento colectivo, como lo ha demostrado Romains en su poema «Le théâtre». Es el hombre que se compenetra con lo que está a su alrededor, aun con las cosas inertes.

Los «simultaneístas» anhelan presentarnos en conjunto la simultaneidad de los sentimientos diversos, haciendo que hablen en sus poemas varias voces a la vez. Anteriormente a ellos, Jules Romains, jefe de los «unanimistas», había presentado en 1909, en un teatro de París, su poema «L'église», a cuatro voces, y un poeta rumano, Tristan Tzara, había hecho lo mismo con su poema a cuatro voces «Fièvre puerpérale». Villiers de l'Isle Adam hizo un ensayo de poema a varias voces y Mallarmé, en un ensayo estético, habló de la oda, a múltiples voces. Ejemplo de «simultaneísmo», aunque algo rudimentario, hallamos también en la Edad Media en un poema del Arcipreste de Hita. Fuera de estas reformas no radicales, los unanimistas y simultaneístas siguen siendo en el fondo simbolistas.

—¿Cuál es la estética del «Creacionismo»?

—Para contestar necesitaría escribir un libro. En una conferencia que dicté hace tiempo en Francia, y que consta de más de 80 páginas, pude apenas señalar los puntos principales mostrando la seriedad de nuestra estética.

Queremos hacer un arte que no limite ni traduzca la realidad; deseamos elaborar un poema que tomando de la vida sólo lo esencial, aquello de que no podemos prescindir, nos presente un conjunto lírico independiente que desprenda como resultado una emoción poética pura.

Nuestra divisa fue un grito de guerra contra la anécdota y la descripción, esos dos elementos extraños a toda poesía pura y que durante tantos siglos han mantenido el poema atado a la tierra.

En mi modo de ver el «creacionismo» es la poesía misma: algo que no tiene por finalidad, ni narrar, ni describir las cosas de la vida, sino hacer una totalidad lírica independiente en absoluto. Es decir, ella misma es su propia finalidad.

En general los poetas de todas las épocas han hecho

imitaciones o interpretaciones más o menos fieles de la vida real.

Yo creo, y esto es fácil concederlo, que una obra de arte mientras mejor imitada o interpretada esté será menos creada.

—¿A qué causas obedece la supresión de la puntuación en el «Creacionismo»?

—Creo que la puntuación era necesaria en los poemas antiguos, eminentemente descriptivos y anecdóticos y de composición compacta; pero no así en nuestros poemas en los cuales por razón misma de su estructura y dado que las diferentes partes van hiriendo distintamente la sensibilidad del lector, es más lógico cambiar la puntuación por blancos y espacios. Se comprende que al principio esto pueda causar desorientación; pero pronto el lector, a medida que va habituándose, acepta la razón que nos obliga a ello.

—¿Son numerosos los poetas que forman el grupo creacionista?

—En mi concepto, y dentro del sentido puro de nuestra estética, son aún reducidos, aunque día a día nuestro grupo va acrecentándose con jóvenes de gran talento y de fuerte cultura, que se lanzan entusiastamente por el nuevo camino.

—¿Cuáles son las obras publicadas por los creacionistas?

—Reverdy ha publicado *La lucarne ovale, Le voleur de Talau* y *Les ardoises du toit;* Jean Cocteau aún no ha dado a la publicidad ninguna obra; pronto editará su poema *Le Cap de Bonne Espérance* y *Le Coq et L'Arlequin;* Blaise Cendrars, joven poeta suizo, acaba de publicar *La guerre au Luxembourg, Profond aujourd'hui* y *Le Film de la fin du monde,* y tenía últimamente en prensa, *Le Panama ou les aventures de mes septs oncles.*

Hay también un poeta alemán: Ruibiner, quien, a pesar de la separación ideológica ocasionada por la guerra, sintió latir fraternalmente su espíritu con el nuestro y quiso realizar en obras la estética creacionista, publicando el poema «La lumière céleste».

Hay además un joven poeta inglés, Ezra Pound, que también ha deseado venir a nosotros y que iba a traducir a su idioma natal mi libro *Horizon carré.*

—¿Qué poetas españoles de hoy son creacionistas?

—De los poetas jóvenes de España, los más interesantes, sin duda alguna, se han acercado a nuestro grupo. Ellos son aún desconocidos en América, pero no por eso sus obras dejarán de tener menos importancia. Son éstos: Ramón Prieto y Eliodoro Puche. Hay otro poeta joven de gran talento: Mauricio Bacarisse, quien acepta la belleza de la poesía que laboramos.

—¿Alguien presintió el creacionismo en América antes de su viaje a Europa?

—Solamente Carlos Muzzio Sáenz Peña, crítico argentino, que leyendo en 1916 mis versos vio claramente nuestras tendencias futuras.

—¿Hay alguna escuela literaria interesante fuera de las ya nombradas?

—La de los «imaginistas», que es una escuela oriunda de Inglaterra, con ramificaciones en Estados Unidos y Canadá. Sus principales figuras son, Richard Aldington, director de la revista *The Egoist*, Skipwith Cannell, Horace Holley, James Joyce y Ezra Pound, director de la *Little Review*, de New York.

Los imaginistas pretenden hacer una exposición directa del sujeto, presentando las cosas desnudamente; sus poemas son una sucesión de imágenes de la cual debe desprenderse la sensación total.

—¿Qué opinión le ha merecido el artículo de Cansinos Asséns sobre su obra, publicado en el primer número de *Cosmópolis?*

—Estoy muy agradecido porque es demasiado elogioso para mí, pero me parece que hay en él dos errores que es necesario desvanecer. En ese artículo aparecería yo como habiendo recogido en mi libro *Horizon carré* el evangelio práctico de *Les Ardoises du toit*, de Reverdy, lo cual es imposible, pues mi obra es anterior; y además mucho antes de conocer a Reverdy había yo escrito v publicado en Buenos Aires casi toda la primera parte de *Horizon carré*, en una plaquette titulada *El espejo de agua*, algunos de cuyos poemas, como «El hombre triste» y «El hombre alegre», leí en esa misma ciudad en el Ateneo Hispano-Americano el año de 1916.

No pretendo con esto dar a entender que yo haya influenciado a Reverdy, eso sería tan falso como que él me hubiera influenciado. Fue solamente una analogía espiritual, y así el primer día que nos hallamos en París pudimos constatarlo leyéndonos mutuamente poesías en las cuales había cierto fondo estético semejante. Sin embargo,

5

fuera de este pequeño fondo semejante bastaría leer nuestras obras para percibir la absoluta diferencia que existe entre ellas. Mientras Reverdy es un poeta eminentemente dramático, yo creo ser un poeta puramente lírico. Además, como usted ha visto en sus libros, Reverdy es todavía un poeta descriptivo.

El otro error de Cansinos ha sido el de incluir en nuestro grupo los nombres de Roger Allard y Louis de Gonzague Frick, dos poetas sin ningún valor original y absolutamente simbolistas. También he visto mezclado en el grupo aludido los nombres de Apollinaire y Max Jacob, los cuales apenas pueden ser considerados como un puente entre el simbolismo y nosotros.

—¿Cuáles son las obras creacionistas que ha publicado usted?

—*El espejo de agua, Horizon carré, Hallali, La Tour Eiffel, Ecuatorial, Poemas Articos,* y el ballet ruso *Le Foot-ball,* con música de Stravinsky.

—¿Qué obras tiene en preparación?

—El poema creacionista simultaneísta *La lumière artificielle,* a tres voces en gramófono, con nuevos procedimientos; el *Romancero de Buffalo Bill;* la pieza de teatro titulada *Johohé* y *Les chants de l'astrologue.* También publicaré un ensayo sobre *La Nueva Estética.*

Después de escuchar la ferviente voz de Huidobro, saturada de espíritu y de verdad, sentí en mi corazón como un crecimiento de alas.

Quien lleva tanta fe en los ojos vencerá las emboscadas triunfando en todos los caminos donde vaya su alma de viajero obsesionado por nuevas estrellas.

Para penetrarse de la esencia del «Creacionismo» y poder estimar su finalidad profunda es preciso analizarlo detenidamente, no con la premura con que puede hacerlo un crítico que sólo vea las exterioridades sin desentrañar los prestigios rotundos que brotan de cada verso que es como un peldaño en la gran escala de la sensación total, o sea en el completo amasijo en el cual vibra la armonía y se destacan diáfanamente las imágenes que dan la impresión de un mundo original, más conciso y sugerente que el mundo nuestro monótono de vejez.

Cansinos Asséns, cuyo criterio nunca fue torcido por

ruines manejos, ha publicado en *La Correspondencia de España* y en *Cosmópolis* siete artículos sobre el «Creacionismo». En ellos señala a veces con una sutileza admirable los atributos de la nueva escuela, haciendo un firme elogio de la personalidad de Vicente Huidobro, llegando a decir que el más alto acontecimiento artístico español del año de 1918 era la pasada de este gran poeta por la ciudad de Madrid.

Huidobro partirá pronto a Europa donde piensa proseguir su labor independiente y fecunda.

[*El Mercurio* (Santiago de Chile), 31 de agosto de 1919.]

VICENTE HUIDOBRO

El chileno Vicente Huidobro se llamaba en realidad Vicente García Huidobro Fernández, y con estos tres apellidos firmó sus tres primeros libros, que tienen poco que ver con la obra que le dio polémica permanente y fama.

Huidobro llegó a París por vez primera en 1916, presentándose en Madrid en el otoño de 1918. En este año o a principios del año siguiente le conocí yo en el Ateneo de Madrid, en un momento de desconcierto y evolución de la poesía española, en que Cansinos-Assens nos le presentó a los jóvenes como a una especie de Mesías de una nueva era literaria. Aunque mayor que nosotros, Vicente Huidobro no tendría entonces más de veinticinco años. Era moreno, más bien grueso o redondeado, suave y *snob*. Hablaba con mucha seguridad y traía verdaderamente hasta nosotros huevos puestos por gallinas y avestruces que aun no conocíamos. Su filiación poética tuvo la etiqueta creacionista, sin demasiadas seguridades por nuestra parte de qué era aquello. Nadie sabía en España quién era Reverdy, ni siquiera quién era Apollinaire. De aquellos tres libros primeros de Vicente García Huidobro Fernández, *La gruta del silencio* (1913), *Las pagodas ocultas* (1914) y *Adán* (1916), libros aún con reminiscencias y sugestiones rubenianas y del simbolismo, Huidobro no nos habló demasiado, como tampoco de la generación chilena a la que él pertenecía, centralizada en la revista *Los Diez*, de Santiago de Chile, que destaca los nombres de Pedro Prado, Daniel de la Vega, Ernesto Guzmán, Jorge Hubner y Max-Jara, entre otros. Todo esto lo divulgó después aquel Argos implacable de Guillermo de Torre.

Huidobro se nos presentó el año dieciocho con su *Horizon carré*, publicado en francés en 1917, y hablándonos de las ilustraciones de Delaunay y de Pierre Reverdy, del que nosotros, como de otros poetas de *Nord Sud* y de las milicias de Apollinaire, no sabíamos nada.

Aquella tarde del Ateneo Huidobro vino, además de con su americana negra ribeteada y de su pantalón de corte, que le daban un cierto aire de jefe de ventas de gran almacén parisino, con algún número de *L'Elan* y de *Nord Sud*, en el que había poemas suyos, con otros de Breton, Aragon, Max Jacob, Tzara, etc.

No podríamos saber ninguno de los casi adolescentes que rodeamos la aparición en Madrid de Vicente Huidobro que muchos de sus poemas eran verdaderas transcripciones líricas de imágenes cubistas de Picasso o de Juan Gris. No podíamos nosotros, en una palabra, saber si Huidobro era un auténtico creador o simplemente un viajante y adelantado mayor de los últimos vientos poéticos de Francia. El primero que entre nosotros, por una rivalidad de precursionismo, arremetió contra Vicente Huidobro, mejor dicho, contra la originalidad autóctona de Huidobro, fue Guillermo de Torre, mucho más tarde, en realidad, en sus *Literaturas europeas de vanguardia*, que publicó en Madrid en 1925, cuando las por él llamadas bocinas del ultraísmo ya no sonaban, pues la revista decenal *Ultra*, que mantuvieron contra viento y marea los poetas y hermanos Humberto Ribas y José Ribas Panedas, salió desde enero de 1921 a marzo de 1922, y las otras, filiales o continuadoras de *Ultra*, son siempre anteriores a 1925. (*Tableros*, cuatro números, en 1922; *Reflector*, número, según nuestra noticia, único, en 1920, y *Vértices* y *Tobogán*, en 1923 y 1924, donde, después de un único poema publicado en *Ultra*, escribió el autor de este libro.)

Más o menos auténtico, Vicente Huidobro fue un poeta de evidente interés y de cierta popularidad en la vida literaria madrileña, donde publicó algunos de sus libros como *Ecuatorial, Poemas árticos, Hallalí, Tour Eiffel*, todos de 1918, y mucho más tarde, su *Mío Cid Campeador*.

Huidobro murió en Santiago de Chile a los cincuenta y cinco años de edad, y supongo que su muerte fue un verdadero acontecimiento, como su vida. Por España, en realidad, su paso fue fugaz, aunque tengo idea de que vino varias veces. Yo sólo le vi tres o cuatro en la fecha que aproximadamente indico.

No sólo en el índice de la poesía chilena, sino en el índice mucho más extenso de la Historia de la Poesía americana y europea, Vicente Huidobro es un nombre relevante e imprescindible. Entre nosotros sirvió de auténtico Cristóbal Colón de unas Indias poéticas francesas, que nadie aún había descubierto.

[*Veintidós retratos de escritores hispanoamericanos* (Madrid, Cultura Hispánica, 1952).]

VICENTE HUIDOBRO: PARIS, 1924

Este es Vicente Huidobro, poeta francés nacido en Santiago de Chile.

Entre los artistas suramericanos que viven en París, Huidobro encarna una figura destacada e interesante.

Rasurado, de cabello corto y ojos iluminados, pone en sus gestos y en su manera de hablar toda la extraña fogosidad y vivacidad de su pensamiento. Charla con nerviosidad y en voz alta y clara.

Estamos en su sala de trabajo, pequeña sala desordenada en que se confunden los libros, las revistas, los discos de victrola, las cajas de habanos y las esculturas y máscaras negras, con los poemas dibujados de su celebrada exposición del año pasado.

La vida de Huidobro es tan agitada y dinámica como sus teorías. Acaba de llegar de Alemania, donde dictó conferencias y discutió con matemáticos, cineastas y filósofos. Estuvo en Rusia y luego piensa ir a Suecia y Noruega...

Sus actividades son múltiples. Interesado en el problema social de la India, escribe y publica un libro de propaganda y de combate revolucionario: «Finis Britannia».

Esto le acarrea la antipatía de los ingleses, un abrazo postal de Mahatma Ghandi... y una ligera desventura: de la noche a la mañana, desaparece. Su familia y sus amigos creen en una desgracia. A los tres días está·de nuevo en su casa. Ha sido secuestrado. Regresa de su prisión como de un viaje al campo: sonriente, un poco despeinado...

Todos los diarios de París reproducen su retrato. Se

le entrevista. Conmueve por algunas horas la atención pública.

—Sé que muchos se rieron del atentado de que fui víctima, dice. Los periodistas echaron el asunto a la broma. Y créame que sólo fue despecho. Cuando regresé a esta casa, un centenar de gacetilleros me esperaba. Los había de todos los periódicos del mundo: ingleses, americanos, franceses, rusos, suecos, italianos... Todos querían saber. Todos querían ser los primeros en dar la clave. Y a todos los eché de casa sin decirles nada.

Algunos amigos, entre ellos Picasso, Cocteau, Lipchitz, me dijeron que estaba mal esto que hacía con los periodistas. ¡Qué ridiculez! Yo tengo mucho que hacer y además no soy un fantoche. ¿Quiere usted saber quiénes fueron los autores del secuestro? Ya sus nombres están en poder de la policía. Fueron dos scouts irlandeses... Pero esto es cosa pasada. Bien pasada. Ahora estoy ocupado con mi film. ¿Sabía usted que yo preparaba un film? ¿No sabían esto en Chile? Será algo nuevo, muy nuevo en París. Mosjowkine es un actor de talento y dirigido por mí hará una cosa buena. Yo tengo condiciones para ser el mejor director cinematográfico. También el mejor actor. Me gustaría hacer un Napoleón. ¿Ha notado usted mi gran parecido con Napoleón? (Aquí el poeta se pone de pie y se echa un mechón de cabellos sobre la frente, dobla un brazo sobre el pecho, lleva el otro a la espalda y sus ojos miran hacia un horizonte lejano e imaginario). La pose dura un segundo. Luego continúa:

—Mi film se llamará *Cagliostro*. Además, regularizaré la aparición de mi revista *Création*. Y este año debo publicar por lo menos cuatro libros. Hay uno de estética y otro de crítica. De acerba crítica. Es necesario fustigar a los imbéciles para mantenerlos a distancia, como a los perros, con un látigo. Para los imbéciles mi palabra es un látigo. Este libro llamará profundamente la atención en América. Se titulará *Tierra Natal*, y, por supuesto, versará sobre asuntos de la vida chilena. Los otros dos son de poesía.

¿Volver a Chile? ¡Quién sabe! París, sólo París es la ciudad en que se puede vivir dignamente. Yo conozco todos los países de la tierra, he ido en todas direcciones, y, cada vez que me alejo de París, me alejo con dolor. Y cada vez que vuelvo mi corazón tiembla, se estremece de alegría.

Ir a Chile... Sí. Deseo ir, hacer un viaje. Pero este viaje no está cercano.

Allá se me acusa de antipatriota, porque aparezco en las Antologías francesas como poeta francés. ¿Tengo yo la culpa? Además, nadie se fija, nadie se acuerda de que ante cualquier monumento hermoso, ante cualquier obra grande de la humanidad, yo no dejo nunca de pensar: ¡No hemos hecho nada en Chile. No tenemos nada: ni arquitectura, ni música, ni poesía. Y éste es el verdadero patriotismo: dolerse de los defectos, llorar sobre los vacíos y anhelar y luchar para extinguir esos defectos y llenar esos huecos.

Habla Huidobro con una locuacidad admirable. Salta de un tema en otro con agilidad y destreza. Se enreda a veces, a veces resbala, pero un ligero movimiento de los pies, una sabia flexión... y ya lo tenemos de nuevo dispuesto a otro salto.

—Yo he descubierto, yo he creado un Arte nuevo.

Mostrándome una escultura de Lipchitz, dice:

—Vea usted qué maravilla...

Es una escultura cubista. Un racimo de aristas y de planos que se cortan y se enlazan. Yo miro, comprendo cómo está hecho eso, comprendo que es una cosa que está fuera de lo cotidiano, una cosa «creada», en fin,.pero confieso que esta creación no me produce sino una impresión de aridez y de frialdad.

Huidobro se exalta:

—¡Cómo no siente usted esto! ¡Es encantador! ¿Qué nombre tiene? No lo sé. No lo necesita. Es una escultura, como una fruta es una fruta. Tiene sabor y calidad y vida propia. Mírela usted bien.

Hay una línea imborrable, un abismo insalvable entre el Arte y la Realidad. El artista no debe darnos lo habitual. Debe crear. Hasta ahora se ha hecho arte «en torno de». Hay que desechar lo poético, lo pictórico o lo musical, y crear la poesía, la pintura y la música. El poema, como toda obra de arte, es un invento. Sus elementos están dispersos en el espacio. Encontrándolos y uniéndolos en el tiempo, se crea el poema. Y el poema, así, tendrá vida propia como el árbol y el pájaro.

Hay que barrer lo anecdótico, evitar el relato. Sólo lo absurdo, lo inhabitual, está dentro del arte. Los hechos, las acciones, están dentro de la vida real.

La poesía pura, según Huidobro, empieza con el creacionismo. Hasta ahora sólo se ha hecho relato poético. El culto del recuerdo ha prestado a las cosas una belleza falsa. Esto ya lo dijo Platón muy claramente: «Son bellas las cosas sólo por el recuerdo». El poeta, el artista, debe tomar las cosas, transformarlas, crear la belleza, inventar la belleza.

Así el hombre primitivo tomó la piedra, tomó la madera, las transformó e inventó, «creó» la rueda, la flecha, el vaso. ¿Cómo valorar la bondad de una obra creada? ¿Cómo saber si ella es buena o mala si no existe punto alguno de control?

Pregunta absurda. Una obra de arte será buena cuando cuente con los elementos indispensables de la obra de arte; cuando dentro de ella no haya elementos extraños.

Una naranja es buena cuando no tiene sabor a pera o a manzana... o a naranja mala. ¿Cómo se hace, cómo se crea un poema? Esto es impertinente y ridículo. Una mariposa llama nuestra atención y llena nuestra admiración. A nadie se le ocurre preguntar cómo se hace una mariposa.

Y el poema o cualquier obra de arte creada tiene tanta vida y puede tener tanta belleza como un nenúfar o un ruiseñor.

Y ahora bajemos a Montparnasse, iremos al «Jockey». Hay allí negros de Africa que musicalizan muy bien y ciertas mujeres doradas cuya danza conmueve...

[Artículo de prensa recogido por el autor en *Chilenos en París* (Santiago, La Novela Nueva, 1930)]

JEAN EMAR

CON VICENTE HUIDOBRO: SANTIAGO, 1925

Con la llegada de Vicente Huidobro pensé hacer una entrevista para las Notas de Arte. Propósito algo ingenuo. Huidobro es irreductible al periodismo. Me limito a transcribir sintetizadas sus diferentes opiniones oídas en el curso de largas charlas.

Todo el mundo ha hablado de Huidobro; todo el mundo en todo el mundo: París, Madrid, Berlín, Estocolmo, Nueva York, etc. Me parece haber llegado el momento de hablar en Chile de Huidobro en Chile.

El creacionismo va tras de crear, en poesía, un hecho nuevo. Creado el hecho, él es nuevo para cualquier ser en cualquier parte. Mas, para nosotros chilenos, él es más que nuevo, es absurdo, abracadabrante, terremoto. Porque digamos verdad: aquí en Chile, que yo sepa —salvo aisladas excepciones— nunca he visto ni el intento de comprender las artes como una creación y con relación a la naturaleza como una re-creación, como un paralelo. Aquí nos limitamos a hablar o pintar nuestras preocupaciones cotidianas con una fraseología llamada poética o con pinceladas llamadas maestras. Esto es demasiada modestia de parte de los artistas, modestia por no decir otra cosa: resignarse a ser un eco perpetuo de los anhelos insatisfechos de cada buen señor...

Donde los artistas están encantados de este simpático rol de victrolas o de puzzles para el aburrimiento diario, caen bien las siguientes líneas de Huidobro que traduzco del artículo «Le Créationnisme» de su libro en prensa *Manifeste, manifestes*.

«Un poema es una cosa que no puede existir más que

en la cabeza del poeta, no es hermoso por recuerdo, no es hermoso porque nos recuerde cosas vistas que eran hermosas, ni porque describa hermosas cosas que tenemos la posibilidad de ver. Es hermoso en sí y no admite términos de comparación. No puede concebirse fuera del libro.

Nada tiene de semejante a él en el mundo externo, vuelve real lo que no existe, es decir, vuélvese sí mismo realidad. Crea lo maravilloso y le da una vida propia; crea situaciones extraordinarias que jamás podrán existir en la verdad y a causa de esto deben existir en el poema a fin de que existan en alguna parte.

Cuando yo escribo: "L'oiseau niché sur l'arc-en-ciel" os presento un fenómeno nuevo, algo que nunca habéis visto, que nunca veréis y que, sin embargo, mucho nos gustaría ver.

Un poeta debe decir aquellas cosas que sin él nunca serían dichas.»

Entramos a lo esencial del arte, a una cuestión básica, a una cuestión de principio: el artista debe repetir las visiones de la vida o el artista debe volver a crear la vida. O victrola o creador.

Ahora, un vistazo al pasado y no se hallará ni un verdadero artista que con los hechos y cosas de la vida no se haya decidido más que a crear.

De un hombre así como Vicente Huidobro, artista, poeta decidido sin términos medios, sin transacciones, es interesante conocer las opiniones sobre el arte de hoy en esa Europa donde los valores chocan, se golpean, caen y suben y donde nunca se cansan de revisarlos y de aproximarse a la más estricta «mise en place».

Los principales valores poéticos de Europa —me dice Huidobro— son en Francia, Tristán Tzara y Paul Eluard; Arp en Alemania; nadie en Italia ni en Inglaterra, y en lengua castellana sólo Juan Larrea y Gerardo Diego.

—¿Y en prosa?

—Nadie, y después de nadie en la prosa poética algunas páginas de León Paul Fargue y raras de Louis Aragon y como polemista Georges Ribémont-Dessaignes.

—¿Pintura?

—Pablo Picasso, Georges Braque y Juan Gris y no olvidemos a Henri Matisse.

—¿Escultura?

—Lipchitz y Laurens.

—¿Y arquitectura?

—Jeanneret.

Dos palabras a propósito de éste. Jeanneret y el arquitecto Le Corbusier son una misma y única persona. Este último nombre aparece como el de autor en el libro *Vers une architecture* (G. Cres et Cie., 21, rue Hautefeuille, París), libro que no me cansaré de aconsejar, no sólo a los arquitectos sino a todos los artistas. En ninguna parte he leído tan claramente expuesta la cuestión de «el problema bien planteado» como base de un desenvolvimiento artístico. Pero sigamos.

Hay una pregunta que siempre hago a cuantos sé que han conocido el movimiento artístico moderno. Ella es como un resumen, como una síntesis de todas las corrientes que hoy se manifiestan:

—¿Hacia dónde tiende en globo como si pudiéramos juzgarlo con un siglo de perspectivas todo lo que tiene valor en el movimiento actual?

Le pido a Huidobro una respuesta corta, clara, que encierre, en último examen, lo que tengan de común los artistas vivos de nuestra época. Huidobro me responde:

—Tiende hacia el polo más opuesto del naturalismo y del realismo. Se trata de crear una obra que sea bella por sí misma y no por sus semejanzas o reproducción del mundo externo.

Bajo este punto de vista, Huidobro coloca como realización del objetivo al creacionismo y al cubismo.

—¿Y el futurismo? —le pregunto.

Huidobro contesta:

—No quiero hablar de esa imbecilidad.

—¿Y el dadaísmo?

—Ha sido una desinfección, una escoba barredora de falsos valores, una higiene.

Otro día hemos hablado de Chile. He pedido una respuesta global, la que dé la primera impresión que siente el ausente durante muchos años antes que consideraciones locales, comparaciones y cálculos adapten su juicio al medio.

Me dice Huidobro:

—¿Primera impresión de Chile? Ningún adelanto. Creer en adelantos es vivir de ilusiones. Siempre las mismas caras tristes. La gente baila llorando y me han dicho que en el Parque Forestal a las parejas las alumbran los guardias con una linterna...

—Sí, pero... al fin y al cabo el baile y las linternas no son...

—¡Son! Una linterna en si no representará gran cosa, pero sí representa un valor como símbolo de la mentalidad de un país. Es un síntoma de la idiotez reinante. Querer reducir toda una ciudad a un patio de colegio jesuita vigilado por el paco de la esquina y que 500.000 habitantes queden tan tranquilos, significa más que una linterna sola, significa un síntoma de enfermedad mortal.

—¿Un remedio?

—No veo otro más que la inmigración. Para hacer de Chile un país grande, el grito de guerra de todo verdadero patriota debe ser: ahogar, confundir al criollo en sangre rubia del norte de Europa.

Otro día, hablando de arte Sur-Americano:

—¿Qué hay de cierto de los triunfos suramericanos en Europa?

—¡Mentira! La opinión que hay en Europa sobre las artes y letras suramericanas es que ellas se arrastran peniblemente tras las europeas. Por desgracia, esto es cierto; prueba de ello es que no se ha visto nunca a ningún suramericano que haya sido iniciador de una nueva estética o teoría filosófica, ni que haya participado en algún movimiento europeo, cuando el movimiento se desarrollaba. Los suramericanos, sea por falta de temperamento o por ignorancia o cobardía —no lo sé—, viven con años de años de retraso, meciéndose en dulce pereza intelectual. Así, el Romanticismo aparece aquí cuarenta años más tarde que en Francia; el Simbolismo, veinte años; el Impresionismo, treinta años; etc., etc. En resumen, aquí sólo se aceptan los cadáveres y los museos. ¡Al menos si entendieran «la lección del museo», que es evolución constante! Pero no. ¡Existe la eterna desconfianza criolla... Creo que en América desde el polo norte al polo sur, sólo ha habido dos poetas: Edgar Poe y Rubén Darío. Lo demás: arpegios de loros!

—¿Y qué más sobre nuestras letras?

Una cosa que he notado al recibir de varios poetas jóvenes de distintos puntos del país, sus revistas y libros. Veo que aún síguese aquí con la creencia de la poesía grandiosa, vigorosa, hecha por el simple empleo de adjetivos y sustantivos inmensos, confundiendo la fuerza externa, la grandilocuencia y la declamatoria, con el verdadero vigor. Creen algunos que por hacerse una pequeña lista de sustantivos y adjetivos formidables, que por decir: «huracán, infinito, montañas, planetas, destino», ya son grandes, cuando la verdadera fuerza consiste en ser fuerte sin necesidad de usar nada fuerte. Rafael es más fuerte al pintar la mano de una madona que un pintor yanqui pintando los biceps de Jack Dempsey. En este caso, la fuerza está en Dempsey y no en el pintor. Creer lo contrario, es una simple confusión de valores. Lo «colosal» es siempre débil por ser infantil.

No hay que dejarse dominar por los elementos. Los poetas de aquí me dan la impresión de seres aplastados por lo inmenso. La verdadera fuerza consiste en dominar.

Estas palabras me recuerdan la frase dicha por Huidobro en una conferencia, frase que fue aplaudida por la juventud intelectual que le escuchaba.

«Un poema es una partida de ajedrez jugada contra el infinito.»

Muchas cosas más me ha dicho Huidobro. Por el momento terminemos. Ya seguiré anotando sus ideas para próximas crónicas.

[*La Nación* (Santiago de Chile), 29 de abril de 1925.]

6

ENTREVISTA A VICENTE HUIDOBRO (1939)

—¿Cuál es su concepto de la poesía?

—Pienso que la poesía es la síntesis de todas las potencias creadoras del hombre. La poesía es la suprema construcción del espíritu humano y algo así como el símbolo de todas sus facultades, de todos sus anhelos y de todas sus energías. Sólo por medio de la poesía el hombre resuelve sus desequilibrios, creando un equilibrio mágico o tal vez un mayor desequilibrio. Aplastado por el cosmos, el hombre se yergue y lo desafía, el poeta desafía al universo. Por la poesía se iguala o supera al cosmos. La poesía es más infinita que el infinito, más cósmica que el cosmos. Hace muchos años yo respondí en otra entrevista ante una pregunta semejante a ésta: la poesía es la conquista del universo.

Dar definiciones de la poesía es muy fácil y muy difícil; se pueden dar cientos y todas en el fondo son insuficientes. La poesía es revelación, es vida en esencia, es el universo que se pone de pie. En realidad, la poesía nos hace ver todo como nuevo, como recién nacido, porque ella es descubrimiento, iluminación del mundo. Cuando sentimos que nos salen alas en la garganta y que todo nuestro cuerpo tiembla, estamos en presencia de la poesía. La poesía da vida a la muerte y más vida a la vida. La poesía es la vida de la vida, por eso podemos decir que es el juego de la vida y de la muerte. Pero, en verdad, todas las definiciones son insuficientes y acaso una de las mejores sería decir que la poesía es aquello que queda fuera del alcance de toda definición. Lo que es evidente, es que la poesía no es una entretención inofensiva como creen muchos, ni es tampoco un compuesto de relaciones irracionales como han dicho otros. Lo que hay es que, la poesía tiene razones que la razón no conoce, tiene derecho a entrar en campos vedados, a construir su mundo con una lógica suya propia que no es la lógica habitual. Así su irracionalidad no es sino aparente. Ella es profundamente racional dentro de su razón de ser, de su íntima realidad. Si la verdadera poesía contiene siempre en su esencia un sentido de rebelión, es porque ella es protesta contra los límites impuestos al hombre por el hombre mismo, y por la naturaleza. La poesía es la desesperación de nuestras limitaciones, la poesía tiene hambre de infinito, de absoluto, de eternidad. Aun el poema que os aparece como más sereno o más risueño, está lleno de ansias contenidas. No os fiéis de él, en cualquier momento pueden estallar sus dinamitas disimuladas y haceros mil pedazos.

La poesía siente más que nada el destino del hombre, y cuando creéis que está cantando, ella está llorando la libertad que es el paraíso perdido o mejor dicho, el paraíso nunca hallado del ser humano.

Por otra parte, debo declararle, que pensar en la poesía como una catástrofe de la razón, no me asusta ni asusta tampoco a la poesía.

—¿Qué significación da usted a las viejas escuelas, la simbolista, el parnasianismo y el modernismo?

—Creo que todas las escuelas han sido buenas, porque han significado un progreso de la poesía en diversos caminos, han significado una agudización, un ahondamiento del sentido poético. Pero, naturalmente, lo más importante dentro de cada escuela ha sido el aporte de ciertos grandes poetas que por su propia grandeza salen más allá de sus escuelas, rebalsan por todos lados.

—¿Cuáles son, para usted, los valores más altos que usted admira en esas escuelas pasadas?

—Baudelaire, Rimbaud, Lautréamont, Mallarmé, Jarry, Apollinaire. Pero si le he de decir verdad, prefiero los poetas de mi tiempo a casi todos los pasados. Para mí la poesía que más me interesa, comienza en mi generación y para hablar claro, le diré que empieza en mí. Esto no quiere decir que no admire a las grandes figuras de otros tiempos, les admiro y respeto mucho, pero prefiero a los míos, a los que están más cerca de mi pecho.

—¿Qué piensa de García Lorca?

—Que es un poeta muy mediocre. Para mí no tiene

ningún interés. En general, los poetas españoles carecen de imaginación y de inteligencia poética. La literatura española está aplastada por la retórica, esa terrible retórica del Mediterráneo, que mantiene ahogados bajo su lápida a todos los escritores de España, de Italia y muchos de Francia. Bueno; en realidad, Italia no tiene escritores sino escribanos, como el imbécil del tal Pitigrilli, el tonto furibundo de Marinetti y el tonto estético de D'Annunzio, con su cortejo de frases con miriñaques y crinolinas. Es increíble en el país del Dante, de ese genio cósmico, asombroso, que cada día me parece más admirable. Lo mismo sucede en España. ¿Cómo es posible que el magnífico impulso dado por los grandes poetas del Siglo de Oro no haya tenido continuidad? ¿Qué se hizo el genio español? Esto ha sido siempre para mí un motivo de misterio y de miles de conjeturas. Seguramente el descubrimiento de América desvió la imaginación española hacia la aventura vital de los exploradores y conquistadores, y la alejó de toda aventura intelectual; el español puso su acento en otra clase de conquistas que las espirituales. Y luego la retórica, la terrible retórica mediterránea, es como una lápida sobre el corazón, como un casco apretando los sesos; una verdadera armadura de hierro. Fíjese usted que todos los españoles de hoy escriben con un tono engolado, que parece salido de otros siglos, en un estilo tieso, rígido, con carrasperas de fantasmas y frío, de catedrales o humedad de cementerios. Escribir bien para un español es escribir como se escribía antes. Por eso la literatura española tiene tan poca vida. No han producido nada en una cantidad de ramas y subramas de las letras. No tienen un solo gran dramaturgo, ni un novelista de primer plano, ni un psicólogo, ni un gran pensador. No hay en España un Dostoievsky, ni un Gogol, ni un Tolstoy, ni un Stendhal, ni un Balzac, ni siquiera un Proust, ni un Meredith, ni un Goethe, ni un Hoelderlin, ni un Nietzsche, para no nombrar sino autores de todos conocidos. Lo mejor que ha tenido la literatura española en los últimos tiempos es acaso, Valle-Inclán, a pesar de su voz engolada. No hubo en España un Víctor Hugo, un Musset, un Baudelaire, un Rimbaud, un Lautréamont, un Mallarmé, ni nada comparable. Mientras Inglaterra poseía un Byron, un Shelley, un Blake, España no tenía sino un Zorrilla, un Espronceda, un Núñez de Arce, o novelistas como el señor Pereda, que todavía se atreven a editar los editores hispanos. Frente a esas montañas, unos tres o cuatro melones huecos. Desde el Siglo de Oro, las letras españolas son un desierto intelectual hasta Rubén Darío. Esta es la verdad, la muy triste verdad.

—¿Qué piensa usted de la poesía chilena?

—Creo que está entrando en un buen camino, por lo menos hay un grupo de nuevos poetas que tratan de superarse y de no dejarse llevar por la facilidad.

—¿Qué piensa de Pablo Neruda?

—¿Con qué intención me hace usted esta pregunta? ¿Es forzoso bajar de plano y hablar de cosas mediocres? Usted sabe que no me agrada lo calugoso, lo gelatinoso. Yo no tengo alma de sobrina de jefe de estación. Estoy a tantas leguas de todo eso...

—¿Cree usted que esa poesía que usted llama gelatinosa puede hacer escuela en América?

—Es posible, pero sólo entre los mediocres. Es una poesía fácil, bobalicona, al alcance de cualquier plumífero. Es, como dice un amigo mío, la poesía especial para todas las tontas de América.

—¿Cuáles son los poetas jóvenes que más le agradan?

—Desde luego, casi todos los que han colaborado en mi revista *Total* y algunos otros poquísimos, que no son muy conocidos. Me interesan altamente Teófilo Cid, Braulio Arenas, Enrique Gómez, Adrián Jiménez, Eduardo Anguita, Jorge Cáceres, Carlos de Rokha. Hay otros de los cuales he leído muy poco, y que parecen poseer un evidente talento poético, pero sería aventurado juzgarlos sobre la base de unas cuantas páginas.

—¿Qué piensa de la obra de Pablo de Rokha, la Mistral, Angel Cruchaga, Max Jara y Pablo Neruda?

—De esos que usted me nombra, el que más me interesa es Pablo de Rokha; Max Jara es un hombre inteligente, le aprecio mucho como amigo, pero en lo que respecta a la poesía no nos hemos podido entender jamás. Nos rechazamos como dos anti-imanes, lo que no nos impide ser viejos amigos. Pero se olvida usted de Winet de Rokha y Rosamel del Valle, que son dos verdaderos poetas, sin dulzainas gelatinosas ni barro verde.

—¿Qué piensa usted de la crítica?

—La crítica comprensiva, seria, aguda, profunda, me parece necesaria y no creo que pueda molestar a ningún autor. A mí me interesan las buenas críticas de mis libros; naturalmente, las que más me interesan, son las más elogiosas, porque son las que me parecen más comprensivas y, desde luego, menos superficiales, puesto que yo trato de escribir lo mejor posible. Aparte de la crítica auténtica, hay el comentario malévolo, hay el chismorreo asqueroso que en verdad no hace el menor daño a ningún autor. En lo que a mí se refiere, le aseguro que me sonrío de la cólera sorda que me rodea, de las intrigas y las porquerías de todos los ratones literarios. No me inquietan en absoluto. Un amigo me escribía hace poco en una carta: «Después de tu muerte se dirá de ti que fuiste detestado por todos los canallas de tu tiempo... Y esto es un gran honor». Así lo creo yo también, es un honor.

[*La Nación* (Santiago de Chile), 28 de mayo de 1939.]

CARLOS VATTIER

CON VICENTE HUIDOBRO (1941)

ANTIPOETA Y MAGO

Dice Paul Valéry: «El que inventara el alejandrino en un mundo donde el verso ha sido siempre libre pasaría por insensato y arrastraría a los revolucionarios.» Con una heroica locura tan respetable como la aparición del alejandrino, Vicente Huidobro se ganó su condecoración de insensato y creó el único aire saludable para los nuevos espíritus. Deponiendo sus brillantes armas y como preparándose para su total entrega a la poesía, dijo: «Soy antipoeta y mago.» Más tarde, afianzando su posición y saliéndose de todo entroncamiento que lo amarrara a su culta tradición, exclamó: «El gran peligro para la poesía es lo poético.» Como un ángel flamígero, que trocara a su modo la atmósfera de la tierra, para poder respirar en ella, Huidobro se puso a vivir con su Alfa y su Omega particulares. Yo hundo las manos en su obra, para sacarlas ardiendo y rojas de transparencia. A veces siento que se me escurre en una pequeña estrella por el puño de la camisa. No es un ilusionismo malabarista, sino algo tan concreto y matemático, como el cálculo de los años luz. Así es la total creación huidobriana. Y busco y ofrezco con esplendidez las demostraciones de su insólita libertad. En «El célebre océano», «Monumento al mar», «Moulin», «Tríptico a Mallarmé», «Chair, couleur, ennui», «Ella», «Rode», «Contacto Externo», «Temblor de cielo». «Les messieurs de la famille», «El nacimiento del Cid» y «El discurso de la muerte», en *Altazor*, que son, a mi juicio, los puntos culminantes de toda su área poética, se cumplen sus propios enunciados: «Un poeta debe decir esas cosas que, si él no existiera, no habrían sido dichas por nadie. La cosa creada contra la cosa cantada. Hacer un poema, como la naturaleza hace un árbol. La emoción debe nacer sólo de la virtud creadora. Desde sus primeros libros y durante toda su exultante vida, Vicente Huidobro no ha hecho sino realizar sus propios mandamientos poéticos. El que su generación reconozca dicho cumplimiento puede bastarle al poeta, como el más perenne laurel. Después de Rubén, la lírica castellana debe a Huidobro su actual horizonte. España misma lo dijo. De su trayectoria política, amorosa o de justo descontento no hay para qué hablar. Está vigente y palpable. Además, esta entrevista contendrá a Huidobro en sus partes cardinales. ¿Después de treinta hermosos libros, qué importa la biografía, el conforme caminar hacia la muerte, de un poeta? Horacio sigue teniendo razón: «Misce stultitiam consiliis brevem». Pon en tu sabiduría un grano de locura.

Vida y tránsito del verso

En casa de Vicente Huidobro no hay medias luces ni cortinas de ópera. Todo es nítido y acogedor para el que quiera avenirse consigo mismo. El limpio dibujo del poeta por Pablo Picasso, preside en el «living» como ahora se dice. Vamos conversando:

—Preguntamos: ¿En qué sentido penetran los elementos naturales a la poesía?

—El poeta coge del mundo aquellos elementos que son útiles a su temperamento. Seguramente, los coge de un modo inconsciente, es decir, ellos se agolpan solos al fondo de su pecho. Cada poeta descubre en la naturaleza únicamente lo que *puede* descubrir, dada su idiosincrasia personal. El rol del poeta es iluminar estos descubrimientos y mostrarlos encendidos a los hombres, para que ellos también los vean, convirtiendo en fenómeno general un fenómeno particular. De este modo, el poeta cumple su destino de conquistador del mundo y ensanchador del espíritu humano. El cerebro del verdadero poeta posee un reflector especial, que alumbra las obscuridades más profundas y las profundidas más obscuras.

—¿Ha tenido ciertos jalones o puntos reconocibles su

trayectoria de creación poética? ¿Cuáles son éstos? ¿Los libros o poemas que los marcan?

—Creo no equivocarme al afirmar que, casi siempre, he obrado por reacciones bruscas contra mí mismo. Por cansancio espiritual. Las variaciones externas señalan profundas variaciones internas. Después de haber escrito un largo poema más o menos descriptivo, de tono general panteísta, nacía en mí la repugnancia invencible hacia esa clase de poesía, y, por otro tiempo, mi poesía se presentaba en pequeños poemas extremadamente sintéticos. Poemas trabajados, en los cuales todo me parecía excesivo. Podría decir que mi espíritu vivía podando, temiendo siempre la frondosidad, la inflazón, la verbosidad; hallándolo todo innecesario, hasta el punto de tener que reaccionar para no caer en la pobreza absoluta y llegar a no poder decir nada. Aquí aparece otra reacción violenta y vuelve el poema que se desenvuelve en largos tapices, el cuadro de amplias pinceladas. Unas veces el espíritu exige la visión directa, otras veces la rebusca ansiosa en los subsuelos del corazón. Unas veces aflora el canto fresco, en agua primaveral, otras el simple hablar en amarga voz de invierno.

—¿Cuál es el período de su vida que contribuyó a enriquecer más su espíritu? ¿A revelarlo, a madurarlo? ¿Dónde y cuándo?

—El período de la Gran Guerra y de la Revolución Rusa. Yo vivía entonces en Francia. Era la época heroica, en que se luchaba por un arte nuevo y un mundo nuevo. El estampido de los cañones no ahogaba las voces del espíritu. La inteligencia mantenía sus derechos en medio de la catástrofe; por lo menos, en Francia. Yo formaba parte del grupo cubista, el único que ha tenido importancia vital en la historia del arte contemporáneo. En el año 1916 y 1917, publiqué en París, con Apollinaire y Reverdy, la revista *Nord-Sud*, que es considerada hoy como un órgano capital en las grandes luchas de la revolución artística de aquellos días. Mis amigos más íntimos eran entonces Juan Gris y el escultor Jacques Lipchitz. Este y yo éramos los menores del grupo. A mí me llamaban el *blanc-bec*, lo que podría traducirse: el Benjamín de la familia. No puedo evocar aquellos tiempos, sin sentir cierta emoción, agravada hoy por las circunstancias... Apollinaire venía a comer a casa los sábados. También venían a menudo Max Jacob, Reverdy, Paul Dermée. A veces llegaban Blaise Cendrars, Marcoussis, Maurice Raynal, que venían del frente de batalla. Entonces conocí a Picasso, que volvía del sur de Francia y que pronto debía estrenar el memorable ballet *Parade*, con música de Erik Satie, otro viejo amigo encantador, hoy muerto, como Apollinaire. Es triste recordar esos tiempos. ¿En dónde está Picasso en estos momentos? ¿En dónde está Lipchitz, Braque, Laurens, Léger, Breton, Metsinger y tantos otros? ¿Qué ha sido de ellos, qué suerte están corriendo, en medio de la vorágine?

Por aquellos días se vendían en veinte francos los cuadros de Derain, que, dos años más tarde, valdrían veinte mil. Todos ellos, todos, cuál más, cuál menos, todos contribuyeron con su ladrillo propio, al gran edificio del espíritu de una época histórica de la más alta importancia en la evolución humana.

Al final de la guerra, llegaron al grupo Paul Eluard, uno de los más grandes poetas que ha producido el mundo, André Breton, con su fuerte espíritu, siempre abierto y sin miedo, Soupault, Picabia que volvía de New York, Tristan Tzara que llegaba de Suiza, Benjamín Péret, Aragon y luego Georges Vildrac, Masson, Joan Miró, Max Ernst, y, por último, Hans Arp, que todos conocían por ser uno de los creadores de la nueva plástica en Zurich, donde vivió durante la guerra.

—¿Su Creacionismo ha seguido dando frutos, como tal, en su labor literaria? ¿Ha cambiado de orientación?

—La etiqueta que se pone encima de la personalidad de un hombre, siempre trata de restringir esa personalidad. Crea un equívoco y compromete la totalidad del ser, por lo menos a los ojos de los rutinarios y sedentarios. Si la etiqueta corresponde a aquello que forma la esencia de nuestro espíritu, el fondo de nuestra obra, y marca su acento principal, es lógico que esa distinción persista a través de toda nuestra vida. El nombre Creacionismo nació de la explicación estética que yo hacía en defensa de mi poesía, en conferencias y artículos. Naturalmente, a pesar de todas las evoluciones, la esencia del espíritu de un hombre sigue siendo la misma, aunque varíen los materiales de su presentación.

Desde el momento en que mi espíritu adquirió conciencia de su verdad esencial, desde los primeros meses de 1915, en todas mis conferencias y artículos de esos años, verá usted siempre repetidas estas palabras:

«El poeta coge de la realidad externa los elementos

que debe transformar hasta presentar una nueva realidad», o bien: «El poeta coge sus materiales de la vida y los transforma *hasta* crear una nueva vida». Ese *hasta* tiene una importancia capital, pues no basta transformar la realidad, es necesario llegar en esa transformación *hasta* crear una nueva realidad, una nueva vida. En la transformación de la realidad, hay diferentes grados. En esta diferencia de grados trataba yo de colocar las diferentes escuelas en la historia del arte. Esto era nuevo en los tratados de estética y era justo, según afirmaban algunos artistas y escritores que sabían más que yo de historia, como Dalcroce y Walden, en una conferencia sobre mí, en Berlín, hace veinte años. Todos los poetas transforman la realidad, se me decía en artículos contradictores. Sí, es verdad, respondía yo, pero sólo en los grados menores de la transformación. Esos grados menores, yo los llamaba *comentarios* en torno a la realidad, poesía sobre la realidad, superpuesta, colocada sobre objetos sin vida creadora, como ramos de flores sobre tumbas. Por haber afirmado y repetido, como un *leitmotiv* constante, que a mí sólo me interesaba la poesía, cuando entraba a su grado de creación de un mundo nuevo, se me llamó creacionista. Nombre que yo no inventé y que al principio rechacé, porque existía una escuela filosófica así llamada, y que nada tenía que ver con los principios estéticos que yo sostenía, lo cual podría crear un confusionismo absurdo.

—¿Sigue la etiqueta?

—A pesar de mis protestas, la etiqueta se me pegó encima. Después, algunos trataron de disputarme ese término y entonces yo me vi obligado a reivindicarlo. No porque me importara ser seguidor de otros, ni primero, ni segundo, ni tercero, sino porque se pretendía aplicarlo a aquellos que nada tenían que ver con él y además, porque ello era falso e injusto. Yo desafío a que se me muestre ese término, como designación de una clase de poesía, aplicado a otro poeta antes que a mí. Puedo afirmar que no me molestaría nada que se.encontrara. Tal vez, al contrario, me daría mayor seguridad. Sólo un año y medio más tarde que a mí, se les aplicó la preciosa etiqueta a algunos poetas franceses y alemanes. Jamás he negado a mis maestros, jamás he pretendido a la calidad de callampa ni he creído en la generación espontánea espiritual.

Siempre he proclamado todo lo que he aprendido en don Luis de Góngora, en San Juan de la Cruz, en Quevedo, en Baudelaire, en Mallarmé, en Rimbaud, en Lautréamont, en Hoelderlin, en Rubén Darío, en Apollinaire y hasta en algunos poetas orientales, especialmente chinos, de épocas tan remotas, que ni siquiera se saben con precisión sus nombres. Lo que he negado son los falsos maestros, aquellos que no han tenido lugar en mi formación interna y que algunos malignos o ignorantes, han pretendido mezclar en mis campos espirituales, aunque fueran justo lo contrario de mi esencia peculiar. Usted sabe cuántos hay que, con una maravillosa facultad de propaganda, tratan de acapararse lo ajeno, de devorar la mesa del vecino, embrollar las cartas y aparecer ellos en primera fila, cuando en realidad les corresponde la cuarta. Estos prestidigitadores sólo engañan a los ingenuos y son de corta vida. El globo inflado graciosamente, se desinfla al primer alfilerazo de un curioso que quiere saber lo que hay dentro. Negarlos es obra de justicia y de verdad.

Yo siempre he proclamado el acto de penetración al interior de las realidades, el rompimiento de la corteza de los aspectos, para descubrir la última esencia. La poesía de los adentros y no de los afueras. En mi libro *La Gran Visión*, hay una frase que dice: «Entra en la piedra y en el árbol, sin quebrarte los huesos... Entra en la vida y que ella sea tu canto, más que tus palabras. He aquí el secreto del porvenir y de tu gran destino.»

—¿Podría generalizar más?

—Hablando en un tono más general, le diré que el único contacto verdadero del hombre con la naturaleza, es el contacto del que lucha con ella y del que la domina. El contacto del contemplativo, del admirador, es un tierno flirteo muy conmovedor, pero nada más. Es como entre hombre y mujer el amor platónico. El contacto verdadero es el contacto creador, es aquel del hombre que asalta apasionado las entrañas de la tierra y saca toneladas de extrañas materias y fabrica un monstruo nuevo, que va corriendo y resoplando sobre los mares o sobre las tierras del hombre, como una ballena o un elefante o una inmensa serpiente brillante de humanidad. El contacto verdadero, es aquél del poeta o el artista, que grita a la naturaleza con su gran voz de ángel rebelde: *Non serviam*. No, no te serviré yo a ti. Tú me servirás a mí. El magnífico acto del creador que nos estremece como la tierra misma, cuando quiere expresarse por la voz de algún volcán.

PITHECANTHROPUS POLITICUS

Huidobro se pasea de un lado a otro. Le brillan esos ojos que le causaron vértigo a Madame Valentine de Saint-Point, la sobrina de Lamartine y amiga del autor de *Horizon carré*. Sus períodos discursivos se esmaltan de una gracia electrizada. Es gracia interior, que Huidobro ha hecho poesía.

—¿Una opinión sobre la literatura llamada, in extremis, social?

—Todo arte, toda literatura, es social, puesto que es producida por el hombre, que es un animal social. Ahora que como el hombre es también un animal vulgar, se ha tratado de llamar social sólo a aquel arte que trata de imitar vulgarmente la realidad, ese arte de mimetismo tan bobo que avergüenza a cualquiera que tenga un poco de espíritu. Ese arte actúa por el exterior, pero no tiene idea de lo que es la grandeza recóndita y la única válida en la naturaleza.

—¿A dónde va su obra?

—La obra de un poeta sólo persigue expresar lo que él lleva adentro, en su relación con el mundo que lo rodea, es decir, lo que él despierta en el mundo y lo que el mundo despierta en él. La poesía es amor, ansia de unión, de compenetración. Persigue la comprensión de la médula del mundo y como sólo puede existir expresándose, ella va hacia la revelación de nuevas realidades, va hacia una mayor conciencia. Así va hacia la acción. Yo espero que mi obra cumpla con este gran destino. En una conferencia que di en Chile, en «Amigos del Arte», el 1933, empecé y terminé con esta frase: «La poesía es la vida de la vida», y traté de explicar lo que esto significa y cómo hoy el poeta está obligado a introducirse en la médula del mundo y a actuar en un rol directo, de embellecedor de la vida. Los poetas, hasta hoy, han cantado la vida. Ya la han cantado demasiado. Ahora se trata de hacerla poética, de modificarla, de crear una vida nueva.

—¿Una apreciación sobre el político y la política, en sí mismos?

—Si la política es el arte de dirigir a los hombres, naturalmente no cabe sino una: la excelente. Toda otra política debe ser excluida. Pero ¿cuál es la excelente? Aquí aparecen las discusiones de los hombres, aquí termina la definición filosófica y nace el caos, el caos con sus representantes legítimos, o sea, los políticos.

La política, como todo lo abstracto, es difícil de coger y se presta a toda clase de lucubraciones. En cambio, los políticos, son más simples de estudiar, son fáciles de coger y tanto, que, a veces, van a parar a la guillotina, cosa que no se puede hacer con la política.

Pero definamos la política, más en realidad inmediata. Permítame citarle una frase de un personaje de una pieza de teatro mía, el cual habla así de la política y de los políticos: La política es el arte de engañar a los hombres, comedia de las lágrimas y tragedia de la risa (el asqueroso tópico del Pagliaccio) ciencia de la farsa, de la renegación a punto, de la resbalada oportuna, del deslizamiento, de la contradicción con cara de palo, del bluff, de la mixtificación. La política es una enfermedad contagiosa, muy traidora. Para muchos, es un negocio. Cuestión de colocarse del lado conveniente y colocar a los suyos y a todos sus peones, bien instalados en el tablero. ¡Ah! y una cuestión de olfativa. El lacayo sigue al amo, el perro al salchichón, etc., etc. La política es el arte de mentir, camuflar, falsificar, ensuciar la vida, comprar y vender conciencias (si se puede llamar así un simple artículo de compra-venta) especular sobre ideas que no se comprenden y opiniones que suben y bajan en un termómetro de saliva... La ciencia del salto mortal, de la pirueta tenebrosa, de la venalidad. Para sostener un partido, hay que gastar enormes sumas, hay que tener diarios, radios, salas de conferencias. Dinero, mucho dinero. No basta la verdad. La verdad no entra sino envuelta en un billete especial y de agradable color. El ojo humano rechaza los colores amorfos.

El político es un animal que se sitúa en la escala zoológica llamada superior, es un mamífero (a veces demasiado mamífero) que pertenece a la familia de los antropoides. Es un animal multiforme, pero de rostro impreciso, muy ágil, giratorio, piruetero, buen equilibrista. No siente nunca náuseas, aunque a veces sufre de vértigo. Es antropófago, muy carnívoro, y, a veces, en los malos tiempos, herbívoro y hasta papelívoro. Especialmente, gusta del papel de diarios. Casi siempre estos mamíferos viven al acecho entre los matorrales más espesos. No aman la luz del sol. No atacan sino al hombre dormido, nunca al despierto y menos al bien armado. En el fondo, no son peligrosos, sino cuando forman grandes manadas. En los malos tiempos, no dejan una hoja verde a su paso. Los políticos se engendran por fecundación artificial, y, a menudo, se multiplican de un modo alarmante. Esta familia de mamíferos, podría un día invadir el planeta entero y no dejar sitio a las otras especies. No son difíciles de cazar. Ellos tiemblan ante las armas de fuego y se les agarrotan las piernas. La cacería del político se pone de moda de tiempo en tiempo, y es un sport elegante, que desarrolla los músculos humanos.

—¡Curiosa zoología! Sigamos en las jaulas...

—Estos mamíferos son extrañamente coquetos y presentan un caso más curioso: y es que, siendo bípedos, se transforman fácilmente en cuadrúpedos. Mientras más cuadrúpedo, más desea el político que todo el mundo se incline ante él y le *haga la pata*. Naturalmente, tiene cuatro.

El político, junto con el hombre, es el único animal que cocina los alimentos. El político, así el bípedo como el cuadrúpedo, suele ser buen cocinero, aunque tal vez demasiado exigente al pretender que la presa que lleva al horno, lo aplauda y lo salude. Si alguna salta del asador y le tira la lengua o le lanza un carbón encendido a la cara, lo acusa de rebelde, de animal peligroso. A grandes alaridos, señala al insumiso que no quiere dejarse devorar y digerir por tan simpático primo de la escala zoológica, y a fuerza de chillidos, lo hace arrojar al caldero de los grandes ogros.

Se dice que estos mamíferos son indispensables a la vida humana. Pero hay grandes dudas sobre el particular. Ultimamente, algunos sabios, han descubierto que este animal es más peligroso que la rata, como productor de enfermedades, y que, además, impide trabajar a los hombres, mucho más que las moscas.

—¿Y la política chilena?

—Cada vez que nuestro país parece despertar, lo vuelven a dormir. Hay en Chile una fuerza negativa, de tal peso, que parece imposible sacudir. Hay el oficio del dormidor y por eso el primer deber de la juventud chilena es crear los despertadores nacionales. Sufrimos una ho-

7

rrenda crisis de grandes almas, de creadores. A todo el que intenta levantar la cabeza se le trata de aplastar con burlas, sembrando desconfianzas y haciéndole el vacío. Se diría que aquí se odia la inteligencia y se adora la mediocridad. Los tontos nadan en su elemento, engordan, retozan. Es el país para todos los José María Pemán del planeta. Entre don Luis de Góngora y don Manuel de Góngora la mayoría de los chilenos que tienen un gusto literario de viejas beatas o de viejas cabotinas, prefieren a don Manuel y además creen que es el mismo. Vaya por la cultura...

Necesitamos hombres, a los cuales no les importa el poder por el poder, sino por lo que se puede crear desde el poder. En estos momentos, en que la Historia exige a los seres humanos, no puede tener vida propia un país en el cual los gobernantes no se atreven a exigir nada.

El hombre mediocre es, el hombre sin destino. Lo mismo el país mediocre, es el que no tiene destino o ignora cuál es su destino.

Cuando los políticos viven sólo preocupados de conservar el poder y no de construir, todo se empequeñece en torno de ellos. Todo es inútil y todo es vacuo. Todo se deshace. Un país, si no se construye, se destruye. Si no está creciendo, está decreciendo. Un país que no está naciendo todos los días, está muriendo todos los días.

—A su juicio, ¿cuál es entonces el buen político?

—El político grande crea grandeza, el político pequeño, crea pequeñez. El uno vivifica, el otro mata.

El creador, si no puede crear, si el ambiente le impide realizar, se va a su casa. No le importan los honores, no le importa lo ficticio. La bambolla externa no satisface su espíritu. Le importa la realidad, le importa su destino. El problema del gran gobernante, consiste en saber rodearse de hombres capaces de comprender su destino. En saber comunicar su destino.

Lo malo es que en Chile, los jóvenes que llegan a altos puestos se hipopotamizan en veinticuatro horas. Con frecuencia pasan a ser tontos graves, lentos, pesados antes que cante el gallo de los reniegos. Y la juventud traicionada y el país burlado se quedan oyendo el canto del gallo, convertido en capón, listo para la cazuela de los abuelitos hipopótamos. Si esos jóvenes claudican tan fácilmente, es porque nunca fueron jóvenes. Hicieron la farsa de una juventud que no tenían, y esto, los viejos hipopótamos lo adivinan y lo huelen. Por eso los eligen, porque saben que son fáciles a hipopotamizarse.

UN MUNDO FELIZ

Vicente Huidobro, con esa precisa diástole y sístole de su corazón al día, no permite que se le escape ni el más leve matiz de su época. En todo orden de cosas. Eso se llama gozar la vida. Controlarla y disponer de ella. Cuando lo escucho, tengo la sensación de que sus palabras lo dejan más joven que antes. Estamos en el reino del poeta, en el dominio del prodigio.

—¿Breve visión del mundo y del hombre actual?

—Vivimos uno de los períodos más transcendentales de la historia. El mundo está cambiando de rostro, va a cambiar su configuración y su estructuración. Espanta ver cuán pocos son los que se dan cuenta de la magnitud de la hora que viven. ¡Cuán pocos sienten la ola de fondo que crece y se levanta en el fondo de la historia humana! El mundo se da una vuelta de carnero y los carneros siguen tomando su aperitivo, sin darse cuenta de nada, sin sentir siquiera que están boca abajo. Esta sordera, esta ceguera, es una condición maravillosa, que será bien aprovechada por los que deban obrar en el momento oportuno. Los satisfechos del mundo viejo, creen aún en la posibilidad de continuar su mundo indefinidamente. Ellos mismos se han eliminado de la realidad, ellos por sí solos se han colocado al margen de la vida.

—¿Y la actual guerra?

—La guerra europea es, seguramente, la última batalla de la confusión. Muere un mundo y va a nacer otro. Los mismos estampidos que destrozan y siembran la muerte, están proclamando, sin saberlo, la nueva vida. Gane quien gane la guerra, y es seguro que ganará el grupo anglo-americano-ruso, ella desembocará en la revolución humana, que tanto hemos esperado. Esta trágica equivocación histórica, que significa la lucha de nacionalidades por imponer imperios y derechos nacionales, se transformará en la lucha del hombre por imponer derechos humanos. Sólo entonces se hará la luz, se desvanecerá el caos y la confusión.

—¿Cuándo una literatura se hace universal?

—Cuando ella expresa las esencias humanas, lo general y no lo particular.

—¿Sus libros *Ver y Palpar* y *El Ciudadano del Olvido*, representan su extrema satisfacción, como forma y contenido?

—Sólo los muertos espirituales están satisfechos de todo lo que hacen, y si hay tantos satisfechos, es porque hay muchos muertos que insisten en andar, gracias a un fenómeno curioso, que debe tener su origen en las fuerzas ocultas de la vanidad.

—¿Qué sitio ocupa el amor en su vida y en su obra?

—En la obra de un poeta todo es amor. Amor universal, amor cósmico, amor de la vida y aun de la muerte. Es lógico que este amor, este sentido agudo y constante del amor, rebase a la vida y haga del artista un ansioso, un angustiado de esa necesidad de entrañamiento y de sentirse entrañable. La poesía es amor. Aun su odio y su desesperación, es por amor de algo.

—Prefiguración de un mundo feliz.

—Un mundo dirigido con espíritu poético y científico. Sólo estos dos extremos de la inteligencia, Poesía y Ciencia, pueden crear un mundo agradable, ordenado para la felicidad de todos y no de unos cuantos privilegiados, lo cual es humillante para el que acepta los privilegios (si tiene dignidad) y para el que los soporta.

No nos habíamos dado cuenta. Ya estábamos hablando a oscuras. Huidobro dio vuelta al interruptor y apareció su mesa puesta de amigos. Porque todo sucede así, en casa de Huidobro. Abierta, naturalmente...

[*Hoy* (Santiago de Chile), X, 512, 11 de septiembre de 1941.]

LA COLINA DEL DESENCANTADO (1946)

Esta es la casa del poeta. Esta es su colina, la mágica colina marítima. Y éstos son sus viñedos, éstos sus ondeantes trigos, sus árboles, sus huertas, sus hondonadas ricas de sombra y humedad.

Pero sus fabulosos dominios no se extienden sólo a la hacienda que heredó, amorosamente cultivada trecho a trecho; ni a los campos de frenéticas simientes; ni a los cerros que, cual costras de pan duro, ondulan sobre el litoral: se extienden más allá de la ciudad, más allá de las playas; terminan en la línea azul del horizonte. El deseo y el conocimiento son principios de posesión: ¿quién más que el artista puede poseer? ¿Crear no es acaso poseer? Y, ¿quién sino el artífice crea lo que el Señor olvidó crear? El poeta dijo en sus versos:

> Sólo para nosotros viven
> todas las cosas bajo el Sol.
> El poeta es un pequeño Dios.

Y, ¿qué es el mar para el poeta, para este Vicente Huidobro, actor y víctima voluntaria de sus obras? Un retablo de olas y algas donde desarrollar sus sueños. El lo ha dicho también: *El mar puede apenas ser mi teatro en ciertas tardes.*

Allí, pues, vive el escritor, en buscado exilio, rodeado de sus seres queridos, visitado por sus discípulos, en la alucinadora tarea de crear, la que comienza leyendo y releyendo, observando, meditando y que concluye componiéndose las febriles estrofas.

Yo creía, en los días de convivencia, que Huidobro se

había ya desinteresado de los dilemas humanos y escépticamente dejado de preocupar de dilucidarlos. Seguía como siempre unilateral y violento, tan henchido de ardores: ciego y apasionado en sus ternuras; sonriente, socarrón en sus odios; encumbrando a los ausentes amigos a inalcanzables alturas, pisoteando con los pies del escarnio y del desprecio a los adversarios; irónico, acre, alerta como nervio excitado, rápido de labia, pronto al cariño y a la burla, suave en la alabanza, implacable en la invectiva. Pero, en apariencia, desvinculado de toda síntesis impersonal, universal. Tal yo creía. Hasta que le sonsaqué las verdades y logré que me hablara, buscándole, adivinándole los temas preferidos, comprendiendo de fuente directa su limpio amor al hombre y eso que una vez dijo: *El hombre es el hombre y yo soy su profeta.*

Mi hazaña de hacerle conversar no era grande, porque el escritor se complace en charlas, en diatribas, en conclusiones dialécticas; y cuando abre la boca, con la facilidad y firmeza de quien tiene algo que transmitir, cuando redondea su opinión, que es siempre un mensaje, alza la voz, los ojos fijos, la boca temblorosa, con exaltación verbal que no admite al auditor duda ni réplica.

Era una tarde de este invierno, tibia y celeste. Yo acompañaba a mi anfitrión por polvorosos senderos que serpenteaban entre las malvaviscas mordidas por las liebres. Dejamos atrás el bosque de eucaliptos cenicientos, los sauces y los saúcos, y los aromos con sus pálidas yemas y los grupos de fucsias agitadas por la brisa como campanillas de carnaval. (No sé describir ni enumerar los colores, los perfumes ni el significado de las cosas que nos rodeaban. Y, aunque fuera forzoso trazar el marco natural, sería imposible hacerlo porque los olores y los perfumes y el sentido lírico de todo variaban como regalos de cada minuto.)

Curioso era escuchar al poeta, bastón de tallada encina en mano, pistola al cinto, lanzando vibrantes respuestas coreadas por sus negros y olisqueadores perros que nos seguían, ladrando y saltando a nuestras piernas...

LA GUERRA Y LA POESÍA

La guerra es el ritornello que tiñe de amargura los labios de Huidobro. Hecho explicable para quien estuvo cuatro terribles años soportando en carne propia y sensibilísima el calor de las masacres, amenazado segundo a segundo por la muerte, sintiendo a su vera las acechanzas de la muerte, la sangre inútilmente vertida, el hedor de los cadáveres, presenciando el pillaje de las ciudades y la violación de las mujeres. Espectáculo bárbaro que trae un execrable e inevitable recuerdo, un nuevo y doloroso modo de asistir a la vida.

—¿Hasta qué punto ha cambiado su poética el contacto directo con la experiencia brutal de la guerra? —le pregunté.

—Yo mismo no lo sé. Lo único que sé es que me siento más lleno de poesía, de ideas que afirmar, de cosas que decir. Siento un vigor y una plenitud como nunca: un renuevo total.

Vea usted: la guerra produce un desprecio, una desilusión del hombre. Pero, al mismo tiempo, una gran ternura por esos niños desvalidos, desorientados, tan ingenuos, que se llaman hombres; un fondo de ternura que se entremezcla constantemente al desprecio, haciendo desaparecer todo sentimiento demasiado rotundo.

Cabe preguntarse por qué el nombre de *niños* se trueca de pronto por el de *hombres*, y por qué no por el de fantasmas o el de títeres. Los hombres son fantasmas o fantasmones un poco más peligrosos que los niños, porque son actuantes y, por esto mismo, más cómicos o más trágicos.

¿Cambia un hombre que ha leído todo Shakespeare, o todo Cervantes, o Pascal o Montaigne o Dostoyevski? Sí cambia. Y si a la mayoría nada le pasa es porque no ha comprendido nada.

Muchísimo tiene que transformarnos la guerra. La sangre, los alaridos de dolor, los gritos de rabia, el ruido infernal de los cañones, todo ese drama siniestro, ¿se soporta acaso fácilmente? Claro que sí. Increíble es cómo el hombre se habitúa a todo, pero también es innegable que el horroroso peso de esa visión cotidiana ha de dejar profundas huellas en su espíritu. Pasar días y meses por sobre moribundos tiene que modificarnos; el choque tan acelerado de las sensaciones y de los sentimientos debe forzosamente hacernos variar.

No sólo mi poética, sino toda mi persona y mi manera de mirar la existencia y de sentirla, tienen que haberse transmutado. Un amigo me decía que la vida ha sido demasiado generosa conmigo y que, en estos tiempos tan artificiales y tan llenos de mediocridad, yo soy uno de los raros poetas con vida de poeta... Yo opino que la mediocridad triunfante ha existido siempre; es natural que así sea porque lo fácil es más asequible que lo difícil. Lo fácil desaparece pronto, pero lo difícil, más duro de masticar, lleva siempre semillas de eternidad.

PANORAMA ACTUAL Y FUTURO

—El miedo a la bomba atómica, ¿puede traer la paz y acabar definitivamente con las guerras?

—No. Lo mismo se dijo hace años a propósito de los gases asfixiantes. Ningún progreso bueno para la guerra lo es para la paz, salvo que los hombres sean capaces de volverlo al revés completamente. Lo que sería un problema de adelanto espiritual y no material.

Es lamentable que la utilización de la energía atómica haya empezado en el plano bélico. Es una mancha en el destino de la humanidad que nada podrá borrar y que autorizará a nuestros descendientes para mirarnos con muy legítima compasión.

—¿Cómo ve usted el panorama del mundo actual y los problemas en que nos debatimos?

—El hombre pasa por un mal momento de su historia. El gusano está dentro de su capullo, en una larga noche, devorándose a sí mismo, para luego salir convertido en algo más espiritual, menos grosero.

Desgraciadamente hay demasiadas fuerzas obscuras que se oponen a toda metamorfosis. El primer asunto es que todos los dirigentes políticos son tontos, ciegos, sordos y, ¡oh, calamidad!, no son mudos.

Se diría que la inteligencia ha emigrado a otros sectores: Ciencia, Poesía, Artes Plásticas. Ingeniería, Arquitectura o Medicina.

Estos angelitos de la política pretenden resolver conflictos del siglo xx con mentalidad del siglo xix..., y de la peor época de esa centuria. Hay que jugar con otro naipe que ellos no conocen. Ya no hay reina de pique, ni as de trébol, ni caballo de copas, ni siete de bastos; los que conocen la nueva baraja no encuentran sitio para sentarse y empezar la nueva gran partida histórica..., a menos que saque a los otros por la solapa. Paréntesis que será de violencia y confusión en la sala.

Toda esa batahola de vulgaridad nos está desilusionando. El hombre moderno está sufriendo de una especie de vértigo de ausencia: no sabe a quién creer ni en qué creer. Contradicciones y confusionismo lo arrastran a la exasperación; de pronto oiremos la trágica alarma, el «sálvese quien pueda», y entonces veremos un lindo caos. («Sálvese quien pueda» es el título de un acápite en una de mis obras.)

Nunca hubo tanto asco sobre la tierra. Sin embargo, en medio de la desilusión general, jamás ha habido un mayor número de ilusiones particulares. No perdemos la esperanza: deseamos ser mejores y lo seremos, pese a todas nuestras caídas, nuestros tanteos, nuestras vacilaciones.

No obstante, hay todavía quienes creen que esta guerra se hizo para conseguir la supervivencia del mundo más reaccionario y más antihistórico. ¡Cuánto esfuerzo se ha desplegado en perfeccionar los métodos para aplastar al hombre! ¡Cuán poco en desarrollar los que enseñarían a libertarlo, a dignificarlo y elevarlo!

POLÍTICA, COSA DE TONTOS

—¿Concibe usted al poeta en función política?

—Lo concibo en función poética, o sea en función de su oficio, que es un oficio largo y difícil, y tan absorbente que un espíritu serio no tiene margen para otras ocupaciones que exijan también atención y estudio.

Peligrosa es la absorción de la política. En general los políticos son bastante estúpidos, mentes vulgares sin cultura; están llenos de ambiciones pequeñas y obsesionados por el éxito inmediato; son resbaladizos, tramposos. ¿Qué saben ellos de poesía? Nada; por eso proclamarán a los mediocres y no comprenderán a los realmente superiores. Sólo los poetas semejantes a ellos pueden avenirse con ellos; la mediocridad habla el mismo lenguaje. Casi todos los poetas con una dominante política entregan la dignidad de su profesión, no solamente porque no la comprenden ni la sienten, sino además por razones de arribismo. Tal es el fenómeno corriente.

Las tiendas políticas poseen hoy día un aparato muy bien montado para la propaganda de sus feligreses. Ayer eran los jesuítas los que tenían la más excelente técnica propagandística; ahora, otras sectas y partidos son los herederos de esa técnica. Pero el confusionismo sembrado es momentáneo y a corto plazo.

Se achaca a ciertos bandos de extrema izquierda el monopolio de inflar peleles pseudoartísticos. Pero, ¿puede olvidarse el número de imbéciles literarios que inflaron el nazismo en Alemania y el fascismo en Italia? ¿Y a ese señor José María Pemán, el supremo paquidermo de la lengua castellana hinchado por el falangismo hispánico?

—¿Cuál es la cuestión vital de nuestro tiempo?

—Ésta es una tremenda pregunta que necesitaría muchas páginas para ser contestada.

El mal del siglo, lo repito, es un vértigo de la nada, un vacío que siente el hombre que no tiene fe en nadie ni en ninguna doctrina, y que no puede tenerla porque ni los sujetos que se presentan como dirigentes ni las doctrinas la merecen.

En todas las criaturas verdaderamente conscientes reina un estado de angustia; ningún espíritu se siente cómodo en este ambiente de hoy, tan gaseoso y caótico. Súmanse los desequilibrios hasta formar un desequilibrio total; y no se oye una voz que pueda resolverlos, coagular catástrofe, presentar una solución tangible y satisfactoria.

Mi problema, muy personal, se resuelve en vivir en armonía con los seres circundantes y en consagrarme a mi oficio. En poseer el sentido de la grandeza, en construirse uno mismo cada día y en sentir fuertemente esta construcción íntima en tal forma que ella alcance caracteres universales.

Los que han vivido largos años en la desarmonía saben toda la importancia del vivir armónico. Lo conocen y aspiran a ello. Fundamental es establecer en el globo el mayor bienestar posible y la seguridad de todos, no de unos cuantos privilegiados. Se trata de fundar un nuevo idioma que no sea defensivo, temeroso, equívoco, sino firme, sólido, de hombre a hombre, no de tramposo a tramposo.

LOS ESCRITORES ATACARÁN...

Nos detenemos en una vertiente de cristalinas y delgadas aguas. Huidobro enmudece, admira un rato el cielo que se va poniendo tenue de luz; y, después, se dobla a recoger al borde de la sonora cascada unos hongos gigantes. Y con deleitación de abate de la Edad Media, me anticipa los sabores de la próxima cena: la sopa de cebollas, la carne y el vino, los hediondos y magníficos quesos, los postres innumerables.

—Vicente, ¿qué ha hecho usted después de haber sufrido el hambre en Europa?

—Comer con más ganas que antes.

Y al cabo de una pausa, le interrogo sorpresivamente:

—¿A quienes deben atacar los escritores?

—A todos los valores falsos que obstruyen el paso de la verdad. A los fanáticos de cualquiera doctrina que entorpezcan la marcha de la libertad. A los esclavos de sus propias pasiones que impidan el desarrollo de la bondad. En una palabra, a todos aquellos en los cuales domina la animalidad de los ancestros primates sobre la razón.

Felizmente hay una favorable reacción. El número de los que despiertan a la realidad aumenta cada vez más. A pesar del odio y de los ataques de la mediocridad, a pesar de las negras intrigas de todas las cofradías de izquierda o de derecha, a pesar de todos los «esclavos de la consigna», la luz seguirá creciendo y aumentando su calor vivificante dentro del cerebro humano para equilibrar a la tierra que se enfría.

Los falsos valores levantados por conveniencias del momento van desinflándose con rapidez pasmosa. Un amigo me declaraba el año pasado, en París: «Si Paul Eluard, obligado por consignas, declarara que Félix Potin o el pequeño Picetti eran grandes poetas, nadie le creería. Todos nos reiríamos. Hace algún tiempo, muchos jóvenes lo habrían tomado en serio.» Esto es exacto. La seriedad va imponiéndose.

LA ÚLTIMA ETAPA

—He leído en un periódico inglés que a usted lo colocan, junto con André Breton, Paul Eluard y Eliot, entre los más grandes poetas de esta era. ¿Qué piensa usted de ellos? ¿Qué artistas prefiere?

—Breton es un hombre de inteligencia asombrosa; hablé mucho con él, últimamente, en Nueva York; es uno de los pocos que no han decaído en absoluto en la hecatombę intelectual paralela a la guerrera. Es un poeta de verdad.

En cambio, Eliot es un mediocre, un pequeño Claudel pueblerino y latero. Me gusta Hans Arp, el único con quien he escrito un libro entero; me gustan René Daumal, que murió durante la guerra; Jacques Prevert que era para mí un oasis de poesía y cordura, y Henri Michaux y Ribemont-Dessaignes. En resumen, mis amigos del corazón y los que más frecuenté en los días en que iba a París con permiso desde el frente.

—¿Cuál es su última etapa poética?

—Me referiré primero a la penúltima, a los libros nacidos en la guerra.

Uno se llama *Sin días y sin noches*, y trata principalmente de esa sensación de estar fuera del tiempo que yo experimenté, sobre todo al final del conflicto. Otro se llama *Utilidad de las estrellas*, y se refiere a la sensación de verse protegido y guiado por un destino especial, como defendido por la misma poesía cual un hijo inválido por su madre. El tercero es un libro de poemas que titulé *El precio del alba* (anunciado ya hace más de un año en Francia y en el Uruguay). Estos poemas muestran el precio que yo he pagado —y que fue casi mi vida— por un renacimiento espiritual completo, por la plenitud, por la renovación absoluta de mi ser.

Respecto a la última etapa, puedo adelantarle que ella se compone de poemitas en un tono muy diferente, quizá con algún parentesco con *Tout à Coup*. Algunos que han leído esos versos inéditos los encuentran demasiado desprendidos o desencarnados. Tal vez lo sean. En todo caso, obedecen a un momento muy primordial de mi vida.»

Pronunciadas estas frases con timbre grave y sereno, el poeta se envuelve en hondas reflexiones.

En lo alto de la colina, destacándose en el crepúsculo, surgen las ágiles siluetas de su esposa y de su hijo. Lo llaman insistentemente, y él, sacudiendo las dulciamargas ideas, alegrado de súbito, acude a los frescos clamores.

Yo permanezco solo y pienso: Huidobro es la imagen del desencantado. De un raro desencantado.

No cree como antaño, con entusiasmo, abiertamente, en los prodigios del género humano. Mas, no se desespera.

Y busca nuevas y apacibles fórmulas de luchar por ese bien que les está faltando a los hombres.

No quiere que le sigan prosélitos ni se ilusiona en una virtud contagiosa de sus lecciones. El dice una verdad que a todos alcanza, que habíamos olvidado, pero inesperada y muy amplia. Y eso le basta.

[*Zig Zag* (Santiago de Chile), 26 de septiembre de 1946.]

A PROPOSITO DE VICENTE HUIDOBRO (1948)

Conocí a Vicente Huidobro el 4 de agosto de 1910. Puedo decir con tanta exactitud la fecha porque es el día de Santo Domingo, y su abuelo, don Domingo Fernández Concha, dio, para celebrarse, un paseo a Santa Rita, muy concurrido, y que se había hecho tradicional. Conservo todavía por ahí el recorte de una revista, donde, cosa para nosotros emocionante, aparecemos publicados.

Recuerdo que había clérigos, muchos clérigos, obispos, ricos hombres ultramontanos, probablemente el Nuncio de Su Santidad. Casi nunca faltaba el Nuncio o el Internuncio en las reuniones de la familia Huidobro Fernández. Por lo menos, algún secretario de la Nunciatura.

Además, gran cantidad de santos. Por todas partes altas estatuas de la corte celestial se alzaban entre los pilares de la vieja casa o lucían su aureola detrás de vidrios, en marcos de oro. Santa Rita tenía mucho de convento.

Afirmados en la baranda del corredor, mirábamos el jardín, los restos de un famoso castaño, recién cortado, prados verdes, una pila, y, sobre ella, un pájaro hecho con flores blancas o plantas acuáticas, Preguntamos qué contenía: era el Espíritu Santo.

Vicente se educó en los Jesuítas.

Salió de ahí para casarse, niño todavía. Y así como uno de nuestros primeros artículos de crítica literaria lo dedicamos, después, a su primer libro, *Ecos del Alma*, fue su matrimonio una de las primeras ceremonias de esta clase a que asistimos; y vemos a la pareja demasiado juvenil; ella, de una hermosura virginal, fina imagen de esmalte, entrar a la capilla del Arzobispado, al son de la orquesta para recibir las bendiciones.

Se ha dicho, con verdad, que la existencia entera y la obra de Vicente Huidobro constituyen una reacción violenta contra su medio familiar, social, religioso. Pero esto ocurrió después de su primer viaje a París. Antes, los «ecos de su alma» correspondían a ese ambiente y no encerraban pronósticos amenazadores.

Ocupaba con su esposa un departamento de los altos en el palacio de sus padres, Alameda esquina de San Martín, antigua propiedad del Marqués de la Pica, una morada muy suntuosa y enorme, donde gustábale invitar a sus amigos escritores: ya tendía, por entonces, Vicente a la formación de grupos, a crear en torno suyo un pequeño cenáculo, afición que constituye una de sus características y explica mucho su carrera, sus éxitos, sus desvíos y extravíos; porque, sin duda, el jefe del clan influye mucho sobre la pequeña tribu, pero ésta, a su turno inevitablemente, lo modifica y condiciona, le impone cierta actitud.

En ocasiones, los comensales del segundo piso bajaban al primero, cuyo vastísimo e imponente «hall» fue teatro de uno de los bailes más brillantes de aquella época, presidido señorialmente por su madre, gran dama de la Edad Media. Una castellana que escribía y pintaba. Frente a una de las rejas de hierro de su habitación tenía la señora su caballete, y a lo largo de toda ella, hasta perderse en la obscuridad del fondo, paseaba habitualmente una altísima silueta eclesiástica, un hombre magnífico, orador poderoso en el púlpito, charlador cáustico e incomparable en la intimidad: Don Alberto Ugarte, de apasionada y noble memoria. Hacia uno de los rincones, se veía poco y no se oía nunca, un obispo *in partibus*, el Ilmo. señor Fernández Concha, tío abuelo de Vicente, y autor de doctos tratados filosóficos, habitante también de aquel palacio que en sus distintas dependencias, entre personas de la familia, criados y criadas, contando a un enano o tonto doméstico muy célebre, alojaba, según cálculos prudentes, unas sesenta almas.

La presión atmosférica del ambiente puede calcularse por la fuerza, el ardor, la variedad y la longitud de las explosiones que provocó en el espíritu de Vicente, cuya vida, hasta el fin, fue una serie de estallidos.

Quiso romperlo todo.

El creador del discutido creacionismo necesitaba, ante todo, demoler.

Pero, ¿estaba hecho para la tarea? ¿No se consumió en ella, y fue, a su vez, destruido?

Cabe preguntárselo ahora.

Y no dejarán de hacerlo con melancolía quienes presenciaron esa ceremonia triste, patética, rara, desolada y tan terriblemente significativa de sus funerales.

Una casa en la falda de un cerro y un ataúd que parecía haber escollado en playa solitaria, entre náufragos. La sensación elemental del profundo vacío, un silencio poblado de incertidumbres, abatimiento e impotencia. ¿Qué hacer, qué decir? Nada ocurría de extraño; todo sucedía dentro de la lógica; y era el caos, se estaba delante de fragmentos antagónicos, partículas demasiado distantes de un total destrozado. Pesaban grandes ausencias, y lo que faltaba tenía mayor importancia que cuanto se podía ver.

Luego, aquel cortejo, esa marcha interminable tras un furgón hermético: misterio pintado de negro. Bajar hacia el mar desde la falda de las colinas y seguir por senderos de arenas, por dunas, por eucaliptos, larga, largamente, en la tarde. Un pequeño arroyo y filas dobles de eucaliptos, el árbol quejumbroso y ceniciento.

Una especie de pesadilla. Como ir al otro mundo.

De pronto, el acompañamiento se detiene. ¿Ahí, en ese corral, frente a una casa de inquilinos? ¿Algún accidente? ¿O tal vez el sueño va a disiparse? Porque no se divisa cementerio alguno. Es que es muy pequeño; está detrás de las casas.

Cuesta entrar por la puerta con el ataúd. Una capillita mínima, en un campo de cruces brotadas del suelo árido. Ahora el ataúd está en la tierra, y alguien habla. Habla poco. El que creó familias, escuelas, partidos, capillas, cenáculos, yace profundamente solo, a distancia.

Cuando quieren depositarlo en el nicho, no cabe. Imposible. Miran entonces alrededor y divisan por allá un hueco desocupado. ¿Esa sepultura?

Una voz:

—Es de Fulano.

—No importa.

—Es que la tiene reservada para él.

—Sí; pero ése no piensa morirse.

La miden con una rama, miden el ataúd.

—Cabe.

Ahí quedó.

Todo ello, sin duda, circunstancial, fortuito, transitorio e imprevisible, carece de importancia; pero la muerte, que no se repite más, impone tan hondo simbolismo a cada detalle, que la menor de sus apariencias repercute, invisiblemente prolongada, sombra adentro.

El contraste de la vida que el poeta rehusó, sus ceremonias perfectas, su orden milenario, su compás inflexible y medido, como la antigua prosa, como el antiguo verso, donde cada paso se halla calculado y cada gesto está en su sitio y esa otra existencia que quiso forjar entre los escombros, libremente, al capricho espontáneo e improvisado, cogiendo sus elementos donde los encontraba, quebrando ideas, palabras, imágenes y estrofas o versos, en busca del ritmo personal, del verbo inédito, he aquí que se entrechocan, al comienzo y al fin, y que el resultado último, la conclusión suprema, viene a caer por casualidad, diríase también por juego irónico, por broma, en un nicho desconocido que no lo esperaba. Y el que juzgaba estrecho escenario su país natal, debido a una incongruencia, por lo demás muy suya, marchó escoltado por «huasos» del fundo hereditario hasta el menos exótico de los sepulcros chilenos.

[*Zig Zag* (Santiago de Chile), 23 de enero de 1948.]

BUSQUEDA DE VICENTE HUIDOBRO (1968)

Me cuentan que en estos días han pasado veinte años desde la muerte de Vicente Huidobro.

Yo no lo sabía. Nunca fui amigo de él. Y la vida literaria nos separó con crueldad.

Creo que se hace imperioso mi deber hacia su poesía.

Lo que más me sorprende en su obra releída es su diafanidad. Este poeta literario que siguió todas las modas de una época enmarañada y que se propuso desoír la solemnidad de la naturaleza, deja pasar a través de su poesía un constante canto de agua, un rumor de aire y hojas y una grave humanidad que se apodera por completo de sus penúltimos y últimos poemas.

Desde los encantadores artificios de su poesía afrancesada hasta las poderosas fuerzas de sus versos fundamentales, hay en Huidobro la lucha entre el juego y el fuego, entre la evasión y la inmolación. Esta lucha constituye un espectáculo: se realiza a plena luz y casi a plena conciencia, con una claridad deslumbradora. Considero a Vicente Huidobro como un poeta clásico de nuestro idioma, y nos embarga esta corriente que no tiene desenlace, esta corriente inacabable de claridad No hay poesía tan clara como la poesía de Vicente Huidobro.

Así como la mayoría de su prosa peca de su persona, de su juguetón personalismo, su obra poética es un espejo en el que se suceden las imágenes de la delicia pura o el juego de su propio sacrificio. Porque a mí me parece que Huidobro se consumió en su propio juego y en su propio fuego. A pesar de que su inteligencia poética es la clave de su brillo, tuvo tal vez predilección por forjarse un anecdotario personal que terminó por abrumarlo y sepultarlo. Por suerte, su poesía salvará su recuerdo, recuerdo que seguirá creciendo en profundidad y en espacio.

La originalidad preocupó al poeta Huidobro en forma obsesionante durante su vida. Una originalidad de existencia y de pensamiento. Sin embargo, aquietados los rumores de su época, no serán tales prendas las que lo distingan. Esta preocupación lleva a menudo a los escritores a convertirse en la caricatura de sí mismos. Releyendo a Huidobro nos damos cuenta de que sus posiciones arrogantes, al desaparecer con su vida, no quebrantaron su transparencia. Multitud de sus versos siguen teniendo una frescura que parecían no tener, porque nacieron tal vez como elaborados por la inteligencia. Ahora vemos rocío en ellos, como si fueran hierbas matinales.

Mucho nos debe preocupar que un poeta de su dimensión y de su calidad se afirme en el patrimonio nacional. Yo he propuesto un monumento para él, junto a Rubén Darío, pero nuestros gobiernos son parcos en erigir estatuas a los creadores y pródigos en monumentos sin sentido.

No podríamos pensar en Huidobro como un protagonista político, a pesar de sus veloces incursiones en el predio civil. Tuvo hacia las ideas inconsecuencias de niño mimado. Pero todo esto quedó atrás en la polvareda, y seríamos inconsecuentes nosotros mismos si comenzáramos a clavarlo con alfileres a riesgo de menoscabar sus alas.

Sin embargo, para mí, sus poemas a la Revolución de Octubre y a la muerte de Lenin son parte fundamental de la contribución de Huidobro al gran despertar humano.

En sus últimos años Huidobro trató de reanudar y mejorar la relación que tuvimos brevemente cuando recién volvió por primera vez de Europa. Yo, herido por las incidencias de la guerrilla literaria, no acepté esta aproximación. Me he arrepentido muchas veces de mi intransigencia. Cargo con mis defectos provincianos como cualquier mortal. No me encontré con él en esos días, ni lo encontré después. Desde entonces sólo he continuado el diálogo con su poesía.

[*Ercilla* (Santiago de Chile), 7 de febrero de 1968.]

I I

CREACIONISMO: TEORIA Y POLEMICA

UN GRAN POETA CHILENO: VICENTE HUIDOBRO Y EL CREACIONISMO (1919)

Para los que en arte estimamos sobre todo la labor nueva, nacida del ansia de acomodarse al ritmo cósmico con que las eternas apariencias cambian de forma, la obra de iniciación, que enseña un nuevo modo de belleza, el acontecimiento supremo del año literario que ahora acaba, lo constituye el tránsito por esta corte del joven poeta chileno Vicente Huidobro, que a mediados de estío llegó a nosotros, de regreso de París, donde pudo ver las grandes cosas de la guerra y alcanzar las últimas evoluciones literarias. Pocas líneas en nuestra prensa señalaron la estancia del original cantor, que, retraído y desdeñoso, sólo se comunicó con unos pocos para anunciarles sus primicias nuevas. Y, sin embargo, su venida a Madrid fue el único acontecimiento literario del año, porque con él pasaron por nuestro meridiano las últimas tendencias literarias del extranjero; y él mismo asumía la representación de una de ellas, no la menos interesante, el creacionismo, cuya paternidad compartió allá en París con otro singular poeta, Pedro Reverdy, el autor de *Les ardoises du toit*, y cuyo evangelio práctico recogió en un libro, *Horizon carré*. París, 1917.

El creacionismo de Vicente Huidobro halló aquí una ingrata acogida en los cenáculos donde fue mostrado. Si nuestra prensa tuviese la prodigalidad literaria que la prensa francesa, hubiese dispensado al lírico nuncio los mismos ataques que en París resistió su fraternidad con Reverdy. Aquí fueron el silencio y la sombra las armas con que los intereses creados de nuestra literatura se defendieron contra el innovador. Lo más notable es que la negación vino de aquellos que ya practicaban un arte avanzado, y para sí reivindicaban el pleno título de innovadores. Eso —decían— está ya hecho, y repudiaban el creacionismo, no por nuevo, sino por retrasado. ¿No dijeron lo mismo nuestros últimos románticos del simbolismo de Darío? Y, sin embargo, ni los nuevos tonos de Rubén ni las modalidades del creacionismo estaban incorporados a nuestras letras, al anunciarse como superaciones. Huidobro nos traía primicias completamente nuevas, nombres nuevos, obras nuevas; un ultra-novecentismo. Desdeñando a los doctores del templo, el autor de *Horizon carré* se limitó a difundir la buena nueva entre los pocos y los más jóvenes, en paseos y reuniones sedentes, de un encanto platónico, en que la novísima tendencia lograba la fijación de sus matices. De esos coloquios familiares, una virtud de renovación trascendió a nuestra lírica; y un día, quizá no lejano, muchos matices nuevos de libros futuros habrán de referirse a las exhortaciones apostólicas de Huidobro, que trajo el verbo nuevo. Porque durante su estancia aquí, de julio a noviembre en que tornó a su patria chilena, los poetas más jóvenes le rodearon y de él aprendieron otros números musicales y otros modos de percibir la belleza.

Vicente Huidobro, que ya había publicado en París su *Horizon carré*, publicó en esta corte cuatro libros más: *Ecuatorial, Poemas árticos, Hallali, Tour Eiffel*, libros diminutos de una blanca anchura de márgenes. Con ellos brindaba paradigmas prácticos de su concepción estética, doctrinalmente desarrollada en conferencias leídas ante el público apasionado y curioso de París. En el pórtico de *Horizon carré* el autor escribió un resumen de su estética. «Crear un poema tomando a la vida sus motivos y transformándolos para darles una vida nueva e independiente. Nada anecdótico ni descriptivo. La emoción ha de nacer de la única virtud creadora. Hacer un poema como la naturaleza hace un árbol.» Así compendia Huidobro la doctrina del creacionismo. Inútil negar la originalidad de este anhelo artístico, que si, como toda cosa, tiene su precedente remoto en el pensamiento de los hombres, no reconoce antepasados inmediatos. Todo podrá reprochársele a los cinco libros mencionados, menos falta de originalidad. En nuestra lírica contemporánea no hay nada que pueda comparárseles, ni siquiera las últimas modulaciones llanas de Juan Ramón Jiménez, ni las silvas diversiformes de los modernos versilibristas. Todas esas formas, Vicente Huidobro las cultivó y superó ya, en sus últimos libros anteriores —*Canciones en la noche, La Gruta del silencio, El espejo de agua* y *Adán*. En esos libros practicó todas las variedades del verso, tal que se le modelaba hasta en las vísperas de su evolución última. Emuló las ligerezas banvillescas, las sutilezas verlainianas, las habilidades de los juglares líricos que saben hacer con el verso, como los poetas bizantinos, un cáliz o una cruz. En *Las pagodas ocultas*, versiculó a la manera bíblica y a la manera de Apollinaire. Pero toda esa maestría de técnica se le había hecho ya odiosa, no menos que el modo de percibir y sentir el mundo de lo bello, que hasta entonces fue el suyo. Y teniendo ya en su acervo y en su historia un número de libros notables, cada uno por su individual culminación y su diverso espíritu, que en la lírica de su país le confirieron un claro principado sobre la juventud más exigente, de nuevo se aplicaba a rehacer su orbe poético, según nuevas líneas y módulos.

El año de 1914, año de congoja y sobresalto para la humanidad, lo fue también para el poeta, no sólo por su participación humana en el dolor universal, sino porque también, como otros tantos valores, vio en crisis su arte, dentro de sí mismo. Durante una larga temporada —nos confesó— no podía escribir. Asediábanle voces nuevas que no hallaban todavía su concepto armónico. Todo lo anterior le parecía viejo y lejano. Un nuevo arte de ver y de decir se insinuaba en él. Por aquella época, su país le envió a Francia, agregado a la Legación de Chile. Pasó por Madrid; se asomó a la cripta de Pombo y a nuestro diván de poetas jóvenes. Pero ninguna anunciación nos hizo de sus nuevas veleidades líricas. Su voluntad de renovación aún no había hallado su fórmula. Sin embargo, ya por aquel tiempo había dirigido su «Manifiesto a los poetas hispanoamericanos» —ensayo de estética—, incitándoles a buscar nuevas normas; y ya había concertado algunos de los poemas de su *Horizon carré*. Pero fue en París, oyendo una lectura de versos de Reverdy, cuando el nuevo arte presentido se afirmó en él con plena conciencia. Al terminar Reverdy su lectura, Huidobro fue espontáneamente a estrecharle las manos; y aquella unión de diestras marcó el principio de una adhesión espiritual, de una fraterna alianza que, durante algún tiempo, compartió la atención que los eventos de la guerra consentían en París a las proezas literarias. Juntamente con Reverdy, resistió los ataques de la crítica más o menos académica —hasta al *Mercure* consideraban académico los nuevos aedas, y los consuelos que a veces les llegaban en alguna frase simpática de Bergson o de Juan Royere, el blanco viejecito, amigo de Mallarmé, fueron días de lucha, sinsabores y triunfos; una edificante página de la fervorosa y oscura vida de los cenáculos literarios nacientes. Luego, Huidobro, llamado por su gobierno, hubo de abandonar París; y de paso para América, se detuvo, como dije, en la corte; y a esta circunstancia debemos la anticipación de doctrinas estéticas tan interesantes, que por la vía callada del libro no hubiesen tenido el valor emocional del proselitismo que la presencia de uno de sus colaboradores le infundió. ¿No aviva así y fija la llegada de Rubén, en los albores del novecientos, los anhelos juveniles de renovación y los estimula y enardece, dándoles con su presencia como un escudo?

De igual modo, el paso de Huidobro por entre nuestros jóvenes poetas ha sido una lección de modernidad y un acicate para trasponer las puertas que nunca deben cerrarse. Porque si Rubén vino a acabar con el romanticismo, Huidobro ha venido a descubrir la senectud del ciclo novecentista y de sus arquetipos, en cuya imitación se adiestran hoy, por desgracia, los jóvenes, semejantes a los alumnos de dibujo, que se ejercitan copiando manos y pies de estatuas clásicas. Sea cualquiera la opinión que un temperamento personal pueda tener de las nuevas tendencias es innegable que en la seriación del eterno progreso ideal, después del simbolismo y del decadentismo, sólo debe venir esta nueva concepción de lo bello que, emancipándose de las interpretaciones sentimentales, concede al mundo exterior una realidad independiente y prueba a expresarlo en una representación más viva, libre y pimentada de sus infinitas posibilidades de existir y de parecer. «Crear un poema como la naturaleza crea un árbol» —dice Huidobro—. ¿No hay en estas palabras un anhelo de integridad, de comunión con las fuerzas plásticas del mundo, para reproducir fielmente sus obras naturales, con toda la riqueza plural de coloridos y aspectos con que lo hacían los soberbios artistas del Renacimiento? En toda la lírica anterior, el poeta hace de la naturaleza un símbolo, se la apropia, la desfigura, le infunde su sentimiento o su ideología, la marca con la mueca de dolor o de júbilo de su semblante, la suplanta; nos promete la naturaleza, pero nos da su alma. De aquí se derivan representaciones parciales del universo, pobres, mezquinas, contorsionadas, tristes del pesar de su imperfección. La nueva lírica, no sólo la que se vincula en el nombre de creacionismo, sino, en general, aquella cuyas floraciones arrancan de Guillermo Apollinaire y hoy se ilustra con los nombres de Reverdy, Allard, Frick, Cendrars, etc., aspira a darnos una representación íntegra, desapasionada, de la naturaleza, en estilizaciones de una desconcertante variedad. La agudeza de la percepción y la fidelidad con que la reproducen algunos de estos poetas recuerdan la técnica mordiente y certera de los caricaturistas. Y al mismo tiempo, por la simultaneidad de sus imágenes y momentos, hacen pensar en una filiación pictórica, en una transcendencia literaria de los modernos cubistas y planistas.

Lo interesante es que todo esto es nuevo. A veces parecerá que, en alguno de sus aspectos, esta nueva estética ya estaba lograda. Se dirá: ya esto lo hicieron los simbolistas; o bien: eso es parnasianismo. Pero un matiz cualquiera revelará a los perspicaces la absoluta modernidad de la intención. Y ya se sabe que el sabor de modernidad de una escuela literaria suele estar en un matiz. Generalmente, este sabor escapa a los labios gastados de los artistas y críticos envejecidos en una sola manera de arte. No ven lo nuevo; lo encuentran igual a lo viejo, como si su espíritu fuese un espejo demasiado opaco ya para reflejar claridades nuevas. Pero lo nuevo se afirma y halla gracia en los jóvenes. Los jóvenes que rodearon a Huidobro durante su estancia aquí, supieron discernir la novedad alboreante de sus poemas. Leyéndole, volvían a sentir otra vez la inquietud de los novicios y poco a poco ensayaban el tránsito de sus jóvenes estrofas, ya viejas, a las novísimas cristalizaciones. Esto se ha de notar en libros futuros. Huidobro les perturbó a más de uno la conciencia literaria. Más de un manuscrito quedó repudiado y rasgado. Yo, testigo de sus evangélicas exhortaciones, pude ver el rejuvenecimiento que obraban aun en los más tiernos epígonos. Les veía, llenos de dudas y vacilaciones sobre los que creyeron sus seguros comienzos, en ese estado de buena inquietud que predispone a recibir la gracia literaria. Y yo les incitaba también hacia adelante. Huidobro fue, en este verano de 1918, la encarnación de la espiritual cosecha que en la interinidad bélica aguardábamos los ansiosos de cumbres. Sentíamos ya que la savia de esa primavera se había ya agostado. El novecientos, con todo lo que significa, era ya decrépito. Los maestros del ciclo innovador no hacían ya sino pisar sobre sus propias huellas, en los engañosos circulos de sus obras. Tan sólo Juan Ramón porfiaba por evadirse de los álveos de sus antiguas colmenas, llevando sus abejas a los nuevos claustros de rota arquitectura en *Eternidades*. Su misión de precursores era ya cumplida. Todo esto lo sentíamos. Pero la llegada de Huidobro echó todas las arrugas de la decrepitud sobre el semblante de la máscara novecentista. Todo se hizo enormemente viejo al contacto de la inmatura juventud de sus poemas. El tránsito del autor de *Horizon carré* renueva la cronología literaria y señala pues, el único acontecimiento de mil novecientos dieciocho, en los monótonos anales de nuestras letras, sobre todo de nuestra poesía, narcotizada de misoneísmo...

[*Cosmópolis* (Madrid), I, 1 de enero de 1919.]

ENRIQUE GOMEZ CARRILLO

EL CUBISMO Y SU ESTETICA (1920)

Según parece, llevo mucho tiempo sin hablar del cubismo y de los cubistas. Me lo dicen, en son de queja, algunos de los jefes del Movimiento. Y uno de ellos agrega:

«Gracias a la popularidad de EL LIBERAL, comenzaban ya a ocuparse de nosotros en toda España y esperaban todos los que son aficionados a novedades literarias. que usted continuase su serie de artículos consagrados a los pontífices de la escuela y de sus obras. ¿Por qué nos ha abandonado usted? ¿Teme chocar a los beocios?»

—No —contesto a mi joven corresponsal— no temo nada. Lo que me pasa, hoy como ayer, es que a medida que más ahondo en el estudio de los arcanos cubistas, más desconcertado me encuentro. Alguien me había dicho: «Interrogue usted al teorizante del grupo, a Pierre Reverdy». Y en el acto lo hice. Pierre Reverdy es, entre los cubistas parisienses, el único que me manda sus libros, el único que me escribe cartas afectuosas.

—Voulez-vous me parler de votre école? —le dije.

—Mais oui —contestóme, cortés y entusiasta.

Luego, muy gravemente, hablóme de esta manera:

—Ya sé, ya sé que en lengua española hay un movimiento cubista interesante... En el primer número de *Cosmópolis*, me dicen que un crítico influyente habla del chileno Huidobro como del creador del movimiento. ¿Es posible que tales cosas se escriban tan cerca de París? Ese joven Huidobro, muy influenciable, tuvo la debilidad, por no emplear otra palabra, de recurrir a la triste superchería de publicar un libro poniéndole una fecha muy anterior, antidatándolo en suma, para hacer creer que lejos de ser él quien imitaba, los demás lo habían imitado a él... Es un muchacho sin importancia, en la literatura francesa... No sé si en Valparaíso o en Caracas... Pero, en fin, lo que usted quiere, es que le explique nuestra estética, y no que le hable de los falsos apóstoles... El cubismo es un arte eminentemente plástico, mas no un arte de reproducción y de interpretación, sino de creación. Así, un pintor cubista no puede hacer un retrato, pues su deber le obliga a no copiar un detalle de la naturaleza, un objeto determinado, sino una obra, un cuadro. Esta creación, en pintura y en literatura, es lo que determina la grandeza de nuestra época. Crear una obra que posea una vida independiente, una realidad, una finalidad me parece más noble que interpretar con mayor o menor fantasía las escenas reales. Ciertos simbolistas, trataron de realizar algo así. No lo lograron por completo. Nosotros queremos, con conocimiento de todos los sentimientos elementales, producir una emoción nueva en poesía. Para crear, por ejemplo, un cuento que sea ante todo una obra especial que merezca el nombre de cuento, como un poema debe ser siempre un poema, es preciso encontrar los medios propios de este género y reunirlos con un objetivo determinado. Escribir, no es contar. ¿Qué es lo que más nos interesa en una novela? ¿La anécdota, el episodio? No se describe un hecho olvidado en la historia. No una emoción. Estamos en una época de creacionismo, en que ya no se cuentan historias agradables o desagradables sino que se crean obras que, saliéndose de la vida, vuelvan a ella porque tienen una existencia propia, fuera de todas las evocaciones y de todas las reproducciones de aspectos de la vida. No confundamos la realidad con el realismo. Nada más opuesto a nosotros que el realismo. Nosotros, puedo decirlo para resumir nuestra estética en dos palabras, nosotros creamos la vida en nuestras obras...

Después de escuchar estas palabras de uno de los pontífices de la nueva escuela, los discípulos de Ricardo León no podrán contener la risa. En literatura, cuando no comprendemos una teoría, lejos de hacer un esfuerzo para desentrañar lo que en el fondo hay en ella de fuerte, de fecundo, de original, sonreímos. Es una eterna y vana injusticia que se deriva de la pereza y de la rutina. Pousard, se reía de los primeros manifiestos románticos y François Coppée de las primeras proclamas simbolistas.

Por eso Remy de Gourmont llamaba al público burgués, al público «culto», al que se compone de profesores, abogados, médicos, funcionarios y periodistas: «Celui qui ne comprend pas...» Pero no comprender apenas es un pecado. El delito está en burlarnos de lo que no comprendemos.

Yo, por mi parte, humildemente, confieso que, por más que ahondo en los arcanos del cubismo, no logro encontrar la luz que ilumina en el eterno camino de Damasco. Veo, sí, chispas, veo fulguraciones instantáneas y efímeras. Una franca claridad, eso no. En teoría, por ejemplo, me doy cuenta de que, en muchas palabras, Reverdy quiere decirnos una cosa muy sencilla y muy imposible, que es, a saber: el cubismo no se contenta con describir una sensación, sino que pretende crear esa sensación de un modo directo.

¿Cómo es posible? —nos preguntamos llenos de inquietud al pensar en los pobres medios de que la literatura dispone. Y tratando de encontrar la solución del enigma en las obras de los grandes cubistas, a ellos recurrimos. He aquí, para ver si al fin hallamos algo claro, algunas estrofas escogidas en una antología de la nueva escuela, es decir, algunas estrofas típicas, representativas y ejemplares.

Ante todo, he aquí tres epigramas del Precursor, Guillaume Apollinaire:

LA CHÈVRE DU THIBET

Les poils de cette chèvre et même
Ceux d'or pour qui prit tant de peine
Jason, ne valent rien au prix
Des cheveux dont je suis épris.

LE CHAT

Je souhaite dans ma maison
Une femme ayant sa raison
Un chat passant parmi les livres
Des amis en toute saison
Sans lesquels je ne peux pas vivre.

Et puis ce soir on s'en ira
Au cinéma
Les artistes que sont-ce donc
Ce ne sont plus ceux qui cultivent les beaux-arts
Ce ne sont plus ceux qui s'occupent de l'Art
Art poétique ou bien musique
Les Artistes ce sont les acteurs et les actrices
Nous ne dirions pas le cinéma
Nous dirions le ciné.
Mais si nous étions de vieux professeurs de province
Nous ne dirions ni ciné ni cinéma
Mais cinématographe
Aussi mon Dieu faut-il avoir du goût

¿Es ésta la creación de la emoción nueva?... Yo no veo en los versos citados nada de muy admirable, ni siquiera de muy original. Son obrillas humorísticas, de las que se escriben en el mármol de los cafés del Barrio Latino. Nada más.

Mañana veremos otros ejemplos.

[*El Liberal* (Madrid), 30 de junio de 1920.]

GUILLERMO DE TORRE

LA POESIA CREACIONISTA * Y LA PUGNA ENTRE SUS PROGENITORES (1920)

I. ILUMINACIÓN PREFACIAL SOBRE LA PLEAMAR POLÉMICA

En todos los vértices culminantes de las modernas evoluciones literarias, se ha tejido una red de dardos polémicos, lanzados sagitariamente por los primogénitos y corifeos —arqueros dionisíacos— más ardorosamente enardecidos en su anhelo de recabar la primacía genuina, y la categoría altiva de iniciadores únicos. ¡Magno momento de vibrátiles eclosiones dialécticas, en el fluir de las trombas verbales, argucias arribistas o sinceros apasionamientos tendenciosos! Mas la belleza trepidante y espectacular de esta intensa pleamar polémica, de este encrespado oleaje literario —donde se mece el trasatlántico del hipervitalismo juvenil— no basta a ocultar el fondo lumínicamente pantanoso, la «ciénaga florida», donde se hallan inmersos los acres estigmas dolosos de las rivalidades en-

---

* No obstante rotular con explícita intencionalidad este ensayo «La poesía creacionista», al objeto de evitar confusiones y equívocos con la filosofía creacionista, y el sistema filosófico de tal nombre, fundado por el gran pensador portugués contemporáneo Leonardo Coimbra —uno de los que forman el trinomio filosófico, peninsular, con Ortega Gasset y «Xenius», según este último—, prolongo aquí, a la sombra de un asterisco, tal aclaración. Y señalo complementariamente que no existe ninguna conexión, aparte de la nominal, entre la modalidad lírica peculiar de Huidobro y Reverdy y el creacionismo filosófico del profesor lusitano Coimbra, que ha desarrollado su sistema —vasta teoría de la experiencia objetivada sobre la vida, la moral y las artes, y diferenciada empero del pragmatismo, porque el criterio creacionista es experimental (según Angelo de Moraís), pero su experiencia es de racionalización máxima y no de empírico acierto— en sus tres libros fundamentales *O criacionismo*, *O pensamento criacionista* y *A luta pela immortalidade.*

9

conadas. Esta corriente subterránea de interesados apasionamientos apologéticos, perfidias negativas y mixtificación de valores y términos, oscurece, como un gas deletéreo, la atmósfera, exigiendo proyectar en su interior los reflectores críticos.

Los espectáculos polémicos se desarrollan con frecuencia en los medios literarios extranjeros, especialmente parisinos. En España, las discusiones apasionadas promovidas por temas estrictamente literarios son muy poco frecuentes. Y menos aún, cuando giran en torno a modernidades estéticas, o hacen referencia a literatos de vanguardia, que aquilatan y contrastan mutuamente sus aportes innovadores. Pues la rueda de nuestras evoluciones literarias, después del impulso novecentista, gira muy lentamente y en un silencio de maquinaria gastada. Sus engranajes se oxidan faltos de una vivida lubrificación mental. Sólo los dientes férreos de una rueda nueva —el ultraísmo—, al enlazar con la anterior han conseguido acelerar su ritmo maquinístico y evolutivo. Mas en general, la sucesión correlativa y la mutación transformadora de ciclos, figuras y direcciones literarias, se efectúa en España suave y rezagadamente sin alcanzar el horario del sinfronismo mundial.

Por el contrario, en Francia, el girar de los movimientos literarios evolutivos y ascensionales, la concatenación de poetas nuevos y direcciones perforadoras, se efectúa con un ritmo más vivaz, sonoro y apasionado. París, vértice de todas las pugnaces gestas superatrices, y foco de irradiaciones sugerentes, es también el estuario adonde abocan aferentes los verbales esfuerzos antagónicos de pugilistas polémicos, suscitando amplios círculos de resonancias y curiosidades concéntricas. Se evidencia así el poder de irradiación que gozan estas novísimas modalidades, y el digno interés que despierta, entre los ávidos jóvenes consanguíneos, la pugna de imposición definitiva y los esfuerzos gímnicos de sus turibularios.

Porque en el rápido devenir ascensional, en el cinemático evolucionismo de escuelas, modalidades y tendencias, los esfuerzos pugnaces de imposición y avance se acentúan hostilmente. Todos aspiran a elevar en sus manos la antorcha de lucíferos creadores, sin prever su nivelación en la cumbre del Espacio. Así dice sagazmente Jean Cocteau: «Cien años después todo fraterniza. Pero es preciso haberse batido antes ardorosamente, para conquistar un puesto en el paraíso de los creadores.» En el momento bélico, impera una táctica nihilista, que destruye las normas precursoras y las derivaciones futuras.

Las generaciones contiguas se repelen entre sí, aunque sus esfuerzos aboquen a metas análogas. No hay una línea directa de continuidad genealógica. Cada nueva generación rehuye la identificación filiadora, y repudiando su ascendencia próxima, busca sus antecedentes remotos o hace invocaciones desorientadoras. (Puede presentirse irónicamente llegará un día en que las novísimas modalidades literarias pierdan todo nexo de raigambre umbilical, y se declaren nacidas por generación espontánea o partenogénesis integral.) Hoy los propulsores de las más recientes escuelas y movimientos se acometen mutuamente, luchando por hacer ostensibles sus minúsculos dones y sus peculiares aportaciones innovadoras. Y declarándose en estado bélico, niegan ante todo a sus progenitores y epígonos, con una pretensia exclusivista de poetas aristos, atacados de paróxica egolatría...

II. El motivo suscitador

Esta profusa y condolida iluminación prefacial. tiende a diafanizar las causas de la pugna entablada al presente entre los progenitores del *creacionismo* poético. El reloj de la literatura marca una interesante hora polémica. Asistimos a una lucha violenta en que dos vástagos primogénitamente gemelos, los poetas Vicente Huidobro y Pierre Reverdy, recaban la jerarquía principesca. Lucha, ha tiempo promovida, y reavivada recientemente por una crónica de Gómez Carrillo, en *El Liberal*, de 30 de junio. En ella, el distinguido cronista, prolongando sus comentarios informativos del cubismo —iniciados en anteriores crónicas: 21 y 25 de febrero y 3 de abril—, transcribe literalmente una conversación sostenida con Mr. Reverdy. Y el autor de *La Lucarne ovale*, comienza diciendo irónicamente: «Sí, ya estoy enterado por *Cosmópolis* [1] de que existe en lengua española un movimiento cubista interesante, importado por un tal Mr. Huidobro, que se titula

---

[1] Alusión a los artículos de Cansinos-Assens, sobre «La nueva lírica» publicados en los números 1 y 5 de esta Revista, y que el lector debe tener en cuenta, como antecedente informativo y base de comprensión para estas glosas.

iniciador del movimiento. Este poeta chileno, muy influenciable, tuvo la debilidad de sugestionarse ante mis obras.
Y, hábilmente, publicó un libro antidatado, con el perverso fin de hacer creer que éramos nosotros quienes lo
imitábamos a él, y no él quien imitaba a los demás.»

Una mueca de indignación crispó nuestro rostro a la
lectura de estas malévolas y calumniosas frases, que tantos equívocos han podido suscitar entre los profanos.
Increíble nos ha parecido el cinismo de M. Reverdy, al
pronunciar frases tan intolerablemente despectivas para
nuestro querido y admirado amigo Vicente Huidobro y
querer aparecer como «único» promotor del creacionismo.
Y más inexplicable aún, el hecho de expresarse de tal
modo ante un periodista español en París, sabiendo que
en Madrid hay algún literato ultraísta, lector de sus obras,
muy en el secreto de su amistad y sus débitos —¡oh, el
Mecenas de *Nord-Sud*!— con Huidobro, y sobre todo en
el de la génesis y albores de esa modalidad creacionista
—que tan espléndido frutecimiento logra hoy entre nosotros.

Espectador activo en el radio de esta polémica, el cronista, ligado amistosamente a ambos rivales partícipes,
fluctúa, hasta ascender a la antena crítica atalayante. De
un sector llegan hacia él las palabras reivindicativas de
Huidobro: «Reverdy —dice— es un imitador de los *imaginistas* ingleses y norteamericanos. Cuando al llegar a
París, en 1916, le leí mis poemas, él se mostró asombra-
do, constatando la consecución de algo que él había intuido teóricamente, sin llegar a realizarlo en sus poemas:
la creación pura. Mientras él hace arrancar su creacionismo de *Les Ardoises du toit*, en 1917, yo puedo mostrar
versos *creados* desde 1915 y 16, en *La gruta del silencio*
y *El espejo de agua*. Recíprocamente, llegan también hasta el cronista los alegatos airados de Reverdy: «Soy el
precursor y mi influencia se ha extendido a todos los jóvenes poetas de vanguardia. La nueva tipografía emplea-
da por mí es diferente de la de Apollinaire, y poetas como
Huidobro, Dermée, Bretón, Aragón, Soupault, Birot, están
signados por mi huella paterna. Huidobro —agrega enco-
nadamente— ha sido un discípulo mío irrefutable en el
grupo de *Nord-Sud*.»

Situado así en la interferencia de dos corrientes con-
trapuestas, decido prescindir de reproches amicales, y
adoptando un gesto imparcial y hermenéutico, me sumer-

jo en la confrontación y buceamiento de libros, revistas y anotaciones referentes al creacionismo, explanando a continuación un estudio comparativo entre las obras y personalidades de estos poetas, cotejándolos con otros fraternos, trazando su efigie, filiación y enlace paralelizante, e interpretando en definitiva la modalidad creacionista.

III. PANORAMA LIMINAR: LOS ATISBOS CREACIONISTAS DE HUIDOBRO Y SU IDENTIFICACIÓN CON REVERDY

No obstante ser ya conocidos por todos los que leyeron los estudios iniciales de Cansinos-Assens en estas mismas páginas, evocaré algunos rasgos preliminares del creacionismo. Retrocedamos evocativamente. Cuando Huidobro llegó por primera vez a París —tras una breve estancia en Madrid— llevaba impresos sus dos últimos libros: *Adán* (1916), versiculario whitmaniano-emersoniano, y *El espejo de agua*, pequeña *plaquette* de poemas semi-creacionistas, cuya primera edición apareció en Buenos Aires en 1916. Entre llos —como en otros aislados de *La gruta del silencio* (1914)— resaltan ya varias estrofas que delatan su germinal obsesión creacionista: «Y el alma del oyente quede temblando —Inventa nuevos mundos y cuida tu palabra— El adjetivo cuando no da vida, mata.» Y en otro poema, versos donde ya apunta el imaginismo creacionista: «Es un estanque verde en la muralla —Y en medio duerme tu desnudez anclada.» Y en definitiva, otros poemas de este librito, como «El hombre triste» y «El hombre alegre», pasaron luego traducidos a las páginas de su *Horizon carré*, lo que indica irrebatiblemente la existencia del germen creacionista en Huidobro, antes de llegar a París y amistarse con Reverdy.

En calidad de antecedentes teóricos, señala Huidobro cómo en su libro de crítica *Pasando y pasando* (Chile, 1914) hace suyas estas palabras de Armando Vasseur, al frente de *Cantos del Nuevo Mundo*: «Para el poeta augural, como para el filósofo pragmatista, lo esencial no es el pasado estratificado en hechos, sino el devenir, y de éste el acto de *creación* más que el de cristalización.» Asimismo Huidobro escribe, como sugeridoras de su estética, estas otras palabras de Emerson: «...un pensamiento tan apasionado, tan vivo, que como el espíritu de un vegetal o animal, tiene una *arquitectura propia*, adorna la naturaleza con un matiz nuevo.»

El nombre de poeta creacionista, según Huidobro, le fue aplicado por vez primera en Buenos Aires, 1916, después de dar una conferencia con lectura de poemas, en los que ya alboreaba esta tendencia. Sobre el reconocimiento de ambos poetas, Huidobro y Reverdy, y su identificación fraterna, con el propósito de laborar paralelamente, aclimatando su escuela creacionista, debe releerse el primer artículo de Cansinos-Assens en *Cosmópolis* (enero 1919). Complementariamente, los ensayos de estética, publicados por Reverdy en los números 4, 5 y 13 de su revista *Nord-Sud*. Y sobre todo, el prólogo de Max Jacob a su libro de poemas en prosa *El Cubilete de Dados*, donde está contenida implícita y potencialmente toda la estética del cubismo literario y ciertos atisbos de derivación teórica: el creacionismo. Esta modalidad se halla propulsada conjuntamente en sus albores por Huidobro y Reverdy. Y debe diferenciarse del cubismo estructural del mismo Reverdy, en libros anteriores como *La Lucarne ovale*, y del cubismo temático de Dermée en *Spirales*, Soupault en *Rose des vents* y Cendrars en *19 Poèmes élastiques*. Y no hay por qué sonreir ante estas subdivisiones específicas, de un mismo lirismo genéricamente cubista. Pues así como el lucífero Apollinaire trazó la tetraédrica delimitación del cubismo pictural: —científico, órfico, físico e instintivo— así espaciaría yo los diversos segmentos del cubismo literario.

Mas retornando al origen de estas polarizaciones evadidas, Reverdy y Huidobro, insisto, fueron íntimos amigos en 1917 y 1918, colaborando juntos con el mismo Apollinaire, Jacob, Soupault, Dermée, Pieux y Tzara en *Nord-Sud*, que fue el vértice y la plataforma de toda la falange cubista. (Como publicación precursora está *L'Elan*, en 1915; simultánea es *Sic*, de mayor amenidad, pero menor pureza por las *fumisteries* de Birot y congéneres, y sucedánea es *Littérature* —antes de su tránsito actual a la estridente ribera Dada— dirigida por el trinomio Breton-Aragon-Soupault.)

Ambos, Huidobro y Reverdy, se consideraban estrechamente unidos como iniciadores simultáneos de la escuela creacionista, emergida teóricamente de los postulados esenciales del cubismo. Afirmación que estoy dispuesto a sostener frente a Huidobro, que en nuestras últimas conversaciones —Madrid, noviembre 1919— se obstinaba en aparecer desprendido de las inevitables conexiones estructurales, ideológicas y cubistas, que Cansinos y yo le señalábamos, con otros cubistas y con el precursor Mallarmé, queriendo él recabar la absoluta originalidad de su manera, tan llena de aislados precedentes y tan quiméricamente sideral.

Mas después, al salir Huidobro de París, Reverdy varió totalmente de posición respecto a él. En cartas a mí dirigidas, le aludía desdeñosamente como un *élève de son école*, y trataba de anularle en absoluto, desdeñando la jerarquía que antes le había otorgado. Y éste ha sido el origen de su rivalidad y de los conceptos malévolos que Reverdy le ha adjudicado en la conversación con Gómez Carrillo. Pues enterado Huidobro, al regresar a París desde Chile, fines de 1919, de la actitud ofensiva que Reverdy había tomado para él, adoptó a su vez una recíprocamente defensiva. Y al llegar a París, rompieron totalmente su vínculo amistoso.

En calidad de glosador, al margen de estas incidencias personales, asciendo a un plano de ecuánime interpretación y paso a dilucidar las analogías y diferencias que existen entre ambos poetas y las aportaciones peculiares que han hecho respectivamente al acervo creacionista.

IV. CONFRONTACIONES Y «SPECIMENS» POEMÁTICOS

Urge afirmar, ante el lector crédulo, que así en abstracto, como le ha dicho a Gómez Carrillo Reverdy, Huidobro no es «el iniciador del movimiento», ni creo que haya pretendido aparecer como tal jamás, colocándose al frente de toda la falange cubista. Es sí un iniciador del creacionismo lírico, irrecusablemente, y debe negarse la suposición malévola de Reverdy, respecto a que Huidobro antidatase su libro *Horizon carré*, publicado a últimos de 1917, cierto es, cuando ya *Reverdy* tenía *La Lucarne ovale* y quizá algo de *Les Ardoises du toit*, mas también cuando, respectivamente, Huidobro poseía los primeros poemas de *Horizonte cuadrado* en *El espejo de agua*.

En ambos poetas se vincula indudablemente la paternidad del creacionismo. Acaso Reverdy, forjado espiritualmente en el laboratorio cubista, haya aportado más iluminaciones teóricas, pero su realización poemática ha sido lograda más plenamente por Huidobro en *Ecuatorial* y *Poemas árticos*. Ambos libros están henchidos de imágenes noviestructurales, íntegramente creadas en una fragante redivivificación de la realidad lineal objetiva, superada al extravasarse emocionalmente en las vías aferentes líricas... He aquí algunos *specimens*:

Yo miro tu recuerdo náufrago
Y aquel pájaro ingenuo
bebiendo el agua del espejo

....

Campesinos fragantes
        ordeñaban el sol

....

Cada vez que abro los labios
        inundo de nubes el vacío

....

De un grito elevé una montaña
        Y en torno bailamos una nueva danza
        Corté todas las rosas
            De las nubes del Este
Y enseñé a cantar un pájaro de nieve
Soy el viejo marino que cose
        los horizontes cortados

....

El sacristán equivocado
        Que apagó las estrellas
        Rezaba entre las vírgenes de cera

....

En mis dedos hay secretos de alquimia
        Oprimiendo un botón
            Todos los astros se iluminan

....

Las estrofas precedentes, seleccionadas al azar en un solo libro de Huidobro: *Poemas árticos* —acaso el más henchido de maravillosas *trouvailles* creacionistas—. revelan diáfanamente la fragante originalidad y el halo de pureza que envuelve sus creaciones imaginistas de un lírico relieve plástico.

Y antes de transcribir algunos parágrafos de la estética formulada por Huidobro, desplegaré, en un confron-

tamiento paralelizante, algunos fragmentos poemáticos de
Reverdy, seleccionados, también al azar, en su último libro, *La guitare endormie*:

<pre>
La guitare est de nouveau sur la table et le
tapis marron
        Sous le ciel   le nuage enfermé
                                  la tête qui grimace
              l'horizon récourbé
Le bruit c'est le soleil qui s'éparpille et tinte
                                       le matin

....

La boîte s'ouvre
Tous les oiseaux s'envolent
                             à la fois
Les arbres à genoux se baignent

....

Le clef du ciel entre ces rochers blancs
                        C'est l'aigle
La pointe sur la mer coupe la lame en deux

....

                       Tout tourne
Et l'allure du train donne l'heure
                        sur le cadran
Le ciel où son inscrits les chiffres
        Le mât qui fait remuer l'air
                 C'est une aiguille
L'eau se divise en flèche
        Et nous tournons en même temps
que les étoiles qui nous suivent

....
</pre>

    La lectura reflexiva y comparada de estos fragmentos,
y, mejor aún, de los libros íntegros a que pertenecen, revelan la diferencia explícita que existe entre las realizaciones poemáticas de ambos poetas, no obstante las coincidencias teóricas que los unen consanguíneamente y que
luego señalaré. Estructuralmente, o sea en lo referente a
la disposición geométrica formal, y al escalonamiento ti-
pográfico derivado, en parte, de Apollinaire, y esencialmente, al engarce ideológico bergsoniano, coordinador de
sus sensaciones subconscientes y mirajes inconexos, en el
poema desprendido y velivolante, son gemelos Huidobro

y Reverdy. Ahora, el autor de *Los jockeys disfrazados*, se sostiene al dintorno de la más pura ortodoxia cubista, forjando cuadros sinópticos y simultaneístas, por la superposición de planos disímiles, en que la síntesis enumerativa y descriptivamente lineal substituye al desarrollo temático habitual, y la vibrátil connotación escueta, a las profusas orquestaciones retóricas. Ofrece así síntesis visuales panorámicas matizadas por el ritmo abstracto del paisaje evanescente. He aquí, en comprobación, el poema *Moi-Même*, del mismo libro:

> Un niche
> Un nombre
> Une troupe d'hommes
>   tout le bout est là
>   On n'avance plus
> L'astre qui rayonne
>   Minuit moins le quart
>   La porte est trop grande
>   Les arbres ronronnent
> Et le ciel plus bas
>   C'est pour le départ
>   Je suis sur le seuil
>   La lune s'écorne
>   Une larme à part

....

En poemas así, que peculiarizan su perfil, Reverdy, a mi juicio, no llega a la «creación» impoluta y total. Se atiene más bien al pentagrama cubista, encontrando el equivalente lírico de la pintura abstracta, que hoy cultivan Juan Gris, Braque, Metzinger, Léger, Marcoussis y, en fin, todos los agrupados con los *marchands* parisinos del cubismo y arte negro, Léonce Rosenberg y Paul Guillaume.

(Los cubistas integrales —cuyas teorías han sido sintetizadas últimamente por Mrs. Raynal, Rosenberg y Gleizes— propenden a la descomposición re-creadora de los volúmenes, intentando forjar la planimetría cubista al multiplicar la profundidad de dichos volúmenes por las dimensiones espaciales, según dice Cendrars en un estudio que yo traduje y comenté, aparecido en el número 22 de *Grecia*. Retornan así los cubistas a la pura tradición lineal, asimilándose los procedimientos estatuarios de planos, contrastes y segmentaciones. Y se oponen a los excesos decorativos de la pintura post-impresionista, a partir de Van Dongen y Vlaminck).

Vicente Huidobro, más avanzada e iluminadamente que Reverdy, rebasa el territorio ideológicamente cubista y construye evadidamente poemas cosmogónicos, como *Ecuatorial* —nuevo tipo de epopeya creacionista, al igual que lo es de la nunista o simultaneísta *Profond Aujourd'hui*, de Cendrars—, donde la realidad objetiva, al desfilar cinemáticamente, es recreada en una ósmosis o extravasación subjetivizada sensorial originalísima. He aquí algunas visiones:

> El viento mece los horizontes
> colgados de las jarcias y las velas
> Sobre el arco iris
> un pájaro cantaba

> ....

> El capitán Cook
> caza auroras boreales en el Polo Sur
> Y un noble explorador de la Noruega
> trajo a Europa
> entre raros animales
> y árboles exóticos
> los cuatro puntos cardinales

> ....

> Bajo el boscaje afónico
> pasan lentamente
> las ciudades cautivas
> cosidas una a una por hilos telefónicos

> ....

> La luna nueva
> con las jarcias rotas
> ancló en Marsella esta mañana

> ....

Cotejando estos fragmentos con los anteriormente transcritos de Reverdy, resalta diáfanamente la diferencia explícita que hiende el creacionismo peculiar a cada uno de estos poetas. Y de ahí las dos ramificaciones en que éste puede irradiar: el creacionismo *estructural* e *imaginista* de Huidobro y el *conceptual* de Reverdy. Pues mientras el primer poeta *crea*, adjetival y estructuralmente, todos y cada uno de los versos dentro del conjunto temático, Reverdy sólo *sitúa* la imagen al modo elíptico y *dépouillé*, sin alcanzar siempre el área creatriz...

Queriendo acentuar aún más su diferencia, el mismo Huidobro me mostraba cómo uno de los matices que distancian al poeta simbolista, novecentista o descriptivo del creacionista, es que los versos del primero pueden pintarse, admiten una transcripción pictórica o fotográfica, puesto que son reales y existentes, mientras que los del segundo no pueden ser reproducidos picturalmente al carecer de una corporeidad neta y definida. A este fin me hacía ver Huidobro la dificultad de encontrar en sus libros versos susceptibles de reproducción visual, mientras, por el contrario, basta abrir un libro de Reverdy, *Las pizarras del tejado*, para hallar en la primera página estos versos de un cuadro: *La gouttière est bordée de diamants —les oiseaux les boivent.*

Complementariamente, Huidobro esgrime otro argumento diferencial al decirnos: «La enorme diferencia entre nosotros dos es muy clara. Mientras él escribe *La ventana oval*, que es una visión real en la vida, pues los tragaluces son ovalados, yo escribo *Horizonte cuadrado*, que es falso en la vida y real en el Arte.» Sí —debemos replicarle—; mas no todo lo irreal es creado, pues entonces daríamos este nombre a las habituales secreciones imaginíferas o a los nebulosos ensueños ideales, que si ninguna conexión tienen con la realidad, tampoco marcan un rebasamiento del perímetro imaginativo.

En definitiva: la superioridad creacionista de Huidobro en cuanto a las realizaciones poemáticas, se desprende de la anterior exégesis comparativa, sin que esto implique negar el interés que posee la lírica de Reverdy, en cuyos poemas —afirmaba yo en la primera crítica española sobre su personalidad, que apareció en *Grecia*— se polariza intraoceánicamente una luminosidad auroral, tejida de trémolos balbuceantes y perspectivas subconscientes, plenas de encantos sugeridores.

V. HUIDOBRO, REVERDY & C.ª: COINCIDENCIAS TEÓRICAS DE LOS CUBISTAS

Se borra esta disimilitud cuando de la lectura de sus respectivos poemas pasamos a la de sus expresiones estéticas o teorizaciones básicas. Nace su unanimidad en la afirmación liminar, peculiar a todo el grupo cubista, de «crear una realidad poética por encima de la realidad lineal u objetiva». Después, determinar la prioridad de sus teorías, siendo éstas tan análogas y datando de la misma fecha, es imposible.

Las teorías estéticas de Reverdy, expositoras del credo creacionista, se hallan contenidas, mejor que en su «plaquette» *Self-Défense*, en sus ensayos críticos, publicados en los números 4, 5 y 13 (junio-julio de 1917 y marzo de 1918, respectivamente) de su revista *Nord-Sud*. Allí afirma los siguientes postulados que traduzco: «Hay que preferir un arte que sólo pida a la vida los elementos de realidad imprescindibles, y que con ayuda de ellos y de otros medios nuevos, llegue, sin copiar ni imitar nada, a crear una obra de arte para ella misma. Esta obra poseerá su realidad propia, su utilidad artística, su vida independiente y no evocará más que a sí misma. Si la obra produce entonces una emoción, ésta será puramente artística y totalmente eliminada la base del argumento, sólo se deberá a las fuerzas de creación.»

Teorías que, en definitiva, sólo vienen a afirmar la necesidad de crear una poesía allende lo real, y cuyo vértice de trayectoria sea ella misma. (Aspiración que, en una reciente relectura, he encontrado había ya formulado aproximadamente Baudelaire, hace unos lustros: «*La poésie, elle n'a pas besoin d'autre but qu'elle-même; elle ne peut pas en avoir d'autre, et aucun poème ne sera si grand, si noble, si véritablement digne du nom du poème que celui qui aura été écrit uniquement pour le plaisir d'écrire un poème.*»)

Paralelo alcance a la definición del creacionismo por Reverdy, tiene en su expresivismo sintético la que coloca Huidobro como liminar de su *Horizon carré*: «Crear un poema extrayendo de la vida sus motivos y transformándolos para darlos una vida nueva e independiente. Nada de anecdótico ni de descriptivo. La emoción debe nacer de la sola virtud creatriz.»

Definición que, a su vez, puede confrontarse paralelamente con estos propósitos de Paul Dermée: «Crear una obra que viva fuera de sí, de su vida propia, y que esté situada en un cielo especial, como una isla en el horizonte.» Afirmación derivada de los postulados cardinales de Max Jacob, sustentores de que una obra literaria debe tener *estilo y situación*: «El estilo o voluntad crea, es decir, separa la situación, aleja, es decir, excita a la emoción artística. Se conoce que una obra tiene estilo, en que da la sensación de lo cerrado. Se conoce que está situada, en el ligero impulso que nos da, y también en el margen que le rodea, en la atmósfera especial en que se mueve... Cuanta mayor sea la actividad del sujeto, tanto más aumentará la emoción dada por el objeto: la obra de arte ha de estar, pues, alejada del sujeto.»

De ahí arrancan todas las prolongaciones teóricas posteriores. Pues los conceptos que expone Max Jacob, referentes al poema en prosa, se amplifican, haciéndose extensivos a toda la lírica y hasta a la pintura cubista. Aun variando los términos, todos ellos sostienen lo esencial del credo creacionista. Hasta el mismo Pierre-Albert Birot dice —en unas opiniones dictadas a su más entusiasta comentarista J. Pérez-Jorba, crítico sagaz, que acaba de dedicarle una colección de estudios (ed. *L'Instant*)—: «Para hacer una obra de arte, es preciso crear, y no copiar. Nosotros buscamos la verdad en la realidad pensada, y no en la realidad aparente.»

(*Il ne faut pas imiter ce que l'on veut créer*), afirma el pintor cubista Jorge Braque en unas *Reflexiones sobre la pintura*. Y he ahí la interferencia de afinidad tangencial, entre la lírica creacionista y la pintura cubista: creación de una nueva realidad intra-objetiva. Este desdén del Arte contemporáneo hacia la representación estricta, la transcripción museal y la reproducción espejeante —¡oh, el derrocarse de las normas stendhalianas y naturalistas!—, este ansia de nuevas dimensiones, fue el vértice de los espasmos hendidores que sintieron los primeros cubistas. De ahí las iniciales intuiciones creacionistas, al perseguir el hallazgo utópico de esa cuarta dimensión, de ese hiperespacio, presentado por Apollinaire, en 1912, en su *Méditations esthétiques*: *Les peintres cubistes* —¡que era el plano vital del cubismo, la feérica «sección de oro»! Intuitivas pesquisas, derivadas científicamente de la noción del *hyperespace*, desarrollada por Mr. Boucher en el libro de este título (ed. *Alcan*), basándose en las audaces teorías de los geómetras tetradimensionales y supra-euclidianos Riemann, H. Poincaré, Boliai y Lobachefsky. Mas hoy, estas sugestiones enespaciales, que en un principio cautivaron a todos los pintores cubistas y a sus teorizantes turibularios, se hallan casi abandonadas. Puesto que —dice el más sagaz crítico cubista de hoy, Maurice Raynal; en un estudio sobre Juan Gris— la idea de una cuarta dimensión matemática, no alargaba el horizonte pictural, y entre la fórmula estética tridimensional —longitud, latitud y profundidad— y la de cuatro, o n dimensiones, sólo había diferencia de grado, y no de naturaleza. Actualmente, sus pesquisas empíricas, desdeñando en su oposición a los impresionistas ciertos problemas de la luz y del colorido y trabajando la profundidad de los volúmenes noviestructurales, para conseguir una plasmación re-creada e impasiblemente abstracta, aun en las yuxtaposiciones planistas, es algo que sólo puede conseguir la escultura. De ahí el interés, dentro del grupo cubista, con que se me aparece hoy, abocando a la finalidad plástica de esta escuela, el genial escultor polaco Lipchitz, cuyas hermosas esculturas, en las reproducciones del libro que viene de dedicarle Raynal (edcs. *Action*) podéis admirar.

Retornando al origen de esta excursión divagatoria, y una vez expuesta la génesis del movimiento y la estética creacionista, nada he de agregar respecto al pleito Huidobro-Reverdy, a la bélica pugna de los precursores. ¿Pues he de subrayar aún más mi pensar? Mi predilección hacia las realizaciones poemáticas de Huidobro, sin desdeñar tampoco la obra de Reverdy, ni transigir con los exclusivismos desenfrenadamente egolátricos del primero, y mi reconocimiento imparcial de los antecedentes teóricos que obran en la historia literaria de este último, con las coincidencias tangenciales entre ambos y otros del grupo, a partir de Apollinaire y Max Jacob, quedan ya reflejadas.

Así, pues, resuelta en el contraste crítico la polémica causal, complementaré este estudio dilucidando algunas facetas aún inexploradas del creacionismo y su conexión con los matices de otros «ismos» literarios, afrontando tales panoramas con mi férvido apasionamiento intelectivo, que traza trayectorias luminosas en los brumarios en especiales...

[*Cosmópolis* (Madrid), II, 20 de agosto 1920.]

JUAN-JACOBO BAJARLIA

EL CREACIONISMO EN HUIDOBRO
Y REVERDY (1959)

A Huidobro le obsede la idea del creacionismo desde muy temprano. Desde mucho antes de alcanzar jerarquía como poeta[1]. Ya en 1914, en el *Manifiesto non serviam*, leído en el Ateneo de Santiago de Chile, declaraba enfáticamente: «Hemos aceptado, sin mayor reflexión, el hecho de que no puede haber otras realidades que las que nos rodean, y no hemos pensado que nosotros también podemos crear realidades en un mundo nuestro.» Esta idea irá apareciendo a través de toda su labor teórica, hasta constituir lo más fundamental de su pensamiento y el núcleo sobre el que esbozará, además del creacionismo como tendencia, el creacionismo como enfoque de los problemas estéticos.

El creacionismo como tendencia está programado en la declaración liminar de *Horizon carré*, es decir, en 1917. Y contiene los siguientes propósitos: 1) adopción del *hecho nuevo inventado*, 2) repulsa de lo *anecdótico y descriptivo*, 3) creación de *todas las piezas del poema*, 4) creación del poema como un *objeto nuevo*. Todo esto había de ser resumido, posteriormente, con una frase en el *Manifeste peut-être*, de 1924: «Haced poesía, pero no la pongáis en derredor de las cosas. Inventadla»[2]. El poeta no debía ser un instrumento de la naturaleza. Había que do-

---

[1] ANTONIO DE UNDURRAGA ha estudiado a fondo los primeros antecedentes de Huidobro sobre el creacionismo. Remitimos al lector al capítulo «Fundamentos filosóficos americanos del creacionismo» de su documentada *Teoría del creacionismo*, publicada en el volumen *Vicente Huidobro: poesía y prosa*, pp. 33 y ss., Madrid Aguilar, 1957.
[2] V. Revista *Création*, p. 2, París, febrero 1924.

meñarla, en cambio, para que sirviera a sus fines y pudiera competir contra ella con el *hecho nuevo*, independiente de todo fenómeno no condicionado a su esencia [3]. Sin pizca de aristotelismo, en lo que venimos afirmando, Huidobro aconsejaba que era imprescindible crear un poema como la naturaleza crea un árbol [4]. O sea que había que atenerse al proceso de elaboración y no al de imitación o reproducción. Invertía la concepción del Estagirita en cuanto a que el arte, al imitar a la naturaleza (*e tkbne mimetai ten physin*) no debía hacerlo con relación a su copia sino en vista a una organización que si le era igual en su dinamismo, le era adversa en el resultado. Es lo que pensaba, también, James Joyce cuando correlacionaba el proceso artístico con el proceso natural.

Por este camino de la creación poética como expresión emancipada de los elementos naturalistas, no era extraño que Huidobro avanzara hasta colocarse en el papel de precursor respecto de muchas tendencias que habrían de enriquecer la revolución del vanguardismo. Y así, en 1921, en el Ateneo de Madrid, esboza, entre otras consideraciones, un concepto dialéctico de la obra creadora. Dialéctico en cuanto suponía la supresión de sueño y realidad, que fue luego uno de los principios sustentados en la primera época del surrealismo. Decía, entonces, el chileno, que el poeta debía conducirnos «más allá de lo verdadero y lo falso», «más allá del espíritu y la materia». Entendía que «la poesía no es otra cosa que el último horizonte, que es a su vez la arista en donde los extremos se tocan, *en donde no hay contradicción ni duda*» [5]. Los surrealistas, por boca de André Breton, en 1924, llegaban a la misma conclusión. «Yo creo —expresaba éste— en la solución futura de estos dos estados, en apariencia tan contradictorios, como son el sueño y la realidad; en una suerte de realidad; en una suerte de realidad absoluta, de *surrealidad*, si así se le puede llamar» [6], concepto que habría de permanecer, aunque modificado en su *Légitime défense*,

---

[3] Revista *Création*, loc. cit. («*Et voici maintenant qu'il vous apporte un fait nouveau, tout simple dans son essence, indépendant de tout autre phénomène externe*»).

[4] *Horizon carré*, loc. cit.

[5] VICENTE HUIDOBRO, *Temblor de cielo*, Madrid, Plutarco, 1931. Hay edición francesa: *Tremblement de ciel. Paris, As de Coeur*, 1932.

[6] ANDRÉ BRETON, *Les manifestes du surréalisme*, p. 28 (*Premier Manifeste*), Paris, Sagittaire, 1946.

de 1926 [7] y en el *Second Manifeste du surréalisme*, de 1930 [8]. «Si entra especialmente en los propósitos del surrealismo —agregaba Breton— el emprender el proceso de las nociones de realidad e irrealidad, de razón y sinrazón, de reflexión e impulsión, de saber y de *fatal* ignorancia, de utilidad e inutilidad, etc., presenta con el materialismo histórico, al menos, esta analogía de tendencia que parte del *colosal aborto* del sistema hegeliano» [9]. Esto mismo, en la nominación huidobriana, es el drama entre el mundo y el cerebro o entre el mundo y su representación.

No incurriremos en contradicción si a pesar de ello afirmamos que Huidobro negó que el creacionismo existiera como escuela. Acuciado por discusiones estériles trató de simplificar infantilmente el problema, colocándose fuera de su propio centro, como Boccaccio cuando intentó quemar el *Decamerón*. O como Cervantes cuando aseguró, en detrimento del *Quijote*, que *Los trabajos de Persiles y Segismunda* era su obra maestra. La negativa, en estos hechos, no hace otra cosa que reafirmar la conquista que se pretende excluir. Si Huidobro había estampado los puntos fundamentales de su tendencia en las páginas iniciales de *Horizon carré*, ninguna negación hubiera bastado a relegarla como cosa inexistente [10]. Al contrario, su ne-

---

[7] MAURICE NADEAU, *Documents surréalistes*, p. 67 (vol. II de la *Histoire du surréalisme*), Paris, Editions du Seuil, 1948.

[8] ANDRÉ BRETON, *Les manifestes du surréalisme*, pp. 114 y ss. (*Second manif.*), edic. cit.

[9] *Les manifestes du surréalisme*, loc. cit. (*Second manif.*). Para una crítica aproximada, Ver M. CARROUGES, *André Breton et les données fondamentales du surréalisme*, pp. 268-69 y pp. 273 y ss., París, Gallimard, 1950, 5.ª edición.

[10] ANTONIO DE UNDURRAGA (*Teoría del creacionismo*, vol. cit., pp. 75-76) nos dice lo siguiente: «ya vimos, en exceso, que poseía una teoría, y en su libro *Adán* (de 1914), publicado en julio de 1916 (en Santiago de Chile), están los rastros primeros de una poesía que iba a tomar todo su esplendor en *Horizon carre* (1917) y *Ecuatorial*, 1918. He aquí los ejemplos de una poesía creacionista, tomados del ya mencionado libro *Adán*, 1914:

> El tiempo se deshoja en ávidos latidos,
> y yo sigo mi marcha.
>
> (página 38)

> seguiré mi camino sin camino
> como mi rebaño de astros.
>
> (página 42)

gación fue la prueba concluyente de un instrumento que le pertenecía por derecho de invención.

Establecido el límite del creacionismo como tendencia, conviene decir ahora que Huidobro cifró gran parte de sus esperanzas en un sistema de estética que habría de tener, en su teoría, la solución de los problemas artísticos. Las bases están contenidas en un ensayo aparecido por primera vez en la revista *L'Esprit Nouveau*, de abril de 1921, y utilizado luego como prólogo en *Saisons choisies* (Paris, La Cible, 1921). Observaba en ellas, la existencia de tres fases a través de las cuales se había transformado el arte. La primera fase correspondía a un arte por debajo del medio o *arte reproductivo*. La segunda, a un arte que se ajustaba con el medio, o *arte adaptado*. La tercera, a un arte superior al medio o *arte de creación*. En el arte reproductivo predominaba la inteligencia sobre la sensibilidad. En el de adaptación se establecía un equilibrio de la inteligencia con la sensibilidad. Y en el de creación, el predominio de la sensibilidad sobre la inteligencia. Este programa no tuvo desarrollo ulterior. Quedó como premisa en el ensayo de 1921. Pero contribuyó, sin embargo, al apuntalamiento de toda una ideología creadora cuyo resultado sería, en su propio autor, el avance hacia una expresión que habría de revolucionar el ya decadente modernismo de Rubén Darío y sus tardíos epígonos.

He aquí, entonces, por qué Huidobro tiene una calidad que confrontada con la de Reverdy, le es propia a pesar de toda sutileza de interpretación. Ello no impide, asimismo, la coincidencia de algunos conceptos, tales como el de la magia, que están, bien o mal, en el patrimonio de todos los poetas, acaso porque se ha creído ver en su particular materia la continuación de la profecía, arrastrando preconceptos de aquellas épocas en que poesía y liturgia se confundían en el culto religioso. Y lo más interesante y paradójico es que, no obstante la existencia de estos elementos irracionales, Reverdy lo mismo que Huidobro, creen en el control del proceso creador. Aquél nos habla de la imagen como un *acto de atención voluntaria* [11]. Este se explaya sobre el hecho nuevo como una creación *tra-*

—————

él no pensó que un día
sobre los campos oscuros brillarían
las ciudades como estrellas caídas.

(página 83)».

[11] *La fonction poétique*, p. 588.

bajada por el cerebro [12]. Pero ninguno de los dos ha reparado en la contradicción que significa el admitir el proceso de la magia con el control cerebral. Lo señalamos de paso. Mas no como una coincidencia que en este caso les pertenezca, sino como un error que se viene perpetuando desde el origen de las culturas arcaicas [13].

[*La Nueva Democracia* (Nueva York), XXXIX, 1 de enero de 1959.]

---

[12] *Manifeste peut-être,* edic. cit., p. 3 («*un fait nouveau... une création humaine, très pure et travaillée par le cerveau*»).
[13] J. HUIZINGA (*Homo ludens,* p. 156, Lisboa, Azar, 1944), dice al respecto que «todo arte poético antiguo es a un mismo tiempo: culto... profecía y disputa».

GUILLERMO DE TORRE

LA POLEMICA DEL CREACIONISMO: HUIDOBRO Y REVERDY (1962)

Voy a contar una historia personal. Personal, ante todo, porque le «moi haïssable» resulta ineludible cuando uno ha sido no sólo testigo, sino actor, en cierta medida, del episodio literario narrado. Personal después, porque en este hecho sus protagonistas, sin llegar al cuerpo a cuerpo, pelearon con un ardor polémico que rebasaba lo puramente literario; cosa no extraña, ya que las discusiones entre poetas sobre primacías suelen alcanzar tintes bélicos [1].

Trato, en una palabra, de cierta querella sobrevenida entre Pierre Reverdy y el poeta chileno —de expresión francesa en varios libros— Vicente Huidobro, en los días ya algo remotos del ultraísmo y del creacionismo. Mas advierto al punto que la mención de estos *ismos* —productos del momento consecutivo a la primera guerra, tan fecundo en gérmenes, tan rico de espíritu inventivo— sonará hoy como algo desconocido para los lectores franceses, en tanto que para los españoles e hispanoamericanos resultan casi familiares. En efecto, el ultraísmo fue, en España, durante los primeros años del decenio de 1920, un movimiento de vanguardia, parejo y simultáneo del cubismo (en la medida en que, a través de Apollinaire. Cendrars y Reverdy, puede hablarse también de un cubismo

---

[1] No vuelvo espontáneamente a tan vieja historia. Lo hago para responder a un requerimiento de M. Maurice Saillet, quien prepara un número de homenaje del viejo —y siempre joven— *Mercure de France*, de París, al poeta Reverdy, muerto hace pocos meses. El hecho de que este trabajo haya sido escrito para publicarse en francés determina la abundancia de citas en ese idioma. Pido mis excusas a los lectores del nuestro.

literario), de Dadá y del superrealismo. En cuanto al creacionismo, si bien cronológicamente, en las letras españolas, se presenta como una derivación o ramal del ultraísmo —ya que sus dos únicos seguidores, los poetas Juan
Larrea y Gerardo Diego, surgieron dentro de esta última
escuela—, en realidad tiene orígenes independientes y fue
verdaderamente una «creación» de Huidobro.

Ahora bien, no es que Pierre Reverdy discutiese con
aquél sobre la paternidad de tal *ismo*, sino sobre la originalidad y prioridad de las teorías y conceptos que bajo tal
nombre se defendían. ¡Y con cuánta pasión y fuego, con
qué furia santa o laica, pero digna del descubrimiento de
un tesoro o de la conquista de un reino, disputaron uno
y otro contendiente! Huidobro no se contentaba con menos de llamar a Reverdy «mal discípulo» suyo, «plagiario»,
«pick-pocket» y otras lindezas semejantes. Cuando en mis
primeros tanteos de crítica literaria, yo lógicamente hube
de situar a Huidobro en su atmósfera, señalando sus con-
tactos con varios poetas de lengua española y francesa,
enfurecido, me acusó de «querer robarle lo que era suyo,
poniéndolo en la cabeza de Apollinaire, de Reverdy o cualquier otro imbécil...» Cierto es que esto no pasaba de una
«efusión» privada (vertida en una carta desde París, con
fecha del 30 de enero de 1920) y que nunca llegó a imprimir «desahogos» semejantes; pero con todo, tal manera
de juzgar a los demás, da una clara idea de la egolatría,
de la megalomanía —entre infantil y dramática— que poseía al personaje. Pero ¿acaso no confesó luego un precoz
acceso del mismo mal, expresando que a los diecisiete
años quería ser «el primer poeta de América, luego el primer poeta de mi lengua y finalmente el primer poeta del
siglo»? (*Vientos contrarios*, 1926; citado por Cedomil Goic
en *La poesía de Vicente Huidobro*, Santiago de Chile,
1956).

Recíprocamente, el autor de *Self-Defense* sostenía haber visto a Huidobro llegar a París como un ignorante audaz, dispuesto a quedarse con todo lo ajeno. En una tarjeta postal, que me escribió en 1920, decía textualmente
con referencia a un libro que yo preparaba entonces: «Si
vous avez une note à mettre sur moi en votre anthologie
marquez que mon influence s'est étendue sur tous les jeunes poètes d'aujourd'hui dont certains sont issus propre-
ment de moi. La nouvelle tipographie employée par moi
est différente de celle d'Apollinaire, vient de moi, et des

poètes comme Huidobro, Dermée, Breton, Aragon, Soupault, Birot, etc., etc., sont mes disciples et cette école vient d'Apollinaire et moi.» ¿Afirmación desmesurada? Hasta cierto punto. En el caso de Breton, Aragon y Soupault tal ascendencia fue confirmada por la pluma de este último al redactar la noticia —sin firma— que encabeza la presentación del autor de *Les jockey camouflés* en la *Anthologie de la nouvelle poésie française* (aux Editions du Sagittaire, París, 1924): «Les poètes d'aujourd'hui admirent Reverdy, comme ceux d'il y a trente ans admiraient Mallarmé, pour l'exemple et le haut désinteressement de sa vie vouée à la seule poésie et pour sa poésie dépouillée de tous les oripeaux. Dans une lettre récente, MM. Soupault, Breton et Aragon déclaraient que Reverdy était "le plus grand poète actuellement vivant" et protestaient n'être a côté de lui que des "enfants".»

En cuanto a los otros tres poetas mencionados: Paul Dermée (cuyo nombre y obra están hoy completamente sumergidos, con probable injusticia) debía considerarse quizá como par, no discípulo de Reverdy, dada la actuación de primer plano que le cupo en la revista de este último, *Nord-Sud*, firmando algunos artículos en forma de manifiestos o teorías, y el papel que pocos años después desempeñó al frente de *L'Esprit Nouveau*; Pierre Albert-Birot, tenía una «escuela» personal, la del olvidado «nunisme», que defendía desde su revista *Sic*; y finalmente Vicente Huidobro debía reaccionar inversamente, arrogándose él todas las prioridades y acusando —como hemos visto— a Reverdy de seguidor y aun de aprovechador.

Con algunos años menos que los contendientes nombrados, muchacho aún, deslumbrado como sólo puede estarlo un adolescente ante el fenómeno literario en sus proyecciones más modernas, amigo personal de Huidobro y epistolar de Reverdy, hube de participar muy directamente en la elaboración del ultraísmo y de seguir paso a paso las vicisitudes de la querella en torno al creacionismo. Por ello me fue posible registrar al día todas sus peripecias en artículos y crónicas y, pocos años más tarde, hacer historia extensa del proceso en un capítulo del libro *Literaturas europeas de vanguardia* (Madrid, 1925).

Estas páginas tuvieron la virtud de no gustar a ninguno de los contrincantes mencionados. ¿Por qué? Por la sencilla razón de que disgustado yo a mi vez del egocentrismo que ambos exhibían, y llevado por un espíritu in- génito de equilibrio, me atreví a exponer objetivamente la realidad de los hechos, confrontando sus teorías con otras que eran comunes a muy varios espíritus de la mis- ma época, que flotaban, por así decirlo, disueltas en el «aire del tiempo» y que, por consiguiente, nadie podía re- cabar con exclusividad. Huidobro me respondió con un folleto titulado humorísticamente «Al fin se descubre mi maestro», donde se defendía, mediante el elemental pro- cedimiento del contraataque, de las acusaciones que yo le había hecho (tomar prestadas algunas imágenes del simbolista uruguayo Julio Herrera Reissig), acusándome a la vez de imitador suyo en un libro de poesía, titulado *Hélices*, que yo había «cometido» en aquellos días de cán- dida adolescencia...

Sin embargo, bastantes años después —en 1944—, nos reencontramos en Buenos Aires y espontáneamente nos tendimos los brazos, riéndonos de todas aquellas peleas como de cosas de muchachos. Lo lamentable es que no obstante haber hecho pública esta reconciliación —en las páginas que dediqué al poeta de *Saisons choisies*, en mi libro sobre *Apollinaire y las teorías del cubismo* (1946), evocando con simpatía y reconocimiento nuestro encuen- tro en el Madrid de la primera postguerra— cierto resen- tido, malintencionado y también vanidoso escritor chile- no, deseoso de llamar la atención sobre él, insista me- diante artículos y prefacios (últimamente en el compues- to para una antología de Huidobro) en pretender envene- nar y deformar esa antigua y olvidada querella, que sus protagonistas dimos tiempo atrás por abolida y supe- rada [2].

En cuanto a Pierre Reverdy, más equilibrado, al cabo, y quizá por su misma lejanía material, acertó a compren- der mejor mis propósitos de imparcialidad, ya que si por un lado, yo le despojaba de todo monopolio teórico, por otro hacía justicia a sus valores poéticos. No tuve oportu-

---

[2] Una ligereza última al tratar estos temas es la cometida por alguien que hasta la fecha nos había dado pruebas no de brillantez u originalidad, pero sí de cierta discreción. Me refiero sin ambages a Emilio Carilla y a su artículo «El vanguardismo en la Argentina», publicado en *Nordeste*, Re- sistencia, Chaco, núm. 1, diciembre de 1960. Es una información muy ele- mental sobre un punto ya mejor estudiado por otros. Además, ¿con qué au- toridad el señor Carilla se atreve a hablar de los «desmerecimientos» de un libro de cuyas páginas él ha tomado lo poco que sabe sobre las literaturas de vanguardia?

nidad de conocer tal reacción por él mismo, ya que nunca me fue dable encontrarle personalmente en París al haberse alejado muy pronto, en 1926, de la ciudad a su retiro de Solesmes. Pero indirectamente, no hace mucho he venido a saber —merced a M. Saillet— que se apoyaba en mi testimonio, al evocar aquellas lejanas cuestiones de «préséances littéraires», dando por superado cualquier malentendido pasajero. Por mi parte, como el mejor homenaje a la memoria de Reverdy, tanto como a la de Huidobro —que le había *precedido*, aquí sí, y lamentablemente, doce años en la muerte—, en las páginas que siguen me esforzaré, al resumir objetivamente la polémica del creacionismo, no en ahondar diferencias, sino en señalar afinidades, operando así, según Maurice Saillet me sugiere, una «reconciliación póstuma» entre ambos poetas.

Conocí a Vicente Huidobro en Madrid, en el otoño de 1918, poco después del armisticio. Venía de pasar los dos últimos años de la guerra en París, en contacto con algunas de las figuras más significativas de la entonces «avantgarde». Había colaborado en la revista *Nord-Sud* (1917-1918) con algunas poesías y no es malicioso sospechar que dada su condición económica superior a la de los demás, —hijo de una acaudalada familia chilena, no sin pergaminos, pero enriquecida con el campo y la industria— contribuyó a financiar la revista, en la medida limitada en que una publicación tan modesta materialmente como aquella podía necesitarlo. Se relacionó, pues, no sólo con Reverdy, sino también con los demás colaboradores, empezando por Apollinaire y continuando con Max Jacob, Jean Cocteau, Paul Dermée y los artistas del grupo: Braque, Lipchitz, Juan Gris y Picasso; estos dos últimos hicieron su retrato. Dos años antes, en 1916, al llegar a París, Huidobro era ya autor de una media docena de libros de poesía, más bien rapsódicos de los estilos simbolista o modernista, en ninguno de los cuales podía, a la verdad, descubrirse nada nuevo, salvo en el titulado *El espejo de agua*, donde aparecía un *Arte poética*, posible clave inicial de la modalidad bautizada «creacionismo», ya que su última estrofa decía así: «Por qué cantáis a la rosa, oh poetas! —Hacedla florecer en el poema— Sólo para nosotros —viven todas las cosas bajo el sol— El poeta es un pequeño Dios». Y antes un verso más explícito: «Cuanto miren los ojos, creado sea».

Aunque todavía años después —en su libro *Manifestes*, 1925— no vacilara en confesar que cuando llegó a París, hacia fines de 1916, «conocía muy poco la lengua», el caso es que un año después le vemos hacer uso de ella impávidamente, al traducir algunos de sus anteriores poemas en español o firmar otros directamente en francés. (Cierto es que el vocabulario elemental y la sintaxis rudimentaria que empleaba no exigían mayores esfuerzos en ninguno de los dos idiomas; y en cuanto al castellano de su prosa, no pasaba de ser un balbuceo mestizo...) Del mismo modo, tal precariedad de medios expresivos no le impidió, muy poco después, publicar todo un libro en francés, que, por lo demás, es, sin duda, el más expresivo suyo. *Horizon carré* (París, 1917), donde campea la nueva tipografía visual y hay inclusive algún caligrama al modo de Apollinaire. Del mismo modo, sobreponiéndose a esa indigencia verbal y a la situación de discípulo, todo lo más compañero, en que mediante esas similitudes externas, a la par que otras más íntimas, quedaba situado respecto de los aludidos escritores franceses, Huidobro lanzóse a cambiar los términos de tal relación en la forma más violenta imaginable.

Pero no anticipemos. Antes quiero recordar, en esta somera evocación de episodios pretéritos, un momento de Huidobro que le pinta, en lo personal, con los colores más simpáticos. Me refiero a la época en que yo, aprendiz de escritor, ávido según he dicho de las más audaces novedades, conocí al poeta chileno que, portador de ellas, pasó el otoño de 1918 en Madrid. En las páginas del libro ya mencionado en torno a Apollinaire y el cubismo, he recordado algunos rasgos: el modo afectuoso como supo reunir a su alrededor, en un departamento amueblado de la Plaza de Oriente madrileña, frente a los jardines del Palacio Real, a un grupo de jóvenes escritores, muy diversos en valor como suele acontecer, en todo instante germinal, pero parejamente sensibles para ciertas cosas; a ellos se agregaban varios artistas extranjeros que la guerra había desplazado hacia la España en paz, como algunos polacos, Marjan Paszkiewicz y Vladyslaw Jahl, y los esposos Sonia y Robert Delaunay. De boca de Huidobro oí por vez primera algunos de los nombres que iban a caracterizar la época amaneciente; en su casa hojeé los primeros libros —*Alcools, Le cornet à dés, La lucarne ovale,* etcétera— y las revistas —*Sic, L'Elan, Nord-Sud* y otras— de las nuevas tendencias. También recuerdo algunos trofeos semejantes que mostraban en su casa los Delaunay —tales como cuadros y manuscritos del douanier Rousseau; juegos de pruebas encuadernadas de *Alcools* y *Calligrammes,* donde se advertía cómo fue en ellas donde Apollinaire había suprimido todos los signos de puntuación; el primer ejemplar de la larga tira de papel, la *Prose du Transibérien,* de Cendrars, desplegable como un acordeón, y con ilustraciones marginales al «pochoir» en «colores simultáneos» por Sonia; todo ello, sin olvidar, por supuesto, los bellos cuadros, los «Arc-en-ciel», las «Tour Eiffel», las «Fenêtres» de Robert, sobre las cuales este pintor teorizaba inacabablemente.

En esa misma temporada Huidobro imprimió en Madrid dos «plaquettes»: *Ecuatorial y Poemas árticos,* más dos álbums también poemáticos, éstos en francés, titulados *Hallali* y *Tour Eiffel,* el último ilustrado por Delaunay. Libros que repartió pródigamente entre los amigos y algunos críticos. De ellos, sólo Cansinos-Assens, el más atento y generoso entonces a las expresiones nuevas, se hizo eco elogiosamente en varios artículos (publicados en un diario de Madrid, *La Correspondencia de España,* 1918, y sólo parcialmente recogidos en el tercer tomo, *La evolución de la poesía,* del libro *La nueva literatura,* 1927). Por mi parte, y la de otros de mi edad —agrupados en las sucesivas y efímeras revistas del ultraísmo— aquellos libros de poemas tan ingenuos de aspecto como complejos de intenciones fueron leídos y propagados con simpatía y admiración. Sin embargo, como quiera que a la par del nombre de Huidobro, solían citarse inevitablemente —según ya he dicho— los nombres de los poetas franceses de la entonces «avant-garde», en los artículos que publicamos Cansinos-Assens y yo, tan inevitable asociación produjo la furia del chileno; éste se estimaba así disminuido y «traicionado», al considerarse —de buena fe, sin duda, pero movido por la audacia que proporciona la falta del sentido de la relatividad— iniciador, padre, origen, fuente de todo y de todos... En nuestro medio madrileño, acostumbrado a tales desplantes, y que tan generosamente receptivo se había mostrado años atrás para Rubén Darío, como años después lo fue también —con menos motivos— para otro americano, Pablo Neruda, esa actitud de Huidobro no causó mayor asombro.

La reación vino del otro lado de los Pirineos, por parte de Pierre Reverdy, quien en una conversación con E. Gómez Carrillo —publicada en un diario de Madrid, *El Liberal*, julio de 1920— al interrogarle éste sobre las orientaciones últimas de la poesía, le respondió en los siguientes términos: «Sí, ya estoy enterado de que existe en lengua española un movimiento poético de vanguardia muy interesante (aludía al ultraísmo) del que se dice iniciador Vicente Huidobro. Este poeta chileno, que pasó algún tiempo en París, tuvo la debilidad de dejarse sugestionar por mis obras. Y hábilmente publicó en París, un libro antidatado (*Horizon carré*, 1917) con el perverso fin de hacer creer que éramos nosotros quienes lo imitábamos a él, y no él quien imitaba a los demás...» Y ésta fue la chispa que encendió la guerra poética, o más bien guerrilla a cargo de francotiradores, ya que éstos fueron los que salieron al campo, a pelear abiertamente, en letras de molde, mientras que los dos principales contendientes preferían la conversación y las cartas.

Aun a riesgo de personalizar o unipersonalizar una vez más, diré que la batalla fue librada esencialmente por mí, a lo largo de tres extensos artículos publicados en la revista *Cosmópolis* de Madrid (números 20, 21 y 22, agosto, septiembre y octubre de 1920), luego refundidos, o condensados y ampliados a la vez, en un capítulo titulado «La modalidad creacionista» del libro *Literaturas europeas de vanguardia* (Caro Raggio, editor, Madrid, 1925). Ahora bien, mi intervención no fue, en rigor, a favor de uno o de otro, sino contra ambos, o más bien, a favor de la verdad, negando la prioridad, la paternidad absoluta de una entelequia, que en modo alguno pertenecía con exclusividad ni a Huidobro ni a Reverdy, puesto que sus puntos de vista eran comunes a muchos otros, según ya antes he expresado y demostraré ahora. Sin embargo, como no me duelen prendas y aquella querella es algo definitivamente prescrito (aunque no olvidado, pues siempre se recuerda en los anales literarios de España y de América), confesaré que como réplica a algunas actitudes de suprema vanidad adoptadas por Huidobro, y llevado por las necesidades de la polémica, hube de forzar y exagerar los argumentos en contra suya.

Dejando de lado todo lo referente a lo que entonces fue motivo central de la querella —discusión de prioridades poéticas en las obras de Huidobro y de Reverdy— me limitaré ahora, sintéticamente, a señalar las analogías o diferencias entre sus teorías, las fuentes comunes de ambos, o sus coincidencias con las de otros varios. Base o fundamento del «sistema» teórico de Huidobro era esta declaración aparecida al frente de *Horizon carré*: «Créer un poème en empruntant à la vie ses motifs et en les transformant par leur donner une vie nouvelle indépendante. Rien d'anecdotique ni de descriptif. L'émotion doit naître de la seule vertu créatrice. Faire un poème comme la nature fait un arbre.» Por su parte, Pierre Reverdy había escrito[3]: «On peut vouloir atteindre un art qui soit sans prétention d'imiter la vie ou de l'interpréter». En uno de los aforismos de *Self-Defense* (París, 1929), añadía: «La realité ne motive pas l'oeuvre d'art. On part de la vie pour atteindre une autre réalité». Y a propósito del anhelo de *creación* (palabra que, según veremos, constituye un *leit-motiv* general no sólo de los poetas, sino de los pintores en aquellos años): «La création est un mouvement de l'intérieur à l'extérieur et non pas de l'extérieur sur la façade». Creación que suponía la eliminación de elementos descriptivos y anecdóticos: «Qu'est-ce qu'une oeuvre dont on peut détacher l'idée our l'anecdote qui, isolées, ne sont rien, et dont après cette soustraction il ne reste rien?».

A la vez, Huidobro condensaba sus puntos de vista sobre estos temas en un artículo posterior[4] aun haciendo notar que aquéllos preexistían en él desde su libro *Pasando y pasando*, publicado en Chile, 1914: «Il ne s'agit pas d'imiter la nature, mais de faire comme elle, de ne pas imiter ses extériorisations, mais son pouvoir extériorisateur». Ambición —comentaremos— ingenua y grandiosa, a la vez, ésta de la creación, casi de orden divino o demiúrgico, dado el obsesionante propósito que mostraba el poeta de asumir las funciones de una nueva naturaleza,

---

[3] «Essai d'esthétique littéraire», en *Nord-Sud*, núms. 4-5, París, junio-julio de 1917.

[4] «La création pure, Essai d'esthétique», en *L'Esprit Nouveau*, núm. 5, París, abril de 1921. Reproducido luego como prólogo a *Saisons choisies* (París, 1921).

pero que en cualquier caso, únicamente en el espacio de lo programático, en el confín reducido de una poesía, y por medio de las palabras puede realizarse. «El poeta crea —escribía Huidobro— fuera del mundo que existe el que debiera existir. Yo tengo derecho a querer ver una flor que anda o un rebaño de ovejas atravesando el arco iris y el que quiera negarme este derecho o limitar el campo de mis visiones debe ser considerado como un simple inepto». Desde luego ¿pero acaso la invención de imágenes y la libertad de urdir metáforas no han sido siempre consustanciales a la expresión literaria, en cualquier lengua y literatura, desde que éstas existen? Pero en fin, no obstante esta candidez, el caso es que tan antiquísimo afán creador reflorece como si fuera una cosa nueva, o con un nuevo bagaje teórico, en los años de la primera postguerra, en distintas literaturas.

Inclusive se extiende a los pintores y a sus teóricos. De este modo, reproduciendo sin duda intenciones y consignas que circulaban en los talleres del cubismo, escribía Pierre Reverdy [5]: «El cubismo es un arte eminentemente plástico; pero un arte de creación y no de reproducción o interpretación». Lo que por otra parte ya había sido expuesto antes por Apollinaire en sus *Méditations esthétiques*, 1913: «Si le but de la peinture est toujours comme il fut jadis: le plaisir des yeux, on demande désormais à l'amateur d' y trouver un autre plaisir que celui qui peut lui procurer aussi le spectacle des choses naturelles». «On s'achemine vers un art entièrement nouveau qui sera à la peinture, telle qu'on l'avait envisagée jusqu'ici, ce que la musique est à la littérature.» Y aún más: «Les jeunes artistes des écoles extrêmes ont pour but secret de faire de la peinture pure». Conceptos semejantes pueden espigarse en los diversos libros teóricos de Albert Gleizer (a partir de *Du Cubisme*, 1912, en colaboración con Metzinger) y especialmente en *La mission créatrice de l'homme dans le domaine plastique* (Povolosky, París 1921). Y Paul Dermée [6] en la misma revista de Reverdy: «El fin del poeta es crear una obra que viva fuera de él una vida propia, que esté situada en un cielo especial, como una isla sobre el horizonte».

Que la unanimidad y simultaneidad de opiniones sobre

---

[5] «Sur le cubisme», en *Nord-Sud*, núm. 3, París, mayo de 1917.

[6] «Quand le symbolisme fut mort», en *Nord-Sud*, núm. 6, París, agosto de 1917.

tales puntos era absoluta en aquellos días, lo corroboran otros testimonios. Así Max Jacob en el prefacio de *Le cornet à dés* (fechado en 1916), tras señalar las cualidades de «estilo» y de «situación» que debe poseer el poema en prosa, escribe: «Une oeuvre d'art vaut par elle-même et non par les confrontations qu'on peut faire avec la réalité». Y más concretamente sobre el concepto de creación, en un aforismo posterior: «Une ouvre d'art est créée quand chacune de ses parties le fait de l'ensemble, elle est objectivée quand chacun de ses mouvements, qu'ils ressemblent ou non a ceux de la terre, se passent loin d'elle. Il v a peu d'oeuvres pareilles à la terre et situées hors d'elle» [7].

Grandes y chicos, «pioneers» y zagueros insisten en la misma idea de creación. Así Pierre-Albert Birot, en unas declaraciones al crítico catalán J. Pérez-Jorba, en la revista de este último *L'Instant* (y cuya referencia siento no conservar): «Para hacer una obra de arte es preciso crear y no copiar. Nosotros buscamos la verdad en la realidad pensada y no en la realidad aparente».

Insisto en que, aun variando ligeramente los términos, todos los escritores y artistas de vanguardia en los alrededores de 1920, se expresaban de modo casi idéntico. Las citas confirmatorias se harían casi interminables. «Il ne faut pas imiter ce que l'on veut créer» —escribía Georges Braque en uno de sus aforismos, algunos de los cuales fueron publicados inicialmente en *Nord-Sud*, reproducidos después en varios sitios, aunque sólo años después fueran recopilados [8] «Le peintre ne tâche pas de reconstituer une anecdote, mais de constituer un fait pictural». «Ecrire n'est pas décrire, peindre n'est pas dépeindre». Y Jean Cocteau [9] a propósito de Picasso: «La vie d'un tableau est indépendante de celle qu'il imite». Ya hemos dicho que todos los primeros escritos sobre el cubismo abundan en las mismas ideas. No sólo los de Apollinaire y Glaizes; también los de Maurice Raynal (*Quelques intentions du cubisme*, 1919) y Léonce Rosenberg (*Cubisme et tradition*, 1920). ¿Acaso el propio *surréalisme*, en su óvulo inicial, tal como lo definió Apollinaire en el prólogo a *Les mamelles de Tirésias*, no arranca de un idéntico afán de ir más allá de lo real, creando un hiperrealismo ideal?

Asimilando estas ráfagas del aire del tiempo, yo mis-

---

[7] *Art poétique* (Emile Paul, París, 1922).
[8] *Le jour et la nuit. Cabiers 1917-1952* (Gallimard, París, 1952).
[9] *Picasso* (Stock, París, 1923) y *Le rappel à l'ordre* (Stock, París, 1926).

11

mo en un manifiesto barrocamente contorsionado en los conceptos y cuyo estilo, saturado de neologismos, hoy juzgo delirante, titulado *Vertical* (Madrid, 1920), me arrostraba a escribir: «El arte nuevo comienza donde acaba la imitación; por consiguiente, debe rehuir el reflejo o interpretación directa de la realidad objetiva y superficial, *creando* con sus elementos básicos, profundos, otra nueva realidad exclusivamente artística».

Pero la síntesis más cabal y la expresión más perfecta de semejantes teorías en idioma español, se encuentra indudablemente, merced a la cabeza pensante de José Ortega y Gasset, en su libro *La deshumanización del arte* (1925). Este filósofo que ya años atrás había concebido el arte como *irrealización* o *desrealización*, estableciendo una distinción entre los sentimientos naturales y los sentimientos estéticos, y afirmando que sólo los últimos debían tener expresión en el arte, negaba luego que las grandes obras tuvieran en lo humano su centro de gravedad; e interpretando los propósitos de los jóvenes poetas escribía: «Es un síntoma de pulcritud mental querer que las fronteras entre las cosas estén bien demarcadas. Vida es una cosa, poesía es otra —piensan o, al menos, sienten. No las mezclemos. El poeta empieza donde el hombre acaba. El destino de éste es vivir su itinerario humano; la misión de aquél es investigar lo que no existe. De esta manera se justifica el oficio poético. El poeta aumenta el mundo, añadiendo a lo real, que ya está ahí por sí mismo, un irreal continente».

Y aún podría alargar —con riesgo monótono de reiteraciones— este capítulo, incluyendo, como antaño hice, referencias del campo filosófico, un precedente de Henri Bergson en *L'évolution créatrice,* donde se homologan los términos de «durée» y «création» y donde está la raíz —una de las raíces— de la ambición «creacionista» llevada al plano del arte.

Ante tal multiplicidad de precedencias y coincidencias queda suficientemente demostrado que los alegatos exclusivistas absolutos de Huidobro, y los más moderados de Reverdy resultan ingenuos, sin que sea posible atribuirlos unipersonalmente a nadie, puesto que al hacerse unánime en toda una generación y una época, según escribía André Malraux en un artículo olvidado [10], hasta por él mis-

---

[10] «Des origines de la poésie cubiste», en *La Connaissance,* París, diciembre de 1919.

mo probablemente: «Après Apollinaire et Max Jacob ces idées ont depuis été exprimées *pour la première fois* par quinze ou vingt personnes». ¡Y aún se quedaba corto!

Polémica, en fin de cuentas, tan inane e infundamentada como la de Reverdy y Huidobro —puesto que uno y otro discutían por un *bien* indiviso o que los juristas llamarían «mostrenco», de todos y de nadie— no abarca, por supuesto, más que los años de formación de ambos poetas. Más tarde, sin abandonar aquellos supuestos en que se inspiraban, uno y otro evolucionaron hacia distintos territorios, y en ellos se inscribe quizá lo mejor de sus respectivas obras. Por otra parte, releídas hoy, acusan fundamentales diferencias, más allá de externos parecidos. La de Reverdy, a despecho de la atmósfera algo minoritaria, en que conservando su «pureza» siempre se mantuvo, gozó de adeptos y es suficientemente conocida en Francia y en el extranjero. Pero no sucede así con los libros de Huidobro, cuya mención, con notoria injusticia o lamentable olvido, suele omitirse en las historias y en los anales críticos que registran la evolución de la poesía francesa en los penúltimos años. Ni siquiera en un libro tan equitativo y de órbita tan amplia como el de Marcel Raymond (*De Baudelaire au surréalisme*) aparece incluido.

¿«Nacionalismo», «chauvinismo»? Como éstos son males universales, busquemos por otro lado. Pero lo cierto es que Huidobro, a partir de 1925, abandonó París, salvo algunas cortas temporadas, residiendo preferentemente en su Chile natal y publicando casi todos sus libros restantes en español. Con todo, todavía en esa última fecha aparecen, en francés, los poemas de *Automne régulier*, más tarde los de *Tremblement de ciel* (1932), una pieza dramática *Gilles de Raiz* (1942); finalmente, en colaboración con Hans Arp, *Trois nouvelles exemplaires* (1946). En rigor el único homenaje que le fue tributado es la traducción póstuma del poema orgánico *Altazor* —su obra maestra—, bajo el título de *Altaigle ou l'aventure de la planète,* par Fernand Verhesen (La Tarasque, Bruxelles, 1957), con prólogo de Robert Ganzo.

Pero ¿acaso ha tenido mejor fortuna en su propio mundo lingüístico? Por lo que concierne a Chile, no faltaron algunos continuadores entre los nuevos poetas y testimonios admirativos —inclusive el celo excesivo, que más bien le perjudica, de algunos apologistas incondicionales—; pero es indudable que al no gozar de ciertos apoyos políticos con que otro poeta chileno se beneficia, su órbita de irradiación sobre las nuevas generaciones se ha visto restringida. En cuanto a España, la mínima o nula difusión que siempre tuvieron los libros de Huidobro, no disculpa el hecho de que todavía en algunas antologías generales de la poesía hispánica se le deje de lado. Y desaparecido el hombre —dotado ciertamente de una gran fuerza de atracción, pero que al mismo tiempo no dejaba de conspirar contra sí mismo, dados sus pujos de absolutismo— la realidad de su obra resplandece con una belleza y una intensidad admirables que alguna vez deberá ser plenamente reconocida al margen de sus alegatos teóricos sugestivos, pero vulnerables. En suma, yo condensaría así mi juicio sobre su —a despecho de los préstamos y asimilaciones— poderosa personalidad. Sus teorías, disputables; su poesía lírica, admirable —y de ello me confirmo leyendo ahora sus *Ultimos poemas* (libro póstumo de 1948), ya desprendidos de toda ganga apócrifa, más desnudos y menos llamativos que los de su juventud.

No considero pérdida de tiempo haberme detenido únicamente en establecer las anteriores confrontaciones entre Huidobro y Reverdy y otros teóricos del cubismo, pues entiendo que ese aspecto doctrinal olvidado lamentablemente en las obras críticas o históricas, se refiere a un período literario y artístico extraordinariamente rico en gérmenes, en innovaciones, en apertura de rutas, que otros han recorrido, profundizado y ensanchado después, pero olvidando a los «pioneers», como si los recién llegados las hubieran descubierto por vez primera. ¿Cabe achacar esa preterición al empuje inmediatamente posterior de la ola del superrealismo que cubrió otras playas? El caso es que del propio Reverdy sólo han sido recordados sus puntos de vista sobre la imagen y la metáfora; por ejemplo, éste que se cita siempre: «L'image est une création pure de l'esprit. Elle ne peut naître d'une comparaison, mais du rapprochement de deux réalités plus ou moins éloignées». Ahora bien, por su parte, Huidobro escribe: «El poeta es el que sorprende la relación oculta

— 164 —

entre las cosas más lejanas, los hilos ocultos que las unen. Se trata de tocar como una cuerda de arpa esos hilos ocultos y dar una resonancia que ponga en evidencia el movimiento de dos realidades lejanas». ¿Quién dijo antes la misma cosa? Mas —no recomencemos— ¡qué importa! Lo importante, en todo caso, sería saber quién lo dijo mejor de ellos dos, o un tercero, o un cuarto que no sería improbable descubrir...

Pero otras aportaciones teóricas del propio Reverdy no se han recordado debidamente —que yo sepa—; entre ellas las que páginas atrás cité, procedentes de sus artículos en *Nord-Sud*, nunca recogidos en un libro, si bien contamos con los aforismos de *Self-Defense*, del *Gant de crin*, etc. sutiles y penetrantes, desde luego, pero monótonos, y sin el *élan* imaginativo y las perspectivas nuevas hacia donde se abrían aquellos otros de la juvenil revista blanca (*Nord-Sud*), de aspecto tan sencillo pero tan nueva y audaz de intenciones.

[*Ficción* (Buenos Aires), 35-37, enero-junio de 1962.]

JUAN-JACOBO BAJARLIA

LA LEYENDA NEGRA CONTRA
HUIDOBRO (1964)

Todos conocen el final de ese poseedor de la piel de
zapa. O bien lo que aconteció con Dorian Gray, o con el
hombre que había vendido su sombra. Balzac, Oscar Wil-
de, Chamisso, preanunciaron una especie de sueño premo-
nitorio cuya doctrina estaría dada en estos términos: el
hombre sabe que miente, pero necesita de la mentira para
crear valores ficticios que llevan imperativamente a su
autodestrucción. Es una especie de masoquismo a través
del cual podría investigarse ese *sentimiento de culpabilidad* estudiado por Freud como instancia para obtener el
castigo de sí mismo y la satisfacción correspondiente.
Para alcanzar este castigo que se retrovierte en placer,
hay siempre un *hecho sintomático* que pone en evidencia
el sentimiento de culpabilidad. Creo que todo esto se está
dando en Guillermo de Torre, a quien veo ya como a Dorian Gray, con dos rostros: con el que lleva todos los días,
que es el ficticio, y con el que se refleja en el retrato, que
es el verdadero, la imagen insobornable.

Treinta y siete años después de publicado su libro sobre las *Literaturas europeas de vanguardia* (1925), el autor, sin atreverse a mirar en el retrato de su rostro
insobornable —buscando quizá el autocastigo por medio de la inexactitud—, vuelve a repetir la leyenda negra
contra Vicente Huidobro. Pero en esta versión su propósito es conciliar a Huidobro con Reverdy, borrar las as-
perezas, demostrar, al mismo tiempo, que ambos fueron
arbitrarios y que sus postulados teóricos ya eran el patrimonio común de todos los vanguardismos y hábilmente va deslizando acusaciones de donde Huidobro no de-

jaría de ser un plagiario impenitente. Esta nueva versión está contenida en un artículo que lleva el título de «La polémica del creacionismo —Huidobro y Reverdy», aparecido en el ejemplar núm. 35-36-37 de la revista *Ficción* (Buenos Aires, enero-junio de 1962). Su afirmación más tajante es la siguiente:

> La reacción vino del otro lado de los Pirineos, por parte de Pierre Reverdy, quien en una conversación con E. Gómez Carrillo —publicada en un diario de Madrid, *El Liberal*, julio de 1920—, al interrogarle éste sobre las orientaciones últimas de la poesía, le respondió en los siguientes términos: «Sí, ya estoy enterado de que existe en lengua española un movimiento poético de vanguardia muy interesante (aludía al ultraísmo) del que se dice iniciador Vicente Huidobro. Este poeta chileno, que pasó algún tiempo en París, tuvo la debilidad de dejarse sugestionar por mis obras. Y hábilmente publicó en París un libro antidatado [*Horizon carré*, 1917], con el perverso fin de hacer creer que éramos nosotros quienes lo imitábamos a él, y no él quien imitaba a los demás»... *(Ficción,* números 35, 36, 37, p. 116).

La primera versión que origina la polémica Reverdy-Huidobro, pertenece también a Guillermo de Torre, treinta y siete años antes de la que acabo de transcribir. Véamosla para estudiar luego las diferencias:

> ... un artículo de Gómez Carrillo, en que este gran cronista transcribía, a propósito de direcciones recientes, una conversación sostenida con Mr. Reverdy. Este decía aproximadamente: «Sí; ya estoy enterado de que existe en lengua española un movimiento de vanguardia interesante del que se dice importador —ignoro con qué motivos— un tal Sr. Huidobro, que se titula allí iniciador del movimiento cubista de acá. Ese poeta chileno, muy influenciable, tuvo la debilidad de sugestionarse ante mis obras. Y, hábilmente, publicó en París un libro antidatado, con el perverso fin de hacer creer que éramos nosotros quienes lo imitábamos a él, y no él quien imitaba a los demás». *(Literaturas europeas de vanguardia,* p. 87.)

Leídos ambos textos, no podríamos precisar cuál es el verdadero. Tampoco podríamos asegurar si lo que dijo Enrique Gómez Carrillo le fue comunicado por Reverdy. Yo creo simplemente que se trata de una afirmación gratuita e indecorosa del cronista guatemalteco, enemistado entonces con Huidobro, la cual es aprovechada por De Torre que se hallaba, en 1924-1925, en la misma situación de enemistad. Hay, por tanto, una inexactitud, pues si hubo una *polémica,* ella no giró en derredor de *Horizon carré* que el español pone entre corchetes al redactar la segunda versión, sino con respecto a *El espejo de agua.* No apresuraremos, sin embargo, las conclusiones. Vayamos por parte para evitar los paralogismos aristotélicos, o esa *moral de la ambigüedad* que podría surgir del alambicamiento de los términos a pesar de Simone de Beauvoir.

La primera redacción —me atengo siempre al orden cronológico— habla de un movimiento de vanguardia «del que se dice importador... un tal señor Huidobro que se titula allí iniciador del movimiento cubista de acá». La segunda —la de *Ficción*—, más escueta, con varias palabras de menos, da cuenta de un «movimiento... del que se dice iniciador Vicente Huidobro». Es decir, el «importador» se convierte en «iniciador». Y este «iniciador» que se decía promotor del «movimiento cubista de acá» en la primera redacción, no aparece para nada en la segunda con relación al mismo hecho. Falta, pues, esta otra acusación. Observé, además, que hay diferencias de puntuación y que «un tal señor Huidobro» es ahora «Vicente Huidobro».

Sigamos la misteriosa redacción, dos veces transcripta por De Torre. En la primera, estas palabras: «Este poeta chileno muy influenciable...» En la segunda, las que siguen: «Este poeta chileno, que pasó algún tiempo en París...» Es decir, desaparece la adjetivación de «influenciable» y se la sustituye con su estada en París. En la línea siguiente hay un cambio de redacción, pero salvo un verbo —el «dejarse»— que se agrega, el sentido es el mismo. El último párrafo es literal. El español sólo agregó a modo de aclaración —y en secreto agravio contra Huidobro— un título y una fecha entre corchetes: *Horizon carré,* 1917. De esta manera quiso explicar al lector que el «libro antidatado» (*sic*) a que aludía Reverdy, era ése, el *Horizon carré,* publicado en París.

Para mayor comodidad voy a trazar el *Cuadro diferencial* de ambas versiones. En la primera columna irá la de *Literaturas europeas de vanguardia* con la siguiente sigla: LEV. En la segunda, la de *Ficción* —F—. Los corchetes, no siendo los relativos a *Horizon carré,* indicarán mis propias acotaciones:

CUADRO DIFERENCIAL

Primera redacción	*Segunda redacción*
Sí; ya estoy enterado de que existe en lengua española un movimiento (LEV)	Sí, ya estoy enterado de que existe en lengua española un movimiento (F)
de vanguardia interesante (LEV)	poético de vanguardia muy interesante (aludía al ultraísmo) (F)
del que se dice importador (LEV)	del que se dice iniciador (F)
un tal Sr. Huidobro (LEV)	Vicente Huidobro (F)
que se titula allí iniciador del movimiento cubista de acá (LEV)	[Esta frase no aparece en F] (F)
Ese (LEV)	Este
poeta chileno, muy influenciable, (LEV)	poeta chileno, (F)
[Esta subordinada no aparece en LEV]	que pasó algún tiempo en París, (F)
tuvo la debilidad de sugestionarse ante mis obras (LEV)	tuvo la debilidad de sugestionarse ante mis obras. (F)

El párrafo que sigue, como ya lo dije, es idéntico en las dos versiones. Hay, sin embargo, otro punto dudoso. En *Literaturas europeas de vanguardia* (n. p. 87) se afirma que las declaraciones de Reverdy se publicaron en *El Liberal* del 30 de junio de 1920. En *Ficción* se da como fecha la de «julio de 1920». Podría ser una errata. Pero es suficiente para ahondar las inexactitudes de la polémica.

2. Dos cartas desconocidas

Y ahora me pregunto: ¿Existieron realmente las declaraciones de Reverdy aquellas que redactó Gómez Carrillo, las cuales aparecen en dos distintas versiones difundidas por Guillermo de Torre? Creo, sencillamente, que no. Son un infundio repetido por dos compañeros ya enemistados. Por otra parte, después de la segunda versión, habría que exhumar *El Liberal* del 30 de junio de 1920 para saber cuál es la que correspondería a la redacción del guatemalteco. Pudo existir el artículo de la publicación madrileña, pero no las declaraciones de Reverdy.

Que las «declaraciones» transcriptas no son auténticas o verosímiles lo prueba el hecho de que el poeta francés no aludió a *Horizon carré*, como pone De Torre entre corchetes. La discusión giró en derredor de *El espejo de agua*, libro éste que en segunda edición se publicó en Madrid en 1918. La primera, con el sello de Orión, había aparecido en Buenos Aires en 1916, costeada por Huidobro de paso para París. Sucedió, sin embargo, que alguien puso en duda el que existiera la primera edición de *El espejo de agua*. De ahí que al parecer la de 1918, se hablara de *antedatación*.

Puesto a investigar este hecho, obtuve en Santiago de Chile una carta de Huidobro, fechada en París —«28 mars 1920»— y dirigida a Angel Cruchaga Santa María. Me fue facilitada por éste. Y la confronté palabra por palabra con Juvencio Valle, siguiendo yo el original. En ella se hablaba de *El espejo de agua* y no de *Horizon carré*. Y al hablar del primero de estos libros ponía de manifiesto la acusación gratuita de la supuesta antedata. He aquí el párrafo decisivo:

> ... Reverdy aprendió a fuerza de devanarse el seso a hacer una especie de símil del creacionismo y pretende... que todos en América no hacemos sino imitarle desde hace varios años, y pretende que mi «plaquette» *El espejo de agua*, publicado en Buenos Aires en 1916, es distinto de la segunda edición del mismo *Espejo de agua* publicado en Madrid en 1918, que yo te juro es exactamente la misma de Buenos Aires.

Le pedía a continuación que asumiera el papel de editor de la primera publicación, por no recordar exactamente al impresor: «Preferiría que buscaras al impresor que hizo allá en Buenos Aires mi libro, pero como yo no conocía entonces bien esa ciudad no recuerdo la calle ni el nombre de la imprenta. Sin embargo creo que se llamaba imprenta *Sarmiento*.»

Le pide, inclusive, se dirija a Carlos Muzio Sáenz Peña, el cual, en julio de 1916, había leído y conocido los poemas de *El espejo de agua*.

La situación era tensa. Pero cuatro meses después, Huidobro ya había destruido a sus enemigos. En una segunda carta a Cruchaga Santa María, enviada también desde París —«16 juillet 1920»— le hace saber que ha dado con el impresor y que tiene testimonios que reafirman la verdad que viene sosteniendo:

«He recibido varias cartas de amigos que conocieron *El espejo de agua* y una del impresor.

Además la atestación por carta de amigos imparciales que oyeron mis conversaciones recién llegué a París y pudieron ver quién llevaba la batuta y *quién era la verdad y quién la farsa*.»

No he transcripto totalmente ambas cartas. Pero estos textos y algo más, inclusive los que yo le certificara a Antonio de Undurraga (*Teoría del creacionismo*, p. 83 y ss.), debió conocerlos De Torre cuando los di a publicidad en 1959. (Ver mi «Carta a Federico Carlos Sáinz de Robles», en *Caballo de Fuego*, núm. 13, Bogotá, diciembre, 1959). No obstante ha preferido callarlos, temeroso de verse en el retrato de Dorian Gray, que ya le pertenece por derecho de enemistad.

3. EL PACTO CON EL DIABLO

En el núm. 20 de *Cosmópolis* (Madrid, agosto de 1920), conocidas ya las «declaraciones» de Reverdy, es decir el chisme de Gómez Carrillo, Guillermo de Torre se expresa en estos términos: «Una mueca de indignación crispó nuestro rostro a la lectura de estas malévolas y calumniosas frases, que tantos equívocos han podido suscitar entre los profanos. Increíble nos ha parecido el cinismo de Monsieur Reverdy...»

Pero hay un instante en que el hombre es capaz de pactar con el Diablo. Calderón de la Barca en *El mágico prodigioso,* y Goethe en el *Fausto* fueron los primeros en advertir que es muy fácil pasar de un sentimiento de derrota a un sentimiento de aniquilación. Entonces no vivía Freud ni se conocía el *complejo de culpabilidad*. La vida era simple y giraba en derredor de una ambivalencia que oponía el mal al bien, pero sin conciencia de que el mal podía residir en la raíz del bien. De ahí que se apelara al Diablo para obtener ese pretexto de autoaniquilamiento, es decir, la otra cara del bien era el mal, insisto en lo más profundo del hombre. Se necesitaba, por lo tanto, de un recurso simbólico. Y el Diablo era eso, un símbolo que se podía conjurar para justificar una *vuelta de tuerca* en el espíritu. Fue esto lo que aconteció con Guillermo de Torre. Pero él no fue el hombre simple de Calderón y de Goethe, ni aun el hombre ambivalente de Freud. Fue ambas cosas: la nostalgia del pasado, rediviva en su *Tríptico del sacrificio* y la apetencia del devenir, perdida en sus *Literaturas europeas de vanguardia*. Y como corolario, el hombre que perdió su propia sombra. Cuando se ha llegado a este límite, es fácil olvidar la indignación que provoca el chisme de Gómez Carrillo, para afirmar, cinco años después, lo siguiente: «tendiendo a preparar la coartada polémica —se refiere a Huidobro— imprime la segunda edición (?) de un folletito con seis poemas, *El espejo de agua*, que no conocíamos y que su autor hace datar de 1916 (Buenos Aires)». (*Literaturas europeas de vanguardia*, p. 90.) Aclaro que el «folletito» no tenía «seis» poemas, sino ocho: «Arte poético», «El espejo de agua», «El hombre triste», «El hombre alegre», «Nocturno», «Norturno II», «Año nuevo» y «Alguien iba a nacer». La frase por su parte, al incluir una acusación de antedatación reforzada por el interrogante —«la segunda edición (?)»— constituye el otro polo de la leyenda negra. Pero de este olvido que va del número 20 de *Cosmópolis* a sus *Literaturas europeas de vanguardia*, sucede el otro olvido que suscribe en la revista *Ficción* treinta y siete años después, cuando pone entre corchetes que la antedata corresponde a *Horizon carré*.

No existe, pues, en De Torre, el espíritu de conciliación, a pesar del reconocimiento que hace de su deuda a Huidobro en *Apollinaire y las teorías del cubismo* (1946). Tampoco existe el propósito de conciliar a Huidobro con Reverdy cuando se pretende demostrar que las teorías del chileno eran de todos y se hallaban en el «aire del tiempo». Si esto es verdad, el primer vanguardista que habló de invención fue Juan de la Cueva en el *Ejemplar poético* (siglo XVI), de donde copio estos versos (I, VV. 250-52):

> Estos que en su poesía se apartaron
> de la inventiva son historiadores
> y poetas aquellos que inventaron.

Y no fue por pura inspiración, porque un poco más arriba (I, VV. 235-37), había dicho:

> Ningún precepto hace ser forzoso
> el escribir verdad en poesía,
> más tenido en algunos por vicioso

No es válido, por tanto, el argumento de Guillermo de Torre. Cuando Huidobro habla de invención, establece todo un sistema, ya explícito en las palabras liminares de *Horizon carré* (1917), que ignora Reverdy. El chileno ha tomado conciencia de la invención como estructura de un sentido totalmente distinto del que éste le asignara por la misma época. Las aproximaciones no pueden establecer prelaciones, porque entonces todos habrían plagiado a Juan de la Cueva, o a Góngora cuando escribió las *Soledades*.

4. Los TESTIMONIOS

Sobre la existencia de la edición bonaerense de *El espejo de agua*, hay dos testimonios olvidados. El primero es el de Angel Cruchaga Santa María, publicado en *La Nación* de Santiago de Chile, el 16 de julio de 1924. «La primera producción *creacionista* de Huidobro, fue la "plaquette" *El espejo de agua*, impresa en junio de 1916 en Buenos Aires» (ver Undurraga: *Teoría del creacionismo*, pp. 83-84). El segundo es el de H. A. Holmes (*Vicente Huidobro and Creationism*, New York, Columbia University, 1934): «What had been stammered in the Chilean *Espejo de agua*, and but imperfectly uttered in the 1916 edition of Buenos Aires, is now resonantly proclaimed». (Igual referencia en Cedomil Goic: *La poesía de Vicente Huidobro*, Anales de la Universidad de Chile, sin fecha, probablemente de 1957.) Y aún podemos agregar la referencia de Hugo Montes en *Obras poéticas selectas* de Vicente Huidobro

(Santiago de Chile, Editorial del Pacífico, 1957): «Primera edición / Editorial Orión / Buenos Aires, 1916 / Segunda edición / (sin pie de imprenta) / Madrid, 1918». Y junto con los testimonios debiera ir la lista de los escritores de nuestro tiempo que no han retaceado la fama del poeta. El último, el más reciente, es Fernand Verhesen, para quien Huidobro «fue uno de los creadores de la poesía actual» (*Poètes d'Espagne et d'Amérique latine*, p. 57, Bruxelles).

5. Del pacto diabólico al complejo de culpabilidad

Cuando alguien ha perdido su propia sombra, puede convertirse en *esclavo del demonio*. Esta proposición estaba implícita en Mira de Amescua. Perder la sombra significa el extraviar la conciencia. Y cuando la conciencia se extravía, importa a su vez, el menoscabo de la virtud. San Cipriano, mártir en Nicomedia, en el siglo III d. de Jesucristo, tuvo este extraño presentimiento ante Justina. Pero Calderón, al revés de Mira de Amescua, si bien advierte el peligro de extraviar la conciencia, convierte a San Cipriano en el *mágico prodigioso*, capaz de pactar con el Diablo para satisfacer sus apetitos. Este primerísimo Fausto preanuncia el de Goethe. La línea de tensión sigue siendo la misma. En todos estos casos se ha perdido la sombra, el valor de la propia conciencia. Pero las soluciones son insuficientes. Falta aún el razonamiento estricto, científico, capaz de descender en las zonas más profundas del espíritu.

Para llegar a tales profundidades, Freud anticipa una hipótesis inquietante. En tiempos prehistóricos, el padre fue devorado por sus hijos. Pero los hijos, advertidos de ese mal, se dedican, en una segunda etapa, a defecar al padre a fin de reanimar su imagen. Buscan, de esta manera, la liberación de la culpabilidad. Esta *liberación* constituye luego el *complejo de culpabilidad*, «oscuro sentimiento», en el decir de Freud (*Obras completas*, t. XVIII, p. 161), que cabalga en la necesidad de autocastigarse o de buscar el castigo para hallar la paz. ¿Podríamos hablar en estos términos de Guillermo de Torre?

He aquí un esquema posible. Cuando Huidobro llega a Madrid en 1918, De Torre ignoraba el vanguardismo. El chileno lo deslumbra con su teoría y sus conocimientos de la literatura francesa. Se convierte en el padre del joven autor que aún no ha dado su batalla en las letras. Pero éste, dueño ya de una fuerza considerable —el hijo de las hordas primitivas—, lo devora cierto día con una acusación. Escribe un libro y elabora la leyenda que todo el mundo va a repetir —incluido yo por inexperiencia (*Literatura de vanguardia*, Buenos Aires, Araujo, 1946). El padre desaparece. Nadie sabe quién es Huidobro. Se lo tilda de falsificador y plagiario de Reverdy. Y pasan los años. El devorador quiere entonces conciliar a Huidobro con Reverdy y conciliarse consigo mismo. Se siente culpable. Padece ya el complejo de culpabilidad. Pero cuando pretende reanimar la imagen del padre, vuelve a utilizar las antiguas citas, algunas de las cuales tienen ya una redacción distinta. Esta equivocación se objetiva a través de ese «oscuro sentimiento» de que hablaba Freud.

[Publicado originalmente en francés, *Courrier du Centre International d'Etudes Poétiques*, 46 (s. a.); versión castellana de *La polémica Reverdy-Huidobro: Origen del Ultraísmo* (Buenos Aires, Devenir, 1964)].

BRAULIO ARENAS

VICENTE HUIDOBRO Y EL CREACIONISMO

(1964)

Dedico este trabajo a Carmen y a
Fernando Alegría, cariñosamente.

Verdaderamente, para mí es una tarea agradable, pero no sencilla, la de escribir acerca de este gran poeta nuestro.

No sé si personas alejadas de su trato familiar, y con la perspectiva de estos dieciséis años transcurridos desde su muerte, podrán referirse más objetivamente a su obra.

Por lo que a mí respecta, escribir acerca de Vicente Huidobro es recordarle. Quiero decir con esto que en mí su experiencia poética y su experiencia humana se confunden en un todo, sin que me sea nada fácil disociarlas, tendiendo ambas experiencias a unirse rápidamente en el recuerdo, en un único testimonio afectuoso.

Durante muchísimos años, desde 1935, en que le conocí personalmente, hasta 1948, el año de su muerte, tuve con él un trato casi cotidiano. Nos unía, por encima de todo, un particular interés por los problemas de la poesía. Nuestra amistad se desenvolvió sin mayores tropiezos, lo que no deja de ser extraordinario en estas relaciones entre escritores, un gremio por definición difícil, acentuada la dificultad por nuestro dispar criterio para apreciar algunos tópicos de la poesía moderna.

Así, pues, no es para mí sencillo escribir acerca de este poeta: rápidas visiones simultáneas se entremezclan en mi recuerdo y veo a Vicente leyéndome algún texto poético suyo y le veo paseándose por la orilla del mar; le veo discurrir por una teoría literaria y le veo plantando árboles en su finca de Cartagena; le veo agitar sus hermosísimos caligramas de 1913 y le veo reposar, con los ojos cerrados, en su ataúd.

Sin embargo, a pesar de la dificultad, creo llegada la hora de establecer algunos hechos de su teoría creacionista, de singular importancia para el desarrollo de la poesía.

EL CREACIONISMO

A los veinte años de edad, Vicente Huidobro busca para su poesía un apoyo teórico, siendo éste un rasgo distintivo suyo dentro de la historia literaria chilena.

En efecto, mientras los poetas de la pasada centuria tratan de reproducir en nuestra metrópoli la decantada pugna del clasicismo y del romanticismo, pugna tan estrepitosamente rota por la voz augural de Rubén Darío, y mientras los poetas finiseculares y de comienzos de nuestro siglo se esfuerzan por romper la dictadura celeste del maestro centroamericano, Vicente Huidobro, sin tomar a Darío como punto de referencia, quiere establecer un novedoso y personal sistema para la poesía.

A los veinte años, es decir, en 1913, apunta su disconformidad frente a un lirismo de imitación:

«Los señores clásicos, ellos sí tenían facultad para crear, pero ahora esta facultad no existe, en vista de lo cual imítenlos ustedes a ellos, sean ustedes espejos que devuelven las figuras, sean reflectores, hagan el papel de fonógrafos y de cacatúas y no creen nada, como lo hicieron ellos... O sea: hoy que tenemos locomotoras, automóviles y aeroplanos, volvamos a la carreta... Muy dignos de respeto y admiración serán los señores clásicos, pero no por eso debemos imitarlos. Ahora estamos en otros tiempos, y el verdadero poeta es el que sabe vibrar con su época y adelantarse a ella, no volver hacia atrás» [1].

Al año siguiente, en 1914, su formulación teórica va a precisarse. En una conferencia, dictada en el Ateneo de Santiago, proclama:

«Non serviam. No he de ser tu esclavo, madre Natura; seré tu amo. Te servirás de mí; está bien. No quiero y no puedo evitarlo; pero yo también me serviré de ti. Yo tendré mis árboles que no serán como los tuyos, tendré mis montañas, tendré mis ríos y mis mares, tendré mi cielo y mis estrellas» [2].

Así, pues, desde el primer momento tenemos en Hui-

---

[1] *Azul*, noviembre 15 de 1913.
[2] *Antología*. Ed. Zig-Zag, 1945.

dobro a un poeta distinto, preocupado tanto de cantar como de anotar las características del canto. Esta preocupación no había acompañado antes a un lírico chileno, y tal vez deberíamos recurrir a Góngora para encontrar el paralelismo entre la práctica y la teoría poéticas.

De igual modo, nos complace señalar que esta teoría nació armada de punta en blanco de su juvenil imaginación, apoyándose en ella desde sus primeros hasta sus últimos poemas.

Recordemos que en 1935 el poeta formula la siguiente declaración:

«En lo esencial, pienso hoy, exactamente, como pensaba hace diez años»[3].

Es decir, pensaba entonces como pensaba en 1925, el año de la aparición de sus «Manifiestos»[4], y en éstos señala que la teoría creacionista le acompañaba desde 1913. Con posterioridad a 1935, su posición no varió en lo esencial, como él mismo lo atestiguara.

¿Y qué es lo *esencial* en esta teoría?

El poema, pensaba Huidobro, debe ser una realidad en sí, no la copia de una realidad exterior. Debe oponer su realidad interna a la realidad circundante. El poema, por tanto, debe ser la arquitectura de la poesía, con sus leyes propias, y no regido por las leyes del mundo cotidiano.

Esta teoría, formulada en el Ateneo de Buenos Aires, en junio de 1916, haría exclamar a José Ingenieros:

«—El sueño suyo de una poesía inventada completamente por los poetas me parece irrealizable, por mucho que usted lo haya expuesto de un modo muy claro y hasta científico»[5].

¿Y por qué irrealizable?, se preguntaría Huidobro.

Creía este poeta ver en los otros poetas simples instrumentos de la naturaleza, ecos suyos, esclavos de ella, y encargados pasivamente de reproducirla.

El, en cambio, la desafía, se emancipa de su tutela:

«Hemos aceptado, sin mayor reflexión, el hecho de que no puede haber otras realidades que las que nos rodean, y no hemos pensado que nosotros también podemos crear realidades en un mundo nuestro, en un mundo que es-

---

[3] EDUARDO ANGUITA y VOLODIA TEITELBOIM, *Antología de poesía chilena nueva*. Ed. Zig-Zag, 1935.
[4] *Manifestes*. París, 1925.
[5] *Manifestes*, p. 34.

pera su fauna y su flora propias. Flora y fauna que sólo el poeta puede crear, por ese don especial que le dio la misma Madre Naturaleza a él y únicamente a él» [6].

Esta idea básica de la teoría creacionista va a apoyarse después en su célebre apotegma:

> Por qué cantáis la rosa, ¡oh Poetas!
> Hacedla florecer en el poema [7].

No obstante, el poeta Huidobro no permanece dentro del pie forzado de la teoría. Y por mucho que en *lo esencial* la teoría se mantenga rígida, la poesía de Vicente evoluciona y cada uno de los estados de esta evolución está nutrido por una rica substancia. Su poesía, tan preciosamente nacida del cerebro de su creador, va lentamente aceptando los devorantes problemas del mundo, va haciéndolos suyos, va transmutándolos en lírica materia.

PRIMER ESTADO DEL CREACIONISMO

Desde 1912 a 1914 publica Huidobro cuatro libros de poemas: *Ecos del alma* [8], *Canciones en la noche* [9], *La gruta del silencio* [10] y *Las pagodas ocultas* [11].

Aparte de cualquier mérito o defecto de estas obras juveniles, son de primera importancia para la poesía contemporánea unos poemas incorporados por su autor en su libro *Canciones en la noche.*

¿En qué radica dicha importancia?

En la estructura nueva, insólitamente nueva, de estos poemas [12].

Huidobro concibe una estructura plástica para el texto lírico, y es del caso señalar que antes de la publicación de este libro, en 1913, nada semejante nos ofrecía el panorama de la poesía.

Huidobro reactualiza, *en forma sistemática*, algunos

---

[6] *Antología*, p. 246. Ed. Zig-Zag, 1945.
[7] *El espejo de agua.* Buenos Aires, 1916.
[8] *Ecos del alma.* Imp. Chile, 1911. (En la portada: 1912.)
[9] *Canciones en la noche.* Imp. Chile, 1913.
[10] *La gruta del silencio.* Imp. Universitaria, S. A. (1913).
[11] *Las pagodas ocultas.* Imp. Universitaria, S. A. (1914).
[12] «Triángulo armónico», «Fresco nipón», «Nipona» y «La capilla aldeana».

ocasionales ejemplos, ya presentes en Rabelais [13], Lewis Carroll [14] y Charles Nodier [15]. A pesar de estos ejemplos, y a pesar del admirable texto de Stéphane Mallarmé, «Un coup de dès jamais n'abolira le hasard» [16], poema que es una verdadera caligrafía del alma, es importante la contribución de Huidobro, pues por primera vez se lanza a la circulación, sistemáticamente, y como un rico venero de la poesía, el fantasma de los caligramas.

Esto, volvemos a repetir, sucedía en 1913, y quien empleaba esta singular expresión poética era un joven chileno de veinte años, separado por mares del foco intelectual de París, desde donde, en los años siguientes, se abastecería el comercio de las ideas líricas y se llegaría a saturar al mundo con las más insólitas experiencias.

Veremos un fragmento de «La capilla aldeana», poema de Huidobro escrito en 1913. Este fragmento forma la cruz de la capilla:

```
                    Ave
                    canta
                    suave
          que  tu  canto  encanta
        sobre  el  campo  inerte
                    sones
                    vierte
                    y ora-
                    ciones
                    llora.
                    Desde
                la cruz santa
            el triunfo del sol canta
        y bajo el palio azul del cielo
    deshoja tus cantares sobre el suelo.
```

A propósito de una exposición de caligramas de Huidobro, realizada en París, el crítico Waldemar George escribe en el catálogo: «La idea de presentar poemas bajo una forma de imágenes plásticas y de hacer con ellos una exposición, pertenece con toda propiedad a Vicente Huidobro. Mucho antes que este proyecto hubiese germinado en el espíritu de algunos jóvenes artistas parisinos, él lo había concebido y ejecutado en un libro de versos (*Can-*

---

[13] *Pantagruel,* livre V, ch. XLV.
[14] *Alicia en el país de las maravillas.*
[15] *Les sept châteaux du roi de Bohème.* París, 1852.
[16] «Un coup de dés jamais n'abolira le hasard». París, 1914.

ciones en la noche), publicado en 1913 en Santiago de Chile» [17].

Nos complace señalar esta declaración de Waldemar George, por cuanto la crítica, en general, se ha mostrado hasta ahora reticente, por no decir mezquina, con la obra de nuestro compatriota.

En este primer estado de la poesía creacionista, será interesante advertir la agudeza del juicio literario de Huidobro con respecto a las primeras manifestaciones de la poesía moderna europea:

«Y he aquí que un buen día se le ocurrió al señor Marinetti proclamar una escuela nueva: el Futurismo. ¿Nueva? No. Antes que él lo había proclamado un mallorquín, Gabriel Alomar, el admirable poeta y sagaz pensador. Y antes que Alomar lo proclamó un americano, Armando Vasseur, cuyo auguralismo no es otra cosa en el fondo que la teoría futurista» [18].

Asimismo, será interesante recordar las lecturas suyas de escritores contemporáneos, entre ellas la de los poetas franceses. De estos últimos, Verlaine, Rimbaud, Baudelaire y Mallarmé están presentes en sus libros, sin olvidar a otros escritores galos: Francis Jammes, Jules Romain, Emile Zola, etc. Y, entre los poetas de nuestra lengua, toda la vida le acompañará la admiración por la obra de Rubén Darío.

Su espíritu abierto, que le llevara a criticar, desde la primera hora, la posición del futurismo italiano, le hace citar tempranamente a los pintores cubistas, entre los cuales encontraría tan buenos camaradas, en especial Juan Gris, verdadero guía del primer Huidobro.

Esta cita de los pintores cubistas aparece en su libro *Pasando y pasando*, y, en un conmovedor capítulo autobiográfico de esa misma obra, el poeta se expresa reveladoramente acerca de sus preferencias y sus disgustos en 1914:

«En literatura me gusta todo lo que es innovación. Todo lo que es original.

Odio la rutina, el cliché y lo retórico.

Odio las momias y los subterráneos de museo.

Odio los fósiles literarios.

[17] *Catálogo de la exposición de poemas de Vicente Huidobro.* Teatro Edouard VII. Del 16 de mayo al 2 de junio de 1922.
[18] VICENTE HUIDOBRO, *Pasando y pasando*, p. 163.

Odio todos los ruidos de cadenas que atan.

Odio a los que todavía sueñan con lo antiguo y piensan que nada puede ser superior a lo pasado.

Amo lo original, lo extraño.

Amo lo que las turbas llaman locura.

Amo todas las bizarrías y gestos de rebelión.

Amo todos los ruidos de cadenas que se rompen.

Amo a los que sueñan con el futuro y sólo tienen fe en el porvenir sin pensar en el pasado.

Amo las sutilezas espirituales.

Admiro a los que perciben las relaciones más lejanas de las cosas. A los que saben escribir versos que se resbalan como la sombra de un pájaro en el agua y que sólo advierten los de muy buena vista.

Y creo firmemente que el alma del poeta debe estar en contacto con el alma de las cosas.

Pero diré que no se crea que desprecio el pasado. No. Repruebo el que sólo se piense en él y se desprecie el presente, pero yo amo el pasado.

Para mí no hay escuelas, sino poetas. Los grandes poetas quedan fuera de toda escuela y dentro de toda época. Las escuelas pasan y mueren. Los grandes poetas no mueren nunca» [19].

Este sería, en síntesis, el cuadro del primer estado creacionista, destacándose, como motivos centrales, el armonioso paralelismo entre la teoría y la práctica de la poesía de Huidobro, y la sistematización de los caligramas, principal aporte del escritor chileno al lirismo contemporáneo. Aporte este tanto más importante cuanto que era un joven, en 1913, alejado de las grandes líneas de navegación del pensamiento, quien lo incorporaría desde una lejana playa austral al cielo europeo, como una constelación luminosa y extraña.

SEGUNDO ESTADO DEL CREACIONISMO

El año 1916 publica Huidobro un nuevo libro, *Adán* [20], dedicado «a la memoria de Emerson, que habría amado este humilde Poema». Este libro indica una nueva línea en las preocupaciones estéticas del creacionista, dejándose llevar por el entusiasmo científico.

---

[19] *Pasando y pasando.* p. 29.
[20] *Adán.* Imp. Universitaria, 1916.

«Mi Adán —dice el poeta— no es el Adán bíblico, aquel mono de barro al cual infunden vida soplándole la nariz; es el Adán científico».

Sin embargo, la ciencia no le hace abandonar los fundamentos de la poesía: «En este poema he tratado de verter todo el panteísmo de mi alma, ciñéndome a las verdades científicas, sin por esto hacer claudicar jamás los derechos de la Poesía».

Al poeta le han sido muy reveladoras estas palabras de Emerson: «El poeta es el único sabio verdadero; sólo él nos habla de cosas nuevas, pues sólo él estuvo presente a las manifestaciones íntimas de las cosas que describe. Es un contemplador de ideas, anuncia las cosas que existen de toda necesidad, como las cosas eventuales. Pues aquí no hablo de los hombres que tienen talento poético, o que tienen cierta destreza para ordenar las rimas, sino del verdadero poeta» [21].

Nos explica Huidobro que su preocupación siguiente, una vez imaginado el poema, fue la de buscar el metro en que debía desarrollarlo, eligiendo el verso libre, pues «la idea es la que debe crear el ritmo y no el ritmo a la idea, como en casi todos los poetas antiguos».

El libro entero nos suministra una curiosa versión de un Vicente buscando en la ciencia el apoyo para los temas de la poesía, y si bien éste sería su único ejemplo total, no por eso dejaremos de reconocer ciertas imágenes científicas que engalanan sus ulteriores poemas.

En *Adán* brotan ya los chispazos de esas razones encadenadas que tanto van a caracterizar su estilo literario:

> ... y tu canto está tan adherido
> y mezclado a ti mismo,
> está contigo tan unificado
> que nadie adivinara
> si tu agua forma el canto
> o si tu canto forma el agua.

Ese mismo año 1916 el poeta viaja a Buenos Aires, de tránsito para Europa, y dicta en la capital argentina una conferencia en la que el programa del creacionismo queda completamente confeccionado.

No se conserva el texto escrito, pero Huidobro se ha

---

[21] *Adán*, p. 27.

referido a esta conferencia capitalísima para su estética en varias oportunidades:

«En una conferencia que di en julio (*sic*) de 1916 en el Ateneo Hispano de Buenos Aires, dije que toda la historia del arte no es más que la historia de la evolución del hombre-espejo hacia el hombre-dios, y que estudiando esta evolución se veía claramente la tendencia natural del arte a desligarse cada vez más de la realidad preexistente para buscar su propia verdad, dejando a la zaga todo lo superfluo y todo lo que pudiera perjudicar su realización perfecta. Agregué que todo ello era tan visible al observador como puede serlo en biología la evolución del Poloplotherium, pasando por el Anchitherium, hasta llegar al caballo» [22].

Asimismo se refiere a esta conferencia en su libro *Manifestes* (p. 34): «Pero donde la teoría se expuso claramente fue en el Ateneo de Buenos Aires, en una conferencia que dicté en junio de 1916. Fue entonces que me bautizaron como «creacionista», pues dije en mi conferencia que la primera condición de un poeta era crear; la segunda, crear, y la tercera, crear.»

Y más adelante, en el mismo libro (p. 47), vuelve a hacer mención de dicha conferencia.

Conjuntamente con la exposición de su doctrina, que ya ha dejado de ser crisálida, Huidobro publica en Buenos Aires su folleto *El espejo de agua*. En él la teoría creacionista está presente:

Que el verso sea como una llave
que abra mil puertas.
Una hoja cae; algo pasa volando;
cuanto miren los ojos creado sea,
y el alma del oyente quede temblando.

Inventa nuevos mundos y cuida tu palabra;
el adjetivo, cuando no da vida, mata.

Estamos en el ciclo de los nervios.
El músculo cuelga,
como recuerdo, en los museos;
mas no por eso tenemos menos fuerza:
El vigor verdadero
reside en la cabeza.

---

[22] «La creación pura». Artículo publicado en la revista *L'Esprit Nouveau*, abril de 1921. Recogido en *Saisons choisies* y en la *Antología* de la Editorial Zig-Zag.

Por qué cantáis la rosa, ¡oh **Poetas**!
Hacedla florecer en el poema[23];
sólo para nosotros
viven todas las cosas bajo el Sol.
El Poeta es un pequeño Dios.

Algunos poemas de *El espejo de agua* le parecen dignos de sostener la comparación con los poemas modernos de la Escuela de París, y los publicará, traducidos al francés, en la revista *Nord-Sud* («El hombre triste»), y en su libro *Horizon carré* («El hombre triste», «El hombre alegre» y «Otoño»), sin olvidar la segunda edición de *El espejo de agua*, publicada en Madrid, en 1918.

Este pequeño libro de Huidobro no deja de tener una historia irritantemente injusta. El crítico español Guillermo de Torre, en su obra *Literaturas europeas de vanguardia* (Madrid, 1925), niega la primera edición argentina, creyéndola ficticia, y señalando que Huidobro la inventó como una coartada polémica. ¡Y pensar que nosotros hojeamos en este momento dicha edición de 1916!

Parece que en toda esta aventura el único falso y estólido es Guillermo de Torre.

Tercer estado del creacionismo

Vicente Huidobro llega a París en plena guerra. La actividad creadora de los intelectuales franceses, naturalmente, es escasa.

«Hacia fines de 1916 caí en París en el medio de la revista *Sic* —anota Huidobro—. Conocía muy poco la lengua francesa, pero rápidamente me di cuenta de que era un medio muy futurista y no hay que olvidar que dos años antes, en mi libro *Pasando y pasando*, había atacado al futurismo por demasiado viejo, justo en el momento en que todo el mundo lo proclamaba como un acontecimiento completamente nuevo» [24].

1917 ve la aparición de la revista *Nord-Sud*, la primera de las publicaciones de poesía moderna, y piedra angular para la historia del pensamiento poético contemporáneo.

---

[23] Escribe Huidobro: «Esta idea del artista creador, del artista-dios, me fue sugerida por un viejo poeta indígena de la América del Sur (aimará), que dice: «El poeta es un Dios; no cantes la lluvia, poeta, haz llover».» (Art. «La creación pura», antes citado.)

[24] *Manifestes*, p. 46.

Guillaume Apollinaire, su principal animador, es el encargado de decirnos por qué se mantiene una publicación literaria, encargada de divulgar la nueva poesía, en medio del cataclismo bélico:

«Así, pues, deseando por encima de todo que la idea francesa sea conducida al triunfo por los medios modernos que, fruto de ideas francesas, son también los más rápidos, los más atrevidos y los más fecundos, nuestra actividad literaria no tiene por objeto inclinar la balanza hacia una paz que amamos tanto como los otros, sino que, cumpliendo orgullosa y fielmente nuestros deberes cívicos, mantenemos nuestro esfuerzo intelectual en la acción artística y literaria que es nuestro dominio, sin dejar de serlo, y no en mínima parte, del patrimonio nacional.»

Cuando hojeamos los números de esta importante revista, vemos en ellos los nombres de los poetas que contribuyeron a fundar la poesía moderna: Guillaume Apollinaire, Max Jacob, Pierre Reverdy, Tristan Tzara, André Breton, entre otros, y, junto a éstos, el nombre para nosotros tan emocionante de Vicente Huidobro.

Estos años de la Gran Guerra fueron de intensa actividad editorial para el poeta chileno. Publicó entonces los siguientes libros: *Horizon carré* [25], *Tour Eiffel* [26], *Hallali* [27], *Ecuatorial* [28] y *Poemas árticos* [29].

Todas estas obras se presentan bajo una novedosa factura, sin puntuación, algunas de ellas impresas en papel de estraza, con la composición tipográfica desordenada, escribiendo algunas líneas con mayúsculas:

ALLA ME ESPERARAN

Buen viaje

Un poco más lejos

Termina la Tierra

Pasan los ríos bajo las barcas

La vida ha de pasar

---

[25] *Horizon carré*. París, 1917. (Los ejemplares de lujo de esta obra llevan un dibujo original de Juan Gris.)
[26] *Tour Eiffel*. Ilustraciones de Robert Delaunay. Madrid, 1918.
[27] *Hallali*. Madrid, 1918.
[28] *Ecuatorial*. Madrid, 1918.
[29] *Poemas árticos*. Madrid, 1918.

Persistimos en creer que el ejemplo del maravilloso poema de Stéphane Mallarmé, «Un coup de dés jamais n'abolira le hasard», publicado por primera vez en la revista *Cosmópolis* (número de mayo de 1897), se nos presenta como uno de los textos capitales de la poesía moderna.

Preparaba Mallarmé una edición definitiva de este poema cuando la muerte le sorprendió. Tal edición fue publicada por Gallimard, añadiéndose el prefacio del poeta. En este prefacio, Mallarmé señala la importancia que adquiere el espacio en blanco de la página en relación con el espacio negro de la tipografía, este último ocupando un tercio de la página, y no presentándose de un modo continuo, sino dispersándose por el papel. Estima el maestro que estos espacios blancos intervienen cada vez que una imagen cesa de actuar por sí misma, o se incorpora en la sucesión de otras imágenes. Como el contexto no está concebido sobre la sonoridad de las palabras, ya que, más bien, debe considerársele como una Idea única subdividida en múltiples reflejos de palabras, los espacios en blanco que separan los grupos de palabras, o las palabras entre sí, sirven para acelerar o retardar el movimiento, llevando al lector, como si se encontrara frente a un cuadro, a abarcar la página en una visión simultánea de ella. Igualmente la página, con la prolongación o acortamiento de sus líneas, con el empleo de diferentes familias tipográficas, con el texto que pasa a la página del frente, se nos presenta como una partitura, pero no como una partitura musical, sino como la partitura de una idea, de un pensamiento desollado vivo.

Persistimos en creer, repetimos, que este texto de Mallarmé es la piedra madre de la poesía moderna, piedra en la cual las cabezas más lúcidas del presente irán a golpear su frente para extraer las minervas contemporáneas.

Agregaremos aún más. La descomposición de la idea en prismas de palabras, en el texto clásico de Mallarmé, dará a la pintura un apoyo literario para descomponer la luz en volúmenes y presentarnos así una fisonomía totalmente inusitada de la realidad. Esta mágica operación será uno de los triunfos de la llamada pintura cubista.

Volvamos a la poesía, y *veamos* uno de los poemas de Guillaume Apollinaire:

```
Tu
  as
    vu
      la
        mort
          en
            face
              plus
                de
                  cent
                    fois
```

Hemos hablado, en páginas anteriores, de los caligramas, nombrando a Charles Nodier como uno de sus precursores. Este gran romántico francés es autor de un singular libro, muy ignorado, hasta el punto que su única edición, de 1852, está completamente agotada, y su posesión pasa por ser un privilegio de bibliófilos. Dicha obra se llama *Les sept châteaux du roi de Bohème*, y en una de sus páginas Nodier hace descender a un personaje por una escalera, y no solamente lo hace descender, sino que lo hace descender por la frase misma:

```
En
  descendant
        les
          sept
            rampes
              de
                l'escalier
```

Hemos señalado que Huidobro, el primero, ha sistematizado esta clase de experiencias líricas. En su poema «Tour Eiffel», el escritor chileno imagina que para subir a la Torre es necesario subir por una canción:

```
Do
  re
    mi
      fa
        sol
          la
            si
              do
```

Pero éste será uno de los últimos instantes en que se suba o se baje por canciones. Esta juventud de 1917 va a romper violentamente el consorcio poesía-música, y se establecerá la razón poesía-pintura. La presentación misma de los textos nos está indicando el rompimiento de la vieja amistad entre el sonido y la poesía y su reemplazo por la nueva amistad entre la poesía y la forma. Y a propósito de esto, tal vez sea del caso preguntarse con Novalis: «Ya que tantos poemas se ponen en música, ¿no será hora de ponerlos en poesía?»

Ya ha llegado el triunfo de los caligramas, de tan sencilla cuna en *Canciones en la noche,* el triunfo de los poemas pintados, de las frases de los periódicos recortadas y pegadas en un papel, el triunfo de las frases inusitadamente poéticas dibujadas en un cuadro y rompiendo de extremo a extremo el motivo pictórico. Ya los dadaístas han sentado sus reales en París, y pronto los periódicos del mundo entero reproducirán el cuadro de Marcel Duchamp *La Mona Lisa con bigotes.* La poesía, la pintura y la música, en fuerza de renovarse, irán de descubrimiento en descubrimiento.

CUARTO ESTADO DEL CREACIONISMO

Francia celebra el armisticio, y los poetas lloran la muerte de Guillaume Apollinaire.

Vicente Huidobro escribe un bellísimo poema por esta ausencia tan querida:

> El viento es negro y hay estalactitas en mi voz
> Dime Guillaume
> Has perdido la llave del infinito.

La muerte de este gran poeta francés señala la ruptura entre dos sistemas de la poesía. El uno, emparentado a la tradición del siglo XIX, tradición de la que Apollinaire fuera admirador y seguidor, y el otro, caracterizado por la fuerza revolucionaria de la moderna poesía y pintura, fuerza que el maestro revelara tan tempranamente. En efecto, estos dos sistemas están presentes en su poesía: la mantención de la forma estrófica, el ritmo, el carácter peyorativo de la palabra, como en Rimbaud y Jarry, el valor nostálgico del recuerdo, la preocupación por situar la escena con nombres propios y lugares conocidos, el rompimiento violento de la tipografía, la incorporación de imágenes obsesivamente modernas, y la intrepidez suya para poetizar los más absurdos y prosaicos objetos.

Como animador de la estética contemporánea, Apollinaire sostuvo la nueva corriente de poetas, entre ellos a nuestro compatriota, y asimismo proyectó sus luces teóricas sobre la pintura cubista.

Pronto, a su muerte, el fenómeno del dadaísmo se esforzaría por destruir hasta los últimos cimientos de la poesía del pasado. Nacido simultáneamente de varias cabezas, como una fuerza explosiva, alojada temporalmente en el Café Voltaire, de Zurich, el dadaísmo marcharía a París, con su juventud a cuestas. Hans Arp y Tristan Tzara se contarán entre sus primeros promotores, y en Francia se agregarán los nombres de André Breton, Jacques Rigaut, Marcel Duchamps, Benjamin Péret, Paul Eluard, bajo la sombra inquietante de Jacques Vaché, el suicida, y de Arthur Cravan, el boxeador.

¿Y Huidobro?

Sólo ocasionalmente el poeta participa de las reuniones tumultuosas del dadaísmo, como si la muerte de Apollinaire le prohibiera participar en nuevas experiencias, y por esos mismos años se preocupa de recoger en una antología sus libros *Horizon carré, Poemas árticos* y *Automne régulier,* aunque esta última obra sólo verá la luz en 1925. Agrega Huidobro a esta antología, llamada *Saisons choisies,* el poema «El espejo de agua», del libro del mismo nombre, y un artículo, «La creación pura» (ensayo de estética), publicado en la revista *L'Esprit Nouveau,* mes de abril de 1921.

Es decir, mientras nuevas corrientes agitan la poesía europea, el poeta chileno permanece fiel a la corriente por él imaginada.

En el ensayo citado, Huidobro piensa que para estudiar los problemas estéticos es necesario alejarse de la metafísica y buscar el apoyo de la filosofía científica. Ofrece un esquema de las formas en que el arte se presenta: arte inferior al medio (arte reproductivo); arte en equilibrio con el medio (arte de adaptación), y arte superior al medio (arte de creación).

«Es preciso, pues —escribe Huidobro—, hacer notar esta diferencia entre la verdad de la vida y la verdad del arte; una, que existe anteriormente al artista, y la otra, que le es posterior y que es producida por él.

La confusión de estas dos verdades es la principal causa de error en el juicio estético.

Nosotros debemos dirigir nuestra atención sobre este

punto, pues la época que comienza será eminentemente creadora. El hombre sacude su esclavitud, se rebela contra la naturaleza como otrora Lucifer contra Dios: pero tal rebelión es sólo aparente: pues nunca el hombre ha estado más cerca de la naturaleza que ahora, en que no trata ya de imitarla en sus apariencias, sino de proceder como ella, imitándola en el fondo de sus leyes constructivas, en la realidad de un todo, en su mecanismo de producción de formas nuevas.

En seguida veremos cómo el hombre, producto de la naturaleza, sigue en sus producciones independientes el mismo orden y las mismas leyes que la naturaleza.

No se trata de imitar la naturaleza, sino su poder exteriorizador.

Ya que el hombre pertenece a la naturaleza y no puede evadirse de ella, él debe tomar de ella la esencia de sus creaciones. Nosotros debemos no obstante, considerar las relaciones del mundo objetivo con el yo, este mundo subjetivo que es el artista.

El artista toma sus motivos y sus elementos del mundo objetivo, los transforma y los combina, los devuelve al mundo objetivo bajo la forma de hechos nuevos, y este fenómeno estético es tan libre e independiente como cualquier otro fenómeno del mundo exterior, tal como una planta, un pájaro, un astro o un fruto, y tiene como éstos su razón de ser en sí mismo» [30].

No es el citado el único texto teórico que tengamos del poeta por esos años. En el Ateneo de Madrid, en 1921, pronuncia una conferencia acerca de los problemas de la poesía, y de esta conferencia conservamos un fragmento.

En él Huidobro, junto con reiterar el valor creador de la poesía, agrega conceptos novedosos atribuyendo a la palabra una eficacia mágica, con el mismo contenido que ella tendrá para los componentes del grupo «Le grand jeu» (René Daumal, Roger Gilbert Lecomte, Rolland de Renéville):

«Aparte de la significación gramatical del lenguaje, hay otra, una significación mágica, que es la única que nos interesa... En todas las cosas hay una palabra interna, una palabra latente que está debajo de la palabra que las designa. Esa es la palabra que debe descubrir el poeta.»

---

[30] *Antología.* Ed. Zig-Zag.

Y más adelante: «El poeta conoce el eco de los llamados de las cosas a las palabras, ve los lazos sutiles que se tienden las cosas entre sí, oye las voces secretas que se lanzan unas a otras, palabras separadas por distancias inconmensurables. Hace darse la mano a vocablos enemigos desde el principio del mundo, los agrupa y los obliga a marchar en su rebaño por rebeldes que sean; descubre las alusiones más misteriosas del verbo y las condensa en un plano superior, las entreteje en su discurso en donde lo arbitrario pasa a tomar un rol encantatorio. Allí todo cobra nueva fuerza y así puede penetrar en la carne y dar fiebre al alma. Allí coge ese temblor ardiente de la palabra interna que abre el cerebro del lector y le da alas y lo transporta a un plano superior, lo eleva de rango. Entonces se apoderan del alma la fascinación misteriosa y la tremenda majestad» [31].

Será interesante señalar esta preocupación de Huidobro por afinar su propia teoría poética, en dichos años, y su aparente desinterés por una actividad poética propiamente tal, y esto, repetimos, en un momento en que Europa entera bullía con la fiebre creadora de la poesía, la música y la pintura.

Es otro el interés del escritor chileno, un interés social, si pudiéramos decirlo así.

En 1923 publica un agudo y original panfleto en contra del colonialismo inglés, *Finis Britanniae* [32].

Esta obra, además de su carácter panfletario, presenta algunos rasgos novelescos. Desde luego, vemos a un personaje, Víctor Halden (cuyas iniciales son las de Vicente Huidobro), que recorre la grandes ciudades del Imperio Británico exhortando a las multitudes a sacudir el yugo de la esclavitud, y al eco de su voz la Isla del Norte tiembla.

Halden ha creado una sociedad secreta, la Sociedad Alpha, para libertar a las colonias de la opresión de la metrópoli, con ramificaciones en todas las colonias inglesas y prosélitos en todos los países del mundo. Estos prosélitos se llaman los Caballeros de la Libertad. Se reúnen periódicamente en alguna de las grandes ciudades del Imperio, y en estas reuniones se trazan los planes para la liberación definitiva.

---

[31] *Temblor de cielo*. Ed. Cruz del Sur, 1942.
[32] *Finis Britanniae*. París, 1923.

13

Halden tiene un amigo de infancia, el escritor inglés Harrison, quien ha escrito que Inglaterra se ha apoderado de India porque este país tenía grandes riquezas que sus habitantes no sabían explotar.

«Es —decía Víctor Halden— exactamente como si yo quisiera tener el collar de perlas dê una gran duquesa rusa con el pretexto de que ella no sabe llevarlo y que luciría mejor en el pecho de mi mujer.»

Otro personaje, si pudiéramos darle ese nombre, es Miss Mackenzie, una hermosa irlandesa quien siente por Victor Halden una especie de adoración mística.

El libro transcribe los discursos de Halden a los irlandeses, a los hindúes, a los turcos, a los egipcios, a los sudafricanos, al Canadá, a la Australia y a la misma Inglaterra, y termina con esta observación: «Un día, pasando cerca, alguien se aproximó a estas páginas y vio que el autor sobrepasaba con su cabeza el libro que había escrito.»

Al año siguiente, en 1924, conmovido por el desaparecimiento del conductor soviético, escribe su «Elegía a la muerte de Lenin», un hermoso ejemplo de poesía directa:

> Tú eres la nobleza del hombre
> En ti empieza un nuevo linaje universal
> Y así como tu vida era la vida de la vida
> Tu muerte será la muerte de la muerte [33].

Así, pues, vemos apuntar en la obra de Huidobro una preocupación por temas más específicamente reales, nunca antes tan agudamente acentuada como en *Finis Britanniae* y en «La elegía a la muerte de Lenin», aunque el tratamiento conserve el más puro estilo creacionista.

Hemos dicho, al hablar de los caligramas, que Huidobro expuso una muestra de ellos en 1922. Agreguemos que entre ellos figura uno que ha alcanzado gran celebridad: «Molino», excelente expresión de la alianza de la poesía con la representación pictórica.

Debemos señalar, para concluir con este período de la actividad de Huidobro, la publicación del primer número de la revista internacional de arte, *Creación* [34], en el que encontramos colaboraciones de Raymond Radiguet, Paul

---

[33] Eduardo Anguita y Volodia Teitelboim, *Antología de poesía chilena nueva.* Ed. Zig-Zag, 1935.
[34] Madrid, enero de 1921.

Dermée, Adolf Wolff, Claire Studer Goll, Vicente Huidobro, Maurice Raynal, Emile Settimelli, Gerardo Diego,
Angel Cruchaga, Juliette Roche, Céline Arnauld, Ramón
Prieto y Romero, Eliodoro Puche e Ivan Goll, más una
pieza de música de Arnold Schönberg, e ilustraciones de
Juan Gris, Albert Gleizes, Georges Braque, Lipchitz y Pablo Picasso [35].

QUINTO ESTADO DEL CREACIONISMO

En 1925 el poeta chileno publica dos libros de versos
en lengua francesa: *Automne régulier* [36] y *Tout à coup* [37].
Ese mismo año publica también sus manifiestos [38].
No podemos reprochar a Huidobro la cantidad enorme
de textos suyos publicados en francés. París ha sido, durante el presente siglo, la sede casi permanente de un
ideal congreso del espíritu, no sólo en poesía, sino también en música y pintura. Debemos, por el contrario, fe-
licitarnos que el escritor chileno haya llevado la voz de
nuestro continente a tan alta polémica espiritual, y que
tan bien lo haya representado, pues la suya ha sido una
voz original donde tantas señeras voces se entrecruzaban,
y esto con el riesgo previsto por Huidobro: el de saber
que su palabra poética no alcanzaría en lengua española
el sitial que tanto advenedizo le ha negado.
No obstante, en el momento presente, esta voz se ha
abierto camino en nuestra lengua, con refulgente precisión, y en tal grado, que la poesía huidobriana es un
importante punto de referencia en el camino de nuestra
historia literaria.
Automne régulier y *Tout à coup* nos dan de Huidobro

---

[35] En 1924, Huidobro publica en París el que podría ser considerado
segundo número de esta revista, pero con el título en francés: *Création*.
Figuran en el catálogo su manifiesto «Manifeste peut-être» y colaboraciones
suyas, de Tristan Tzara, René Crevel, Juan Larrea y Erik Satie.
[36] *Automne régulier*. París, 1925. (Algunos de los poemas de este libro,
como lo hemos señalado, figuran ya en *Saisons choisies*, antología de Huidobro, publicada en 1921.)
[37] *Tout à coup*. París, 1925.
[38] *Manifestes*. París, 1925. (Esta obra recoge los siguientes textos: «Manifeste manifestes», «Le créationisme», «Je trouve», «Futurisme et machi-
nisme», «La poésie des fous», «Besoin d'une esthétique poétique faite par les
poètes», «Epoque de création», «Avis aux touristes», «Manifeste peut-être»,
«Les sept paroles du poète».)

una imagen renovada. Mientras sus anteriores textos tienden a la distorsión tipográfica, es decir, tienden más a la preocupación visual del poema, en estos dos libros podemos establecer legiblemente las posibilidades esenciales de su lirismo.

No queremos decir con esto que sus obras anteriores no contengan hermosas entidades poéticas, sino señalar que en *Automne régulier* y *Tout à coup* dichas entidades se nos muestran más aproximativas, sin el traslado de las estrofas de un sitio a otro de la página y sin el empleo fatigante de las altas y las bajas que advertimos en *Hallali*, por ejemplo.

En cuanto al fondo, estas dos obras de 1925 señalan el estilo creacionista en su más alta cima. Huidobro ha logrado concentrar su pensamiento y lo ha manifestado a través de depuradas líneas. Las imágenes expresivas de sus poemas también manifiestan una economía de medios para ser dichas. No es ya la descripción impresionista de sus libros anteriores; ahora más bien se trata de evadir la imagen para convertir el poema en el espejo de una imagen que queda afuera de él.

Para hacer más clara esta idea tomemos al azar un poema de *Hallali*, y examinemos un fragmento suyo [39].

Sobre el cañón
Un ruiseñor cantaba

He perdido mi violín

La trinchera
Da la vuelta a la Tierra

Este es un poema de guerra, naturalmente. Las imágenes son impresionistas, y nos llevan a componer mentalmente un cuadro bélico, un cuadro tratado con los colores del creacionismo.

En cambio, en estos libros de 1925, la imagen ha perdido ese aspecto acentuadamente impresionista, y, manteniéndose dentro del estilo del poeta, se ha enriquecido con el aporte de la extrañeza poética creacionista.

Por ejemplo:

---

[39] *La tranchée.*

Nuestra reina es una maravilla
Tiene más prestigio que los sonetos
Ella come la miel y bebe leche
Miel de silencio en las canastas
Tejidas por las miradas de los paseantes del muelle

Esta preocupación por acentuar la extrañeza poética
lleva a Huidobro a insistir en su imagen total, en hacerla
un todo solidario con el poema, y a no soltarla hasta que
esta imagen no haya rendido su fruto pleno:

Cantad la miel poetas cantad
La miel que ha hecho célebres a las abejas [40].

Además, ese mismo año 1925, Huidobro recoge en un
libro, *Manifestes*, una cantidad de documentos teóricos, y
entre ellos un manifiesto sobre el creacionismo. En él resume su posición:
«1. Humanizar las cosas. Todo lo que pasa a través
del organismo del poeta debe tomar la más grande cantidad de su calor. Aquí una cosa vasta, enorme como el horizonte, se humaniza, se convierte en íntima, en filial con
el adjetivo cuadrado. (Huidobro se refiere al título de su
libro: *Horizon carré*.) El infinito entra en el nido de
nuestro corazón.
2. Lo vago se hace preciso. Cerrando las ventanas de
nuestra alma, lo que podía escaparse y convertirse en gaseoso, en estropajoso, permanece encerrado y se solidi-
fica.
3. Lo abstracto se hace concreto y lo concreto abstracto. Es decir, el equilibrio perfecto, puesto que si usted estira lo abstracto hacia lo abstracto, se deshará en
sus manos o se filtrará por sus dedos. Lo concreto si usted lo hace más concreto, acaso pueda servirle para beber vino o amoblar su salón, pero nunca para amoblar
su alma.
4. Lo que es demasiado poético para ser creado se
convierte en una creación al cambiar su valor usual, puesto que si el horizonte era poético en sí, si el horizonte era
poesía en la vida, con el calificativo cuadrado llega a ser
poesía en el arte. De poesía muerta pasa a poesía viva.»
En este mismo manifiesto el poeta reproduce sus afirmaciones:
«Crear un poema tomando de la vida sus motivos y

---

[40] *Tout à coup*, p. 12.

transformándolos para darles una vida nueva e independiente.

Nada de anecdótico ni de descriptivo. La emoción debe nacer de la sola virtud creadora.

Hacer un poema como la naturaleza hace un árbol.»

Estos años europeos son los años de los manifiestos. Vicente Huidobro ha expresado su punto de vista, y, combatida o no, es la suya una alta expresión teórica, de tanta importancia para el arte nuevo como la del dadaísmo, el gran juego o el surrealismo, y la única voz de lengua española que se deja oír en ese concierto de las naciones poéticas.

Consecuente con una línea cubista, el pensamiento del poeta chileno servirá de apoyo, más tarde, para una determinada expresividad lírica, así como para muchas de las fórmulas pictóricas de los grupos llamados concretos y abstractos.

SEXTO ESTADO DEL CREACIONISMO

En 1926, Huidobro regresa a Chile y publica *Vientos contrarios* [41], libro de anotaciones entremezcladas, y un hermoso poema en un periódico de la capital. A nuestro juicio, es importante este texto, pues él prefigura un nuevo estado de su poesía. Este poema se llama «Pasión pasión y muerte», y fue publicado en un número de Semana Santa en el rotativo *La Nación*, dirigido por don Eliodoro Yáñez.

Mientras toda su poesía anterior refleja una inmediata preocupación estética, en esta obra la realidad toca la ventana y penetra por ella convertida en un furioso vendaval. El alma entera queda volcada, esa alma que había vivido para los rigores de la poesía, y no para los rigores del mundo. Y entonces Huidobro, abandonando de golpe muchas de sus convicciones teóricas, y hasta su esceptismo, no canta, ruega, y, como surgidas al golpe de un gran dolor, las palabras creacionistas se retuercen para llegar al crucificado, implorando:

Por si acaso eres Dios, vengo a pedirte una cosa
En olas rimadas con fatiga de prosa.

---

[41] *Vientos contrarios.* Ed. Nascimento, 1926.

Huidobro, en este texto, se deja llevar por el encanto de los versos pareados, y consigue, con palabras de todos los días, un insuperable clima poético:

Sin embargo, Huidobro no persevera en su dolor, o, más bien dicho, el dolor no es el único estímulo para su actividad santiaguina. Como un escolar en vacaciones, en un momento de aguda incertidumbre política del país, redacta un periódico local, *Acción*, en el que denuncia violentamente las contradicciones sociales y económicas imperantes, mientras un grupo de estudiantes universitarios propone su nombre para la candidatura presidencial.

El dolor no es el único estímulo, pero es un estímulo nuevo, y, una vez introducido en la poesía huidobriana, difícilmente la abandonará.

El poeta pasa como un rayo por la ciudad, mientras prepara las maletas para regresar a París; pasa como un rayo, repetimos, hiriendo corazones y llevándose el suyo malherido.

SÉPTIMO ESTADO DEL CREACIONISMO

Avecindado en Europa nuevamente su actividad creadora le impulsa a revisar un poema largo, *Altazor*, borroneado desde 1919, poema que él consideraba su texto más importante, y a publicarlo con el célebre apunte de Picasso, ya reproducido en *Saisons choisies* [42].

Igualmente hace imprimir en Madrid *Temblor de cielo* [43], y en la mismísima capital española, *Mío Cid Campeador*, acaso su más alabada obra en prosa [44].

Con esta última obra, el poeta chileno enfrenta un género nuevo, la novela, tan apresuradamente bosquejada en *Finis Britanniae*, y salva el escollo con su habitual elegancia.

Mas no es éste el único género que incorpora a su haber, y en 1932, la editorial Totem, por recomendación

---

[42] *Altazor*. Madrid, 1931. (Con el título de *Altaigle, ou l'aventure de la Planète*, y con prefacio de Robert Ganzo, fue traducido al francés y editado por Fernand Verhesen, 1957.)

[43] *Temblor de cielo*. Madrid, 1931. (No hemos revisado sino las primeras páginas de esta edición.) Publicada en francés: *Tremblement de ciel*. París, 1932. Nueva edición. Ed. Cruz del Sur, 1942.

[44] *Mío Cid Campeador*. Ilustraciones de Santiago Ontañón. Madrid, 1929. Segunda edición: Ed. Ercilla, 1942. Hay traducción inglesa de Warre B. Wells: *Portrait of a Paladin*. Londres, 1931, y Nueva York, 1932.

de André Breton, publica su pieza de teatro en cuatro actos y un epílogo: *Gilles de Raiz* [45].

Examinaremos circunstanciadamente estas obras.

Altazor es un poema largo. La técnica de los poemas de gran extensión supone complicados problemas para los autores. Generalmente la poesía lírica se expresa en un corto texto, no más allá de lo que un lector medio alcanza a leer inmediatamente. Para conseguir la identidad de un poema largo (no nos referimos a un poema corto alargado artificialmente) se requiere prestar al poema una espina dorsal que lo mantenga en pie naturalmente y no por la ley de la inercia. Se requiere, además una arquitectura que le preste su contenido. En el caso de *Altazor*, esta espina dorsal es la historia, contada en siete cantos, de la palabra humana vuelta verbo poético. De ahí el desarticulado final, con frases rotas y palabras de confusa algarabía, pues consideraba Huidobro que la poesía iba a cumplir su carrera como el sol, que se destroza en mil fragmentos de luz sobre el horizonte de la tarde.

Mientras, en el comienzo, las palabras alcanzan una extraordinaria coherencia lírica:

Mujer el mundo está amueblado por tus ojos
Se hace más alto el cielo en tu presencia
La tierra se prolonga de rosa en rosa
Y el aire se prolonga de paloma en paloma [46],

las líneas finales no atinan sino a balbucir:

Semperiva
            ivarisa tarirá
Campanudio lalalí
            Auriciento auronida
Lalalí
      lo ia
i i i o
Ai a i ai a i i i i o   i a [47].

No es *Altazor* el único poema largo de Huidobro. *Temblor de cielo* es el otro. En este texto, escrito en prosa, el hilo conductor es el amor, e Isolda, la mujer amada, una hermosísima creación huidobriana. Sin embargo, este hilo conductor no aparece muy visiblemente, pues todo

[45] *Gilles de Raiz*. Ilustraciones de Joseph Sima. París, 1932.
[46] *Altazor*, p. 45.
[47] *Altazor*, p. 111.

el poema está bañado por una luz negra y por un incontenible presentimiento de la muerte. Los objetos no permanecen estables, sino que tienden a monstruosas transformaciones:

«Entonces el castillo se convierte en una flor, el ojo se convierte en un río lleno de barcas y toda clase de peces. El piano se convierte en una montaña, el mar en una pequeña alcachofa que gira como un molino.»

Las mismas visiones no son de manera alguna placenteras:

«Como aquella de los enanos que pasan volando llevando sobre sus hombros el ataúd de un Titán. Y aquella de la isla arrancada por el viento que cae sobre la ciudad. Y aquella del rayo entretejido en la lluvia de la borrasca. Y aquella de las palmeras dobladas bajo las ruedas del huracán.»

Todo este torrente de palabras anunciadoras de naufragios, cataclismos y llantos como si nos tropezáramos con un Isidore Ducasse del siglo XX, va a rematar en el discurso final:

«Señoras y señores: Hay un muerto que aplasta sus cabellos bajo la cabeza adentro del ataúd. Vosotros tenéis hermosos dientes para decir hermosas palabras. Señoras y señores: Hay un pájaro que se abre en pleno vuelo y nos arroja la eternidad. Nos arroja entre sangre y vísceras la eternidad como una inmunda promesa. El pájaro adivinado por los astrónomos conoce todos los secretos. Señoras y señores: Hay un muerto que está deviniendo esqueleto en su ataúd. Las emanaciones de la carne rasgan la madera y hacen oscilar las puertas de piedra.»

Y con todo, con todo ese arrastre de sombrías palabras, *Temblor de cielo* es un canto de amor, de patético color y de inspirada forma.

No tiene un color sombrío la hazaña épica de Huidobro: *Mío Cid Campeador*. Dominan en ella el desenfado creacionista y el humor blanco, de insuperable calidad. Huidobro se atiene en un todo al poema y al romancero, suprimiendo eso sí la afrenta de Corpes, que él considera falsa de toda falsedad:

«Además eso de la afrenta de Corpes es falso, primero porque históricamente sabemos que es falso y segundo porque no se explica que nadie se hubiera atrevido a azotar a las hijas del Cid, ni que éste lo hubiera tolerado y no hubiera tomado mucha mayor venganza de la que reza la leyenda. Yo no veo a mi abuelito el Cid permitiendo que se azotara a mi tía María y a mi abuelita Cristina sin comerse crudos a sus maridos. Esto es falso: yo os lo juro. Si fuera cierto lo sabríamos en la familia y ya veríais como yo habría hecho añicos en estas páginas a ese par de infames. El hecho de que apenas me ocupo de ellos os probará que la tal afrenta es una ridícula mentira. Apelo a la docta y noble persona de don Ramón Menéndez Pidal.»

Con un admirable anacronismo poético, más que una rigurosa novela histórica, la hazaña del escritor chileno tiende a describirnos, en un gran fresco, la presencia inmortal del alma española.

También Huidobro es seducido por el teatro, como forma de expresión lírica, y nos entrega en *Gilles de Raiz* un retrato creacionista de ese extraño compañero de Juana de Arco, héroe asimismo de Huysmans y Shaw.

La atmósfera de la obra, así como lo advirtiéramos en su *Temblor de cielo*, es acentuadamente sombría, y la repetición angustiosa de las frases propaga en ecos la tragedia de los personajes.

Orgullosamente, Huidobro había pretendido ser el creador de su propia obra, una obra que nada debiera al mundo y a la realidad, una obra que, respondiendo a la divisa de Montesquieu, en *El espíritu de las leyes*, fuese *prolem sine matre creatam* (hijo nacido sin madre). Mas la realidad va acumulando lentamente sobre estas obras de la inteligencia su pesado fardo de problemas, y un día llega en que el creador ve sobre el lienzo blanco de su pureza creadora diseñarse el rostro del dolor y del amor humanos.

La ciencia del poeta chileno es la de habernos presentado su obra sin borrar las huellas de la realidad, por mucho que ellas se opusieran a su teoría, y son estas huellas las que nos hacen tan interesantes y simpáticas su persona y su literatura.

No quisiéramos terminar este capítulo sin insistir, aunque la reiteración pudiera parecer molesta, en este doble aspecto de la obra huidobriana: el uno, el estado del poeta puro, creador e insensibilizado, que pone nombre a los objetos brotados de su inteligencia y de su imaginación, objetos reales en la medida que la poesía les prestaba un cuerpo y un alma; y el otro, el estado del poeta transido, a la intemperie, acosado por la angustia del mundo contemporáneo, traspasado por la realidad con agudas saetas, y con los ojos abiertos a su dolor y a su amor, para transmutarlos en poesía.

Pues hay que decirlo reiteradamente: mientras el problema mayor de su juventud fue la preocupación estética, ahora el problema será la preocupación humana; mientras antes no quería para sus textos nada anecdótico o descriptivo, ahora no se opondrá a la invasión del mundo cotidiano.

Sin embargo, no sigamos adelante, puesto que él sabrá decirlo con mejores palabras que las nuestras:

> El mundo se me entra por los ojos
> Se me entra por las manos
> Se me entra por los pies
> Me entra por la boca y se me sale
> En insectos celestes nubes de palabras por los poros [48].

OCTAVO ESTADO DEL CREACIONISMO

Huidobro regresa a Chile en 1933. En su torno se agrupan escritores, pintores y músicos jóvenes, con los cuales organiza ferias de arte, exposiciones y recitales, publicando asimismo efímeras revistas: *Pro, Vital, Primero de Mayo* y *Total*, revista esta última que recoge su manifiesto humanístico en el que postula por una unidad completa del ser humano.

Su inquietud, la que en 1924 le impulsara a escribir su «Elegía a Lenin», le acerca al comunismo, le hace escribir panfletos políticos, en los que está latente su gracia poética, y más tarde le hace marchar a España para adherir a la causa de la infortunada República.

En Chile no publica libros de poemas, sino tres novelas: *Cagliostro* [49], *La próxima* [50] y *Papá o El diario de Alicia Mir* [51]. Publica, además, una pieza de teatro: *En la luna* [52], y sus *Tres inmensas novelas*, escritas en colabo-

---

[48] *Altazor,* Canto I.
[49] *Cagliostro.* Ed. Zig-Zag, 1934. Hay traducción inglesa de Warre B. Wells: *The Mirror of a Mage (Cagliostro).* Londres, 1931, y Nueva York, 1931.
[50] *La próxima (Historia que pasó en poco tiempo más).* Ed. Julio Walton, 1934.
[51] *Papá o El diario de Alicia Mir.* Ed. Julio Walton, 1934.
[52] *En la luna.* Ed. Ercilla, 1934.

ración con Hans Arp [53]. Otra novela suya, *Sátiro o El poder de las palabras* [54], vendrá después, pero no altera ningún orden si la consideramos en esta sección.

Huidobro aplica en *Cagliostro* el mismo procedimiento que empleara para escribir *Mío Cid Campeador*, es decir, todo está condicionado a la acción de la novela, sin derivaciones psicológicas de ninguna clase. En cierto sentido, semeja un guión cinematográfico, y esta idea tuvo presente el autor, pues explica que *Cagliostro* es una novela-film.

En cambio, en *La próxima (Historia que pasó en poco tiempo más)* vuelve Huidobro a derrochar el caudal de sus imágenes poéticas, transformando la novela en un vasto poema antibélico.

Cagliostro y *La próxima* son los dos extremos de una misma poesía, si así se pudiera decir hablando de novelas, y ellas nos aclaran el paralelismo estilístico del escritor chileno.

Vemos en *Cagliostro* las imágenes poéticas incorporadas a la acción, solidarias con ésta hasta el punto que el autor no necesita recurrir a las imágenes para expresarse, pues la acción misma es la imagen poética.

En cambio, en *La próxima*, acción e imagen se presentan por separado, y cuando se unen provocan un acentuado calofrío de belleza pánica.

Veremos dos ejemplos:

«Yo luchaba contra la corriente y a pesar de mis esfuerzos desesperados, apenas lograba avanzar un poco. La corriente contraria se convirtió en una tempestad, las olas me azotaban la cabeza como puños feroces. Me debatía contra la rabia de las aguas. Me hundía, volvía a salir a flote y volvía a hundirme. Ya creía que todo había terminado y que iba a morir en ese lago furioso, cuando tras una última ola apareció la ribera. La tempestad se calmó» [55].

En este fragmento, como en toda la novela, la acción y la imagen están unidas. No así en *La próxima*:

«Calles, calles. Una ciudad muerta tiene más calles que una ciudad viva. El viento pesca un diario en el suelo y se pone a jugar con él, luego lo levanta hasta la altura de

---

[53] *Tres inmensas novelas*. Con un retrato de Huidobro hecho por Hans Arp y otro de Arp hecho por Modigliani. Ed. Zig-Zag, 1935.

[54] *Sátiro o El poder de las palabras*. Ed. Zig-Zag, 1939.

[55] *Cagliostro*, p. 104.

los ojos y se lo lleva, se lo lleva, se aleja leyendo en silencio. Calles, calles de muertos. Muertos, muertos, calles y más calles, muertos y más muertos. Tantos muertos y tantas calles.»

Aparte de su valor estilístico, *La próxima* predice en 1934 una futura contienda atómica, con destrucción de ciudades y muerte de millones de personas.

Papá o El diario de Alicia Mir nos presenta a un personaje visto a través de los ojos de su hija, un personaje realmente maravilloso y con un aspecto casi irreal, cuyos defectos son virtudes y cuyas virtudes pasan los límites del milagro.

Huidobro se propuso describir en su pequeño guiñol, *En la luna*, las graciosas contingencias políticas de una pequeña república, cuyo poder es tomado sucesivamente por los más disímiles gremios: los bomberos, los dentistas, etc.

También son de regocijado ánimo los mágicos relatos que Huidobro escribiera en colaboración con Hans Arp, *Tres inmensas novelas*, y a las que agregó otros textos suyos, para formar un volumen con el número de páginas requeridas por el editor.

Hans Arp, pintor y poeta alemán, pero de la llamada Escuela de París, tiene un estilo plástico y poético de la misma factura que admiramos en algunos escritos de Huidobro. Nos referimos, naturalmente, a aquellos que se caracterizan por la ausencia de imágenes, y cuyo ejemplo más cabal sería «El célebre océano» [56]. También sería del caso anotar, en esta línea, gran cantidad de textos del poeta Benjamín Péret [57].

Para volver a las *Tres inmensas novelas*, diremos que juntos los dos, Vicente Huidobro y Hans Arp, consiguen relatos de insólita poesía, la que en cualquiera relectura mantiene su permanente fragancia [58].

Por último, *Sátiro o El poder de las palabras*, cuyo subtítulo mismo es un programa, es una novela de franco psicologismo. Su personaje principal, Bernardo Saguen, ocioso y rico, va lentamente languideciendo porque se cree un sátiro, y esto porque alguien le increpó con este calificativo. De ahí el poder de las palabras. Mas, con

---

[56] «El célebre océano», en el folleto *Presentaciones*. Barcelona, 1932.
[57] BENJAMÍN PÉRET, *Le grand jeu*. París, 1928.
[58] Existe traducción francesa del relato: «Salvad vuestros ojos». *Les Quatre Vents*, núm. 4. París, 1946.

toda la debilidad de esta obra, hay en ella un hermoso poema a los árboles, verdadero trozo de antología huidobriana:

«El eucalipto, el antípoda hermano que sale a recibirme al frente de su tribu y dirige la danza del saludo y el ofrecimiento hospitalario. Todo lo mío es tuyo en nombre de mi tribu y te ofrezco mis vastas tierras y toda el agua de mis ríos.»

Agreguemos, en estas apresuradas notas, y como dato importante para la historia literaria de nuestro país, la publicación, en 1935, de la *Antología de poesía chilena nueva*, de Eduardo Anguita y Volodia Teitelboim, pues ella nos presenta un voluminoso compendio de la obra huidobriana, siempre tan difícil de encontrar, en razón de haberse publicado la mayoría de los textos en el extranjero y en ediciones de muy escaso tiraje.

Y, por último, añadamos la colaboración de Huidobro en la revista *Mandrágora*, órgano de expresión del grupo del mismo nombre, colaboración que ha permitido a críticos mal informados atribuir a sus componentes un porcentaje creacionista en sus escritos.

NOVENO ESTADO DEL CREACIONISMO

Solamente en 1941 Huidobro vuelve a publicar libros de poesía. *Ver y palpar* [59] y *El ciudadano del olvido* [60] aparecen en la Editorial Ercilla, por recomendación de Luis Alberto Sánchez. Se reúnen en estas dos obras poemas escritos desde 1923 a 1934, algunos publicados en revistas, inéditos la mayor parte.

Anotemos que estos poemas reflejan el rico paralelismo estilístico del escritor, desde los textos podados de imágenes, como «Los señores de la familia»:

La nariz contra la nariz
La luna contra la luna
Señora qué día es hoy
Yo no puedo contestarle
Soy la hija del viento, norte,

hasta aquellos de aglutinantes visiones, como «Un rincón olvidado»:

[59] *Ver y palpar*. Ed. Ercilla, 1941.
[60] *El ciudadano del olvido*. Ed. Ercilla, 1941.

«Pañuelos y adioses para los enfermos en sanatorios de nieve. Ventajoso desierto de los reyes. En la Europa Oriental los votos de los monjes y las dínamos son *affiches* de plazas populosas. Los potros del circo galopan sobre los sentimientos indeseables. En magnífico estado el milagro de las situaciones especializadas, la tempestad cargada de echarpes como los inviernos en Suiza. Controlad la geografía y decidme en dónde está la muerte electrizada, en dónde está la Tierra Prometida.»

Después de estos libros, muy ocasionalmente vuelve a publicar poemas en revistas, aunque ha producido tres, por lo menos, de excelente factura: «Monumento al mar» [61], «El paso del retorno» y «Coronación de la muerte», emocionante elegía a la muerte de su madre.

Ha sobrevenido la guerra, una nueva guerra; no es la guerra suya, pero va a Europa como corresponsal de un periódico uruguayo. Regresa con el alma malherida, escéptico de todo, salvo de la poesía [62]:

Oh mis buenos amigos
¿Me habéis reconocido?
He vivido una vida que no puede vivirse
Pero tú, Poesía, no me has abandonado un solo instante.

Después sobreviene el fin físico del poeta, y el 2 de enero de 1948 muere en su finca de Cartagena, ocho días antes de cumplir los cincuenta y cinco años de edad. Manos piadosas han levantado su tumba en ese balneario popular para que el poeta repose frente al océano.

SU OBRA LITERARIA

Como resumen de nuestra apretada síntesis, en que nos hemos esforzado por recoger, uno por uno, los diferentes estados del creacionismo, tal como se perfilan en la obra huidobriana, podemos señalar varios importantes aportes de este escritor a la poesía moderna:

1. Huidobro sistematiza el caligrama como forma de expresión poética, en 1913, antes que ningún otro escritor.

---

[61] Existe traducción francesa de Fernand Verhesen: *Monument à la mer,* editada en 1956.

[62] *Ultimos poemas.* Santiago, 1948. (Esta edición. que recoge los poemas inéditos del autor, se debe a la señora Manuela García Huidobro, hija del poeta.)

2. Se apoya, también uno de los primeros entre los escritores, en una doctrina estética, de propia invención, para el desenvolvimiento de su obra.

3. Su teoría creacionista tendrá un eficaz resultado para ciertas experiencias de la poesía y, asimismo, para las llamadas escuelas abstractas y concretas de la pintura.

4. Impone la voz de nuestro continente en la polémica del arte moderno y de la poesía de vanguardia, aunque esta intervención suya le obligue a emplear otra lengua para sus textos, arriesgando la incomprensión de la crítica en lengua española.

5. Agrega extraordinarios textos líricos a la literatura universal de nuestro siglo.

6. Aporta su experiencia poética a la novela, y, sin transformar a ésta en novela poemática, le otorga una nueva sensibilidad.

7. Interviene en la literatura dramática y crea una pieza de teatro de inconfundible acento.

Seguramente, más importantes estudios acerca de la obra de Vicente Huidobro se publicarán en el futuro. El nuestro sólo ha pretendido estimular dichos trabajos, guiados por nuestro cariño y admiración hacia el hombre que contribuyó a crear las luces de la poesía moderna.

[Prólogo a *Obras completas de Vicente Huido-bro* (Santiago de Chile, Zig-Zag, 1964).]

POESIA Y CREACIONISMO
DE VICENTE HUIDOBRO (1968)

Estudiar la poesía de Vicente Huidobro, juzgarla, y hasta simplemente exponerla y explicarla, supone para mí una tarea, un compromiso poco menos que irrealizable. Primero, porque pienso en que los demás, los que me escuchen o lean, al saber o haber sabido ya desde hace tiempo los lazos de amistad y de discipulazgo que me unen al poeta chileno, recusarán mis afirmaciones como necesariamente apasionadas y partidistas. Después, porque mi propia conciencia me grita que no soy el indicado para emitir un dictamen razonado y razonable. Vicente Huidobro y su poesía es, continúa siendo, en mi vida y en mi pasión por la poesía, algo esencial, algo que forma parte de mí mismo. Pero también es verdad que no se me pide por los que me han llamado una declaración fría, una crítica objetiva, sino que se me deja en libertad para elegir el punto de vista y el tono de mis palabras. Y soy yo mismo el que ha aventurado, quizá un poco irresponsablemente, anunciar que el tema sería el de «Poesía y creacionismo de Vicente Huidobro». Me siento, pues, obligado a dejar en segundo término relaciones personales y alusiones autobiográficas, si bien no podré prescindir de ellas en algún modo, porque otra cosa sería para mí imposible y, por añadidura, falsa e hipócrita. Con todo, la explanación de mis recuerdos y de los afanes comunes con el poeta Vicente Huidobro y con algún otro amigo y camarada se han de quedar para otra ocasión que pueda justificarlos. Del mismo modo, la explicación en su voluntad total y en sus matices diferenciadores de la poética creacionista, tampoco cabrá en mi abreviada di-

14

sertación de hoy. Intentaré, pues, armonizar pasión y re-flexión, exposición y juicio, historia y sueños y, sobre todo, diré lo mío con absoluta sinceridad y con la mejor buena fe de que dispongo.

VICENTE HUIDOBRO

Y lo primero que hay que decir es que el carácter vi-tal del poeta no era el más a propósito para granjearle una estima justa de sus méritos. Huidobro vivió siempre en el filo de la contradicción. No contradicción, entiénda-se bien, en sí mismo, sino entre los que le rodeaban y le conocían o le desconocían en círculos más o menos pró-ximos a su vida y a su obra. Quiero repetir lo que escri-bí a raíz de su muerte porque me sigue pareciendo exac-to: «Era Vicente Huidobro, cuando yo le conocí, hace treinta años (ahora hace ya cerca de medio siglo), un muchacho lleno de vida, de ímpetu juvenil, de simpática petulancia y amistad abierta y generosa. Era, sobre todo, aparte sus virtudes de artista, un amigo leal, óptimo y optimista. Sus terribles pasiones y sus pueriles vanida-des quedaban olvidadas ante el espectáculo pintoresco que la vida le deparaba al pasear del brazo de cualquier amigo de buena fe. Una barraca de feria, un tocado extra-vagante de mujer bonita, un verso bonito o ridículo sor-prendido en un viejo infolio o en un libro oscuro de pro-vincia, una estampa japonesa o una historia heráldica de cualquier posible antepasado, bien del tronco del *Mío Cid*, bien de la rama de sus abuelos, los Briand de la *Morigan-dais*, bastaban para hacerle al pie de la letra feliz.

Ante todo, Vicente Huidobro estimaba en la vida mis-ma como en el arte, la lealtad y la comunicativa humani-dad. En años en que el papel «Rubén Darío» estaba en baja y en momento peligroso para su estética personal, Vicente Huidobro le defendía a capa y espada, ganado por el temblor humano y el calor de autenticidad que de su pecho de gran cantor emanaba. Cierto: el «nicaragüen-se sol de encendidos oros» venía con frecuencia a sus labios como ejemplo del error en poética, de la «albarda sobre albarda», contrario a la perfecta economía creativa de su técnica. Pero hasta el consabido sol nicaragüense terminaba por encontrar indulgencia a sus ojos de co-terráneo de la inmensa maravilla americana. Jamás le oí aplicar al indio de Nicaragua los epítetos y más epítetos gruesos con que solía obsequiar en las violentas discusiones a los jerifaltes del modernismo, del indigenismo o del postsimbolismo decadente. Quería él para su arte como para su vida esa suma de «audacia» y «precisión» con la que, a mi juicio, caracterizaba exactamente la obra increíble de nuestros navegantes, exploradores y conquistadores de Indias. Técnica de geógrafos y de nautas, aliada al heroísmo de aventura y de acción. Así debía ser la poesía como todo. Corazón y cerebro. Espíritu y manos fabriles.»

Sus apariciones en España, singularmente la de 1918, dejaron una profunda huella, hoy reconocida por los mismos que en momentos inmediatamente posteriores la negaron o regatearon. Yo no voy ahora a recordar las polémicas en las que quedó enturbiada la amistad inicial y, lo que es más grave, la verdad misma de su acción estimulante y beneficiosa para el despertar de la poesía española juvenil de 1918. En esas discusiones, a veces degeneradas en pelamesas lamentables, de las que el propio Huidobro fue en parte culpable, se disparó munición no siempre de buena ley. Pero los años fueron pasando y hubo tiempo para rectificar y reamistarse noblemente.

Juan Ramón Jiménez, por ejemplo, en 1920 —fecha de mi primera visita a su casa, acompañado de León Felipe y requerido para ella por el propio Juan Ramón, que deseaba conocerme— le negaba durante horas y horas de conversación y pretendía disuadirme de seguir a un poeta a quien juzgaba con desprecio absoluto. ¿Quién me iba a decir a mí en aquella tarde memorable, pasada junto a un amigo de mi niñez y a un maestro a quien antes, entonces y siempre admiré y de quien tanto aprendí, que el intransigente poeta de *Eternidades* me iba a acusar en 1934 de no incluir en mi antología, dispuesta con el consejo y conformidad suya, a Vicente Huidobro, como si en una antología de poetas españoles no estuviese siempre justificada su ausencia? Cierto que aquella antología la encabezaba Rubén Darío, pero Darío vivió siempre mucho más enraizado en España y con la objetividad que yo quería para mi libro no podía incrustar a Huidobro a sabiendas de que me quedaba solo o poco menos en una elección que me constaba incompatible con el asenso de todos los otros poetas cuyo juicio unánime determinó el elenco, nombre a nombre, de los poetas que habían de figurar. Perdóneseme este recuerdo personal porque me parece muy significativo.

Yo comencé a conocer la poesía de Huidobro en enero de 1919 —antes sólo algún fragmento aislado y referencias críticas de Cansinos— y en seguida tenía ya copiados sus últimos libros, que me prestó Eugenio Montes, fervoroso huidobrista de aquella hora. A Vicente, después de cruzarnos algunas cartas (claro está que yo fui el primero en escribirle para manifestarle mi entusiasmo), le conocí personalmente en Madrid en el invierno de 1920-1921. La última vez que hablé con él fue en 1933, en París, Aún conservaba no poco de su ardimiento juvenil, aunque ya matizado por desengaños y desilusiones, como también desviado hacia terrenos más instintivos por una parte y más políticos por otra. Cuánto me habría gustado verle y charlar con él en años sucesivos, pero la vida no nos deparó ocasión y hube de contentarme con algún envío de libro o alguna carta aislada. Por eso me resulta difícil imaginarme al Vicente Huidobro de Chile —ya próximo al fin de sus días— o al capitán enrolado en el ejército francés de la Guerra Grande, del que nos cuentan sus discípulos de Santiago.

Vicente Huidobro muere de un derrame cerebral el 2 de enero de 1948 en Llolleo, a la orilla del mar Pacífico. Una herida recibida en la guerra pudo ser la causa de su muerte, como otra pudo desencadenar el proceso semejante de Guillaume Apollinaire. Entre ambas muertes, la de Antonio Machado, también junto al mar y disminuido por los padecimientos de otra guerra. El panorama de la poesía chilena, hispanoamericana, española, universal de 1948, era ya muy distinto del de 1918. El aspecto y la intención profunda de la de Vicente Huidobro había también cambiado bastante, aunque en el fondo toda su evolución fuese la consecuencia de las premisas sentadas entre 1914 y 1918.

POESÍA Y CREACIONISMO

Hablar de la poesía de Vicente y hablar del creacionismo suyo viene a ser lo mismo, pero yo he querido poner por delante y preferir «poesía» a «creacionismo». Poeta a escuela o movimiento. Sé que así soy más fiel a su escala de valores. Ni aun en los años de mayor fe en la poesía creada, deja de proclamar la primacía del poeta en cuanto hombre, en cuanto a capacidad personal de poeta y artista. En su libro *Pasando y pasando*, crónicas y comentarios, Imprenta Chile, Santiago, 1914 —libro que yo no he visto nunca y no sé por qué ha quedado excluido de sus *Obras completas*—, decía ya a los veintiún años de edad: «Para mí no hay escuelas, sino poetas. Los grandes poetas quedan fuera de toda escuela y dentro de toda época. Las escuelas pasan y mueren. Los grandes poetas no mueren nunca.» En armonía con estas palabras, leemos en su Manifiesto contra los sobrerrealistas, junto a la condenación de lo esencial de su poética, su salvación de los auténticos poetas: «En los manifiestos sobrerrealistas, abundan las cosas buenas, y si los sobrerrealistas hacen obras que marquen un momento de altura del cerebro humano, serán dignos de toda alabanza. Debemos otorgarles crédito, incluso aunque no aceptemos su camino ni creamos en la exactitud de su teoría.» Y en otro texto de *Manifestes*, París, 1925, sigue señalando a los poetas que le dan la sensación de tales en su obra general: «Ayer, era Guillaume Apollinaire el único que daba esa sensación; hoy, entre los que conozco a fondo, no hay más que Tristan Tzara y Paul Eluard.»

Se argüirá que al lado de estas comprensiones o admisiones del talento creador poético fuera de sus teorías personales, Huidobro se niega a reconocer el de otros también muy importantes. Pero aparte de que esto es muy humano y muy de artistas de siempre, y más en la combativa edad juvenil, podemos agregar que no es el más exagerado en tales injusticias o impertinencias. Recordemos que *Favorables París Poema*, la revista de Larrea y Vallejo, se repartía con una especie de tarjeta de desafío: «César Vallejo y Juan Larrea solicitan de usted su más resuelta hostilidad.» Y en la misma revista, Vallejo combatía con resuelta hostilidad a Unamuno. Probablemente diez años después no lo habría hecho. Como tampoco Huidobro mantuvo la intolerancia frente a poetas más o menos lejanos o enemigos de su poética, de su poesía o de su persona.

Que Vicente Huidobro es un poeta rico de dones naturales, y, como diría Lope, «de la naturaleza y no de la industria», me parece fuera de duda. También que los aprovechó hasta el máximo gracias al estudio y a la reflexión. Naturaleza, arte e ingenio no están reñidos. Quiso Huidobro ser un poeta y un poeta consciente y aun sobre-consciente. Su máxima incompatibilidad con el sobrerrea-lismo estriba no en la utilización del material inconscien-te o subconsciente que él admite, que cuenta con él, sino en querer someterlo luego a la unidad y arbitrio de la inteligencia rectora. Por eso desde muy temprano alter-nan en él el ensayo de nuevos modos poéticos y la predi-cación o confesión de sus teorías, sin ocultar nunca sus fuentes y maestros. Desde *Ecos del alma* a *El ciudadano del olvido* y sus *Ultimos poemas*, ya póstumos, transcu-rren —1911 a 1947— treinta y siete años de producción y meditación incesante. El todavía adolescente principian-te del libro primerizo (que debió guardar entre sus pa-peles sin publicar en vez de tolerar su impresión), en nada anuncia al verdadero Vicente Huidobro, que sólo se atisba en algunos poemas de *Canciones en la noche* y de *Las pagodas ocultas*. Estos libros, junto a *Adán*, y el segundo, en orden cronológico, *La gruta del silencio*, representan lo que para Rubén Darío sus libros de niño y adolescente y lo que para Juan Ramón sus dos o tres primeros de la misma edad. Búsquedas, ilusiones bebidas con las lecturas de poetas predilectos, tanteos. El mismo Huidobro los renegará más tarde, salvando sólo algún precedente de su creacionismo o de su sentido plástico del poema. Alguna cita o coincidencia con Emerson, al-gunos caprichos en forma de caligramas, con precedentes más inmediatos, lejanos, si hemos de creerle. Pero no falta tampoco la condenación explícita. Tal, al juzgar *Las pagodas ocultas*, en 1925 (*Manifestes*): «Bien pronto sentí que perdía pie y caía, seguramente por reacción, por una reacción violenta, casi miedosa, en el polo opuesto, en ese horrible panteísmo mezcla de hindú y de noruego, esa poesía de buey rumiante y de abuela satisfecha. Afortuna-damente esta caída fue de corta duración, y al cabo de algunas semanas volví a emprender mi antiguo camino con mucho mayor entusiasmo y conocimientos que antes.»

Tal es lo que ocurre al filo de 1916 cuando su famosa conferencia de Buenos Aires y su no menos debatido li-brito del mismo año y en la propia ciudad, *El espejo de agua*. En los poemas de ese libro ya se promulga la poe-sía y la poética juvenil de Huidobro con aciertos definiti-vos y definitorios. Y aun suponiendo que la segunda edi-ción de *El espejo de agua*, la madrileña de 1918, fuese la primera como quieren ciertos críticos, la fecha de impresión sólo señala el límite moderno máximo de la producción. Huidobro da como la de los poemas de *El espejo* la de 1915. Importa muy poco. Lo trascendente es la originalidad, la personalidad del poeta y ni siquiera tanto la primacía de la poética. Volveremos en seguida sobre este punto. La poesía auténtica, responsable de Vicente, empieza con *El espejo de agua*, se afirma con *Horizon carré*, *Tour Eiffel* y *Hallali*, y se corrobora de modo definitivo con sus dos primeras obras maestras, de nuevo en castellano: *Poemas árticos* y *Ecuatorial*. Vuelve al francés en *Saisons Choisies*, en *Automne régulier* y en *Tout à coup*. Para retornar definitivamente al español en sus libros de prosa (de los que no tengo tiempo de ocuparme, no sin saludar al paso al más importante, la deliciosa «hazaña», *Mío Cid Campeador*) y en sus nuevos libros poéticos impresos en Madrid —*Altazor* y *Temblor de cielo*, 1931— y en sus últimos libros de poemas, *Ver y palpar* y *El ciudadano del olvido*, más sus póstumos *Ultimos poemas*.

TRES ETAPAS

Tres etapas podemos señalar que han sido designadas por diferentes críticos de diversa manera y aun por alguno con subdivisiones quizá excesivas. La primera hasta *Tout à coup*, representa el creacionismo en su estado puro, en su etapa clásica. Juan Larrea, siempre clarividente, me decía en una carta muy de principios de nuestra fe creacionista, que el creacionismo era para él, y suponía que para Huidobro, un sentido total y distinto de la poesía (el mismo Vicente confiesa que acaso ya no es poesía sino otra cosa diferente de lo que con esa palabra se ha entendido siempre), un arte distinto que tendrá tras de su primitivismo y clasicismo su romanticismo directamente deducido. Esto justamente es lo que sucede en la segunda etapa, entre 1925 y 1931, cuando Huidobro trabaja y concluye su *Altazor*, iniciado en 1919, y su *Temblor de cielo*, título tan chileno, en 1931. Vienen luego unos años de menor actividad poética en verso y mayor en prosa, con su vida complicada en actividades de índole pública y política. Y tras el regreso para quedarse como residencia casi absoluta, permanente, en su Santiago, los libros líricos de nuevo, los más hondos y ricos, de emoción preferentemente trágica, angustiosa, neorromántica, pero en el fondo siguiendo el método creacionista, aunque ya en libertad expresiva, a medias confidencial, íntima, acercándose en el aspecto exterior al expresionismo sobrerrealista. *Ver y palpar, El ciudadano del olvido* y sus *Últimos poemas* son sin duda lo más conmovedor y humano que escribió Huidobro. Y sin embargo, por debajo de la primera apariencia sigue moviendo a la materia poética la dinamia creativa, el juego —tomemos la palabra no en su sentido lúdico y para pasar el rato sino en su equivalencia de proporciones y engranajes— autónomo de los elementos constitutivos del poema.

En cualquiera de estas tres etapas puede comprobarse la calidad indiscutible de la poesía. Sin que esto suponga la igualdad de mérito ni evite los frecuentes fracasos o interrupciones del fluido magnético de la verdadera poesía, nunca tan difícil como cuando se la somete a esta prueba de búsqueda de lo absoluto o de acercamiento a la validez universal y por sí misma, sin que deba nada importante a la importancia o sugestión sentimental del motivo. Otro de los grandes escollos en los que suele tropezar la última perfección o logro de la poesía huidobriana proviene de su juvenil descuido de la belleza lingüística, rítmica y retórica. Su abandono, en un momento capital de su formación como poeta, de la lengua castellana —tratada en sus libros de iniciación con cierto desembarazo antitradicional, pero al fin y al cabo contando con sus sugestiones, para adoptar un francés no del todo dominado y volver luego a la lengua madre— perjudica a su poesía de modo notorio, especialmente cuando se la compara con las de otros primeros poetas de su tiempo que estudian y sienten el heredado idioma del modo más profundo y más bello. Pero esta conducta, que puede parecer descastamiento aunque en rigor no lo sea, es consecuencia obligada de su concepto de la poesía como idioma universal, en el cual es indiferente usar una lengua u otra, porque en la imagen creada, su invención es válida en todos los organismos lingüísticos y resulta, en lo que tiene de creación, traducible. No por eso olvida Huidobro la constante proposición y tentación que el idioma le suscita con frecuencia, frecuencia muy apreciable en las paronomasias, metátesis, descoyuntamientos, creación de palabras por intercambio de sílabas y fonemas, caprichos y malabarismos de todas clases que podemos encontrar, sobre todo, en ciertos cantos de *Altazor*.

Voy a elegir un poema o fragmento de cada época para que podamos sentir y gozar la poesía de Huidobro sin hacer hincapié en su creacionismo interior; simplemente, como podríamos situarnos ante una poesía cualquiera. De los *Poemas árticos*:

MARINO

Aquel pájaro que vuela por primera vez
Se aleja del nido mirando hacia atrás

Con el dedo en los labios
                    os he llamado

Yo inventé juegos de agua
En la cima de los árboles

Te hice la más bella de las mujeres
Tan bella que enrojecías en las tardes.

                    La luna se aleja de nosotros
                    Y arroja una corona sobre el polo

Hice correr ríos
                    que nunca han existido

De un grito elevé una montaña
Y en torno bailamos una nueva danza

                    Corté todas las rosas del este

Y enseñé a cantar un pájaro de nieve

Marchemos sobre los meses desatados

Soy el viejo marino
                    que cose los horizontes cortados

Comparemos ahora este poema que podíamos llamar clásico o idílico con este fragmento trágico o romántico de *Altazor* o «Viaje en paracaídas», que tal es el subtítulo del poema del que ya me habló Huidobro en 1921:

Los veleros que vienen a distribuir mi alma por el mundo
Volverán convertidos en pájaros
Una hermosa mañana alta de muchos metros
Alta como el árbol cuyo fruto es el sol
Una mañana frágil y rompible
A la hora en que las flores se lavan la cara
Y los últimos sueños huyen por las ventanas

Tanta exaltación para arrastrar los cielos a la lengua
El infinito se instala en el pecho
Todo se vuelve presagio
                        ángel entonces
El cerebro se torna sistro revelador
Y la hora huye despavorida por los ojos
Los pájaros grabados en el cénit no cantan
El día se suicida arrojándose al mar
Un barco vestido de luces se aleja tristemente
Y al fondo de las olas un pez escucha el paso de los hombres

Silencio la tierra va a dar a luz un árbol
La muerte se ha dormido en el cuello de un cisne
Y cada pluma tiene un distinto temblor
Ahora que Dios se sienta sobre la tempestad
Que pedazos de cielo caen y se enredan en la selva
Y que el tifón despeina las barbas del pirata
Ahora sacad la muerta al viento
Para que el viento abra sus ojos

Silencio la tierra va a dar a luz un árbol
Tengo cartas secretas en la caja del cráneo
Tengo un carbón doliente en el fondo del pecho
Y conduzco mi pecho a la boca
Y la boca a la puerta del sueño

... ...

Imposible en un breve fragmento dar idea de la trascendencia de *Altazor*, de su grandeza cósmica, pese a sus
anarquías y saltos bruscos, a sus baches, naturales en un
viaje en paracaídas en que a veces también se asciende,
a los aludidos molinos, retorsiones, cambalaches de palabras, tan necesarios en el simbolismo del poema que demuestra la imposibilidad de la poesía, su desemboque en
la nada, no ya balbuciente sino atomizada en absoluta
desintegración de lenguaje.

JÁUREGUI, HUIDOBRO, JUAN RAMÓN

Cada día se va viendo más clara la importancia de *Al-*
tazor. Recientemente se han acordado de él dos poetas hispanoamericanos. Uno, aquí, en esta casa, el cubano Gastón
Baquero, comentándolo y valorándolo con reivindicativo
entusiasmo. Otro, el mejicano Octavio Paz en su respuesta a Juan Marichal, «Una de cal...», publicada en *Pape-*
les de Son Armadans, noviembre del 67. En este justo tex-

to de Octavio Paz, elogia muy discriminadamente a Juan Ramón Jiménez, distinguiendo entre los distintos momentos de su obra. Y es sobre todo al autor de «Espacio», mi (por dedicación) poema «Espacio», y dice: «*Espacio* es un poema extenso y, al mismo tiempo, vuelto sobre sí mismo, y esto lo une a la tradición hispanoamericana más que a la española: «Altazor», «Muerte sin fin», «Cumbres de Machu-Pichu» y algún otro poema. Es verdad que los otros poetas españoles han escrito también poemas largos, pero ninguno de ellos, a la inversa de lo que ocurre con los hispanoamericanos, es un experimento con la *forma* misma del poema extenso. «Espacio» es lo que está más allá de la poesía de Jiménez: es la transición del poeta español en un poeta de vanguardia: el «Altazor» de Huidobro —y su negación—. Uno de los textos capitales de la poesía moderna, el testamento del yo poético dirigido a un «legatario expreso» aunque improbable: los poetas de hoy, empeñados en abolir el yo poético como nuestros predecesores abolieron a Dios.»

Veamos ahora otro ejemplo, éste de *Temblor de cielo*, que preludia lo que va a ser luego su grandioso poema de *Últimos poemas*, «Monumento al mar»: «Vosotros no lo sabéis y por eso os lo digo: en las noches, cuando nadie le mira, el mar se convierte en un gran monumento y dicen que en la punta se alza de pie, solemne, la estatua de sí mismo.» Y entre las estrofas del «Monumento al mar», demasiado largo para recitarlo íntegro, ésta sola:

> Este es el mar
> El mar con sus olas propias
> Con sus propios sentidos
> El mar tratando de romper sus cadenas
> Queriendo imitar la eternidad
> Queriendo ser pulmón o neblina de pájaros en pena
> O el jardín de los astros que pesan en el cielo
> Sobre las tinieblas que arrastramos
> O que acaso nos arrastran
> Cuando vuelan de repente todas las palomas de la luna
> Y se hace más oscuro que las encrucijadas de la muerte
>
> ... ...

Prodigios de la inspiración poética. Estos textos de Huidobro, singularmente el primero, pero también el último en su contexto de poema total, íntegro, están maravillosamente antecedidos por otro gran poeta, el sevillano Jáuregui, con más de tres siglos de anticipación. En su

«Farsalia», porque es tan suya como de Lucano, ya que no se limita a la traducción literal, sino a la recreación con muchos elementos —estrofas enteras a veces— añadidos sin que por ellos padezca la fidelidad al estilo y a la atmósfera prebarroca de Lucano, dice este verso sublime, para pintar creadoramente la calma chicha sin el menor hálito en las velas lacias: «Muere el mar y es cristal su monumento.» Soberbio epitafio o túmulo o catafalco que nos deja anonadados de emoción y admiración. ¿Y habrá que recordar frente al mar, por momentos vertical en estos poemas de Huidobro, el inolvidable, también sublime poema de nuestro otro Vicente, Aleixandre, en *La destrucción o el Amor*, el titulado «Sin luz»?

EL CREACIONISMO DE VICENTE HUIDOBRO

He anunciado hablar del creacionismo de Vicente Huidobro. Es tema para tratar con una amplitud de la que no dispongo. Sólo diré, para evitar polémicas, que admito que haya otros creacionismos distintos del de Huidobro, los posteriores desde luego, y que le deben todo o casi todo, puesto que casi todo es ya la idea inicial. Y también los rigurosamente contemporáneos y hasta los que de modo más o menos claro le preceden. Lo importante es que el suyo es suyo en él y le nace de dentro. Es inconfundible. Su cristalización definitiva no la debe a ningún poeta sino a la pintura de Juan Gris y a la escultura de Jacques Lipchitz, «recordando nuestras charlas vesperales en aquel rincón de Francia», como reza la dedicatoria a ambos amigos al frente de los *Poemas árticos*. Otro día me ocuparé con calma de todo esto y también de los otros creacionismos. El mismo Vicente confesó siempre sus precedentes. Y a los que él conocía hay que añadir algunos más que él no pudo leer, tal como el del mar-monumento, de Jáuregui.

PRECEDENTES DEL CREACIONISMO

Que el creacionismo, como escuela poética, como estética o poética, no fue un hecho aislado ni un dogma inventado de la nada en 1914, es cosa tan sabida y natural que parece que huelga advertirlo. Y no sólo no lo fue en la realidad de sus manifiestos o de sus poetas y poemas, pero ni siquiera en la pretensión de sus primeros inventores. Una invención, un invento, no es más que un hallazgo. Este es el verdadero sentido de la palabra. Todo está ya en la naturaleza. Y el hombre no hace más que descubrirlo, encontrarlo. Los inventos de la ciencia técnica son sobrecogedores y parecen milagrosos porque sus consecuencias son fecundísimas en tanto que sus formas aparentes son extravagantes. Los inventos del arte o de la poesía, aun los más audaces en su forma exterior, no pueden rivalizar en renovación material del mundo con los de la ciencia investigadora.

Lo que sí pretendió la poesía creacionista fue y sigue siendo crear o inventar un sentido nuevo y una técnica nueva, aprendida en parte en la naturaleza misma y en parte en la técnica científica y de las artes plásticas y en la de la música. Lo que me propongo ahora es comentar unos textos que publicó en un inteligente ensayo Juergen von Stackelerg hace pocos años, con el título «Humanismo y Poesía», en la revista de Mérida, Venezuela, *Humanidades*, de la Universidad de los Andes.

Después de recordar la célebre frase de Vicente Huidobro lanzada en su conferencia de 1916 en Buenos Aires: «La primera condición de un poeta es crear, la segunda crear y la tercera crear.» Y luego de citarle nuevamente en su poema de *El espejo de agua*:

> ¿Por qué cantáis la rosa —¡oh poetas!?
> Hacedla florecer en el poema

y lo de que «el poeta es un pequeño dios», recuerda nuestro humanista algunos ejemplos de preceptistas del Renacimiento. El más curioso es uno de los *Siete libros de Poética*, de Julio César Scaligero, bien conocido, aunque sea de oídas, de cuantos han estudiado las páginas de Menéndez Pelayo o de Croce. Dice así, traducido al español: «El poeta crea otra naturaleza y se hace a sí mismo otro Dios.» Y luego añade: «El poeta no se contenta con narrar las cosas, como un histrión, sino, como otro Dios, las crea.»

Y no para aquí el precurso de estas ideas creacionistas o fabricacionistas en el Renacimiento. Otro de sus humanistas, el británico sir Phillip Sidney, dice nada menos que esto: «Por la fuerza de su ingenio, el poeta produce en efecto una segunda naturaleza. crea cosas que o bien son mejores que las de la naturaleza, o bien formas que nunca las hubo en la naturaleza.» Frase que data de 1595, lo mismo que esta otra: «El mundo de la naturaleza es de bronce; el de los poetas, de oro.»

Entonces ¿deduciremos nosotros que Huidobro no innovó nada, que todo su creacionismo era la resurrección de algo pasado y olvidado? No por cierto. No es lo mismo una frase dicha en el siglo XVI que la misma frase nacida de nuevo en el XX. Como no es lo mismo una imagen poética en Homero o en Ausonio que la misma imagen en un poema de Mallarmé o de Huidobro. Las imágenes, la poesía, como la filosofía, son lo que son al pie de la letra, más el contexto y la atmósfera en que están envueltas y la intención con que están dichas.

Esto se comprueba de modo eficacísimo en la pintura o en la música. En la pintura basta aislar unos centímetros cuadrados de lienzo de Velázquez o de Rembrandt o de Turner para encontrarnos en plena pintura abstracta. Pero tal pintura abstracta es radicalmente distinta y dice a nuestra mente algo radicalmente distinto que la pintura actual que ha llegado a extremo semejante, no en lo accesorio sino en lo profundo y de modo totalitario. Y en la música, tal acorde o tal modulación o tal choque de ritmos o de timbres en un pasaje de la música medieval o de Bach o de Scarlatti, aunque invente ya formas y fórmulas expresivas de hoy mismo, lo hace de otro modo, y con un resultado estético y humano totalmente diferente.

Nada se crea, es cierto, pero se está creando siempre. Y el esfuerzo de la poesía creacionista y su volver a empezar desde el origen mismo es un hecho que no puede desconocerse.

¿ES POSIBLE UNA POESÍA CREADA?

Ahora bien, la primera condición para que el poeta y en general para que el artista sea artista, puesto que no hay otra manera de ser artista que llevando dentro un poeta, es tener fe. Fe en la poesía por de pronto. Y fe también espiritual. La fe en la poesía puede llegar a ser tan intensa que se crea en ella por sí misma, en la posibilidad de su existencia, de su fundación, de su resolución y remate en completa autonomía. Y no otra cosa es lo que han creído o soñado los poetas creacionistas.

Pero, claro está que si la fe es condición inexcusable para el poeta, lo es también para el crítico y para el simple lector o gozador. Estas reflexiones se me ocurren a propósito del descreimiento que veo envolver al crítico David Bary en su libro sobre Vicente Huidobro, poeta de fe si los ha habido. Sucede con esto de la fe poética lo que sucede también con la fe religiosa. O con la fe política, por más modesto ejemplo. El descreído, el escéptico, no llega jamás a entender lo que es la fe en el creyente y está dispuesto a negarla en cuanto su malicia interpretativa tropieza con la menor vacilación o contradicción en las palabras o en los hechos del verdadero y legítimo iluminado.

¿Es posible una poesía creacionista? Mejor dicho, ¿una poesía verdaderamente creada? Los críticos de Vicente Huidobro, como los de los otros poetas creacionistas, han estado casi siempre conformes en que no, en que todo poema con tal pretensión ha de ser forzosamente un fracaso. Y es que no se entiende verdaderamente qué es lo que significa la expresión «poesía creada». El poeta no puede crear de la nada. Crea con palabras y las palabras preexisten y de ellas no puede librarse. Pero un poema creado no es un poema antirrealista, al contrario, es un poema intensamente realista —o, mejor dicho, real— con una realidad acrecentada y magnificada que en la realidad de la vida prende sus raíces. Bastaría que un poema creado, que al pie de la letra no puede justificarse como reproductor de diversas y sucesivas apariencias reales verso a verso, tuviese sin embargo a través de su aparentemente disparatada conexión de imágenes y de palabras una capacidad objetiva de emocionar a varios lectores, a un solo lector, y de emocionarle con el mismo «color» de emoción y exactamente en los mismos parajes del poema que le hicieron sentir la emoción primigenia al poeta, para que estuviera ya demostrada la comunicabilidad de la creación poética y el resultado positivo en boca del poeta con verdadera fe.

Vicente Huidobro empezó a escribir poemas creados desde 1918, y aunque luego fuese abandonando en cierto modo el absolutismo de una intención creadora para dejarse llevar de una tempestuosa y más directa impresión vital, en el fondo y muchas veces en la forma y en la técnica sus poemas de madurez siguen siendo fieles al espíritu creador.

SIMBOLISMO, CREACIONISMO Y GRAMÁTICA

Huidobro, en su período de máxima fe y rigor en el espíritu creacional, trabajó denodadamente para forjarse su propio idioma —entiendo ahora por idioma, no una lengua determinada, el francés, el español o el ruso, sino un sistema de expresión y creación por la palabra— empleando, único medio posible, las palabras de la tribu, pero dándoles un nuevo alcance para que de ellas naciese el nuevo ser, el nuevo y humano hijo concreto: el poema. La alusión velada a Mallarmé viene muy a punto porque lo que Mallarmé no logró, el perfecto simbolismo, lo consiguen Huidobro y sus discípulos de la primera hora. Apuntando a lo creado, pueden fracasar, pero consiguen gracias al avance de la puntería lo que estaba más cerca: lo simbolista. Demostración sorprendente que algún día desarrollaré.

En cuanto a las reflexiones de Huidobro, en el año 1920 y un poco antes y un poco después, soy testigo de sus confidencias, que para mí fueron reveladoras y que me descubrió con verdadero desprendimiento de maestro. Voy a recordar una, que pertenece a la labor humilde, aunque ambiciosa, de la gramática, de la gramática poética. Uno de sus libros inmediatos se titularía *Automne régulier*. Vicente me dijo que había estudiado la función de cada categoría gramatical como célula del poema creado. Y así, eligiendo un tema favorito de su poesía el de las estaciones o *saisons* del año, había compuesto cuatro títulos en los que se intentaba crear desde el mismo título, ya embrión de poema o poema concentrado, la posibilidad encerrada dentro del sustantivo, del adverbio, del adjetivo y del verbo. He aquí los títulos de los cuatro poemas: «Relativité du printemps». (Entiéndase bien que «relatividad» en 1920 alude a la teoría de Einstein más que al sentido general de la palabra). «Eté en sourdine». «Automne régulier». «Hiver à boire». En esta última estación también hay que aclarar al traducirlo al español, que no quiere decir «invierno para beber», para beber una bebida cualquiera, sino precisamente el invierno, en tal creacionistamente que bebida.

«SALLE 14»

No tengo noticia de que se haya publicado nunca un hasta cierto punto libro o librito de Huidobro, «Salle 14». Al menos su hija Manuela Huidobro de Yrarrazábal, depositaria por la voluntad paterna de todos sus manuscritos, al publicar sus libros en las *Obras completas* —Zig-zag, 1964— no incluye «Salle 14», a pesar de su importancia histórica y significativa de un aspecto de su poesía. Yo, gracias a mi devoción por el poeta y a haber vivido varias semanas con él en París y en su casa, pude gozar el privilegio de contemplar en ella los poemas pintados de «Salle 14» y de copiarlos en un cuaderno. Desgraciadamente, lo que no pude copiar es lo que tenían de pintura, de cuadro. Me limité a transcribir su texto en líneas paralelas. En mi discurso de ingreso en la Real Academia Española, tuve verdadero empeño, por la solemnidad de la ocasión, de recordar a Vicente Huidobro, y a propósito de una hermosísima estrofa de Lope, que fue el tema de mi discurso, comparé algunos de sus versos con el poema pintado «Mer». Repetiré mis palabras de entonces, 15 de febrero de 1948:

«Al principio de este discurso hice una fugaz alusión a los caligramas. Una de sus posibles aplicaciones es la de los poemas murales, que añaden a los juegos de la distribución tipográfica los contrastes, de color y de materia, del papel o tela del fondo y de las letras. El poeta chileno exhibió hace ya no pocos años, a pesar de lo cual creo que esta exposición no ha sido recogida en libro, una galería de poemas pintados, que proyectaba agrupar bajo el título de «Sala Catorce». Guardo una copia de aquella preciosa colección y uno de sus poemas más sencillos y perfectos, aun despojado de su ordenación plástica y cromática —versales blancas sobre brillante papel negro— era el titulado «Mer» en francés, porque, como es sabido, Huidobro escribió directamente varios de sus libros juveniles en dicho idioma. Os lo voy a recitar:

Elle est bien triste
Cette mer sans amis oubliée de naufrages
Cette mer sans matelots
Sur la plage
les vagues jouent du piano.

Y continúo comparándolo con el texto de Lope y con otro de Dámaso Alonso. El único poema de «Salle 14» reproducido en libros, aparte éste en mi discurso de ingreso en la Academia, es «Moulin», ya en su versión original, ya en su traducción española. Poseo también el programa de «La Galerie G. L. Manuel Frères / 47, Rue Dumont d'Urville, 47 / Présente au Théatre Edouard VII / du 16 Mai au 2 Juin / Une exposition de poèmes de Vincent Huidobro / vernissage Mardi 16 Mai, de 3 h. a 5 h. / Ce catalogue tient lieu d'Invitation». Debajo, el retrato de Vicente, por Picasso, firmado el 16-12-21. La exposición se hizo el 22. El catálogo consta de trece obras con sus títulos y se enriquece con un prefacio de Maurice Raynal, una reproducción sólo en negro pero que parece facsímil o, al menos guarda las mismas proporciones, del original de «Paysage» y una serie de notas críticas sobre Huidobro de autores franceses, ingleses, polacos, rusos, norteamericanos y españoles. Me limitaré a ofreceros uno de los más sencillos poemas, aun sabedor de lo que pierde al no enriquecerse con forma y color y materia. Porque, aunque protesten los cegatos o ensordecidos, ¿cómo vamos a negar las posibles nupcias de poesía y pintura, si admitimos las de poesía y música? Una letra de canción, de «mélodie» o de «Lied» no gana en su alianza con la música mayor valor poético. Pero el abrazo de su hermana envolviéndola en su bellísima atmósfera logra para la nueva obra, para la ya indisoluble hermandad de letra y son, una belleza acrecida y de poder emotivo superior. ¿Pues por qué no puede suceder algo parecido cuando se coordinan poesía de palabras y poesía de formas y colores ópticos? Se dirá que la fusión no puede realizarse. que quedan sus componentes aislados y heterogéneos. Y es verdad que la comunidad del fluir temporal otorga al «Lied» un alma única en mayor grado que a la fusión de la poesía —arte oral aunque lo olvide la escritura— con la pintura, arte mudo y quieto. Pero a pesar de todo, en nada puede perjudicar al poema su escritura en el seno de un cuadro o su disposición en imaginaria perspectiva y real policromía sugeridoras de su otra realidad plástica, que así entrando por los ojos puede incrementar su contenido, implícito ya en la sola y austera alineación de palabras. Al fin y al cabo la tipografía no es más que un ensayo tímido de esa colaboración entre las artes gráficas y las verbales. El poema pintado o, si preferís, el cuadro parlante, puede ser una obra excelsa y más rica de elementos y de armas emocionales que la pintura pura o la poesía desnuda. ¿No tenemos en el teatro y el coreograma ejemplos felices de ese acuerdo entre otras artes?

Por mi parte, yo invitaría a nuestros pintores a que, para remediar la pérdida casi segura de los caligramas coloreados de Huidobro, pintasen láminas destinadas a albergar su letra en un seno propicio que ahondase sus sugestiones, ya inicialmente nacidas con ese destino. Y tendríamos otra «Sala 14» y otro posible album en colores de sus ingenuas, encantadoras imágenes plasticopoéticas, tal como el catálogo de la Galería Manuel anunciaba en 1922 como de próxima aparición. Mientras este *desideratum* llega y mi invitación encuentra eco, no estará de más que mis palabras sirvan de justificación ante cuantos neciamente protestan de la supresión de la puntuación en ciertos poemas, de su distribución tipográfica, más o menos caprichosa o «caligrámica», de sus sugestiones para la vista, como ayuda a su comprensión o esqueleto sugeridor de un deseado acompañamiento fraterno del dibujo o del colorido. En nada amenguan el valor estrictamente poético del texto, en nada —si están inteligentemente empleadas— disminuyen su comprensión o interpretación, en nada ofenden a nada ni a nadie. Y, en cambio, pueden ayudar a advertirnos de su voluntario propósito de poesía más imaginativa que racional o explanatoria.

Termino estas consideraciones sobre la poética y la poesía de un siempre querido y añorado amigo reproduciendo otro poema pintado en la abstracción inevitable de su solo texto, sin el concurso perdido de distancias, espacios, colores y fulgores:

M I N U I T

Un astre a perdu son chemin

                    Soit bolide ou serpentine
                    elle est jolie la fête voisine
        La lune et mon ballon
        se degonflent lentement
                    Voici l'étoile
                    nid ou atome

Ici c'est la vallée des larmes et l'astronome.

La distancia entre las anteriores imágenes —dispuestas y repartidas con intermedios y amplios espacios en la parte, el tercio superior, del fondo azul oscuro— y la línea de la base, en el umbral muy bajo, del último verso, dejaba en el vacío de casi todo el rectángulo toda la hondura sugerida de la noche.

[*Cuadernos hispanoamericanos* (Madrid), LXXIV, 222 (junio de 1968).]

ANA PIZARRO

EL CREACIONISMO DE VICENTE HUIDOBRO Y SUS ORIGENES (1969)

LA CRÍTICA Y EL POETA CHILENO

La posición de la crítica frente al caso de Vicente Huidobro, el poeta bilingüe chileno que participó de la experiencia renovadora en la vanguardia artística parisiense de comienzos de siglo, se ha caracterizado por su disparidad. El caso del autor del «creacionismo» ha dado origen a más de alguna querella literaria, como la muy discutida polémica entre el mismo Huidobro y Reverdy, sobre la que se ha escrito mucho e incluso demasiado, dada la importancia muy relativa que el problema presenta a nivel individual. Hoy la crítica en general se ha situado en dos bandos, de modo que el poeta chileno tiene o bien panegiristas o bien detractores en posiciones encarnizadas y prácticamente no discriminatorias.

En tres aspectos esencialmente se ha situado la importancia de Vicente Huidobro y el alcance de su influjo en los grupos artísticos donde llegó su voz doctrinaria y fuertemente lírica.

Primeramente en su consideración como propulsor de las teorías de vanguardia que se gestan a comienzos de siglo en París. Esta posición supone que Huidobro habría llegado con su teoría creacionista «en la maleta», es decir elaborada, al París de 1916, el París de su primer viaje. Allí, al lado de Apollinaire, el gran patrocinador de las corrientes de avanzada artística, se habría situado en la «génesis de la poesía contemporánea».

Este era el problema que, por lo demás, había originado la polémica Huidobro-Reverdy, cada cual queriendo asignarse la paternidad absoluta de la revolución que se gestaba en la joven generación vanguardista parisiense, aquella integrada por Dermée, Soupault y Max Jacob entre otros.

Esta posición crítica no corresponde a una realidad, tanto en cuanto a la consideración del poeta como aportador de una teoría de vanguardia individualizada en el momento de su encuentro con los grupos franceses de *Sic* y *Nord-Sud* en 1916 y 1917 respectivamente, como en cuanto a su papel de propulsor del movimiento vanguardista francés de esos años. Respecto del primer aspecto es importante dilucidar a qué nivel se sitúa la elaboración teórica del chileno a su llegada a Francia y cuál es el contacto que establece con lo francés antes de este viaje. En relación al segundo aspecto el problema se plantea en el sentido de aclarar cuál es el verdadero papel que le corresponde frente a las tendencias que allí se gestaban. Nuestra hipótesis en la consideración de este problema se plantea en el sentido de considerar a Huidobro como un participante más en un movimiento de rechazo y elaboración masiva donde cada hallazgo es el producto común de una relación vital, dialéctica, entre los miembros de estos grupos.

Gran parte de la crítica hispanoamericana ha sostenido esta posición, coincidiendo en señalar a Huidobro —dada su condición de escritor bilingüe— como un poeta de lengua francesa. La crítica francesa, sin embargo, hay que decirlo, no ha sido tan generosa en su apreciación. A pesar de que Huidobro publicó gran parte de su obra en francés y que existen algunas traducciones de su obra escrita en español [1], se ha impreso en general un número bastante restringido de ejemplares, de modo que su obra no está difundida en Francia, y el poeta chileno no es conocido sino por especialistas. Dentro de las consideraciones de los críticos de lengua francesa es necesario señalar el interés especial que han manifestado los investigadores belgas.

---

[1] Existen exactamente las traducciones siguientes *Altazor, Altaigle ou l'aventure de la planète*, por Fernand Verhesen, Bruxelles. 1957; *de Monumento al Mar, Monument à la Mer*, por Fernand Verhesen, Bruxelles, 1956; de *Tres inmensas novelas* la parte hecha en colaboración con **Hans Arp**. *Trois Nouvelles Exemplaires*, por Rilka Walter, París, 1946.

Un segundo punto de la consideración crítica ha sido el señalar la importancia del poeta chileno en relación a la germinación y evolución de la poesía vanguardista en España. Allí ha habido consenso, tanto en Hispanoamérica como en Europa, en el sentido de señalar su influencia decisiva para el movimiento de avanzada que se forja en España —el «ultraísmo» en particular— a partir de la difusión de las teorías de vanguardia francesas introducidas por el chileno, y a partir del contacto de los jóvenes españoles: Guillermo de Torre, Cansinos-Assens, Gerardo Diego, con la teoría creacionista expuesta por Huidobro en su conferencia del Ateneo en 1921.

En este punto, decíamos, existe un acuerdo unánime, incluso de parte de la crítica española, que en un momento le fue hostil.

El tercer aspecto, de indiscutible importancia, se refiere a la incidencia huidobriana en el desarrollo de la poesía chilena de este siglo. Allí su papel de introductor de las posiciones más revolucionarias de la vanguardia europea y de difusor de su propio creacionismo, es determinante e indispensable para comprender, por ejemplo, la gestación del movimiento surrealista chileno —el grupo «Mandrágora»— y el desarrollo en general de toda una corriente de poesía nueva en este país.

Es importante señalar al respecto que su influjo en Chile no se encuentra tanto a nivel de su teoría creacionista como a nivel de su práctica poética y a su condición de difusor de las teorías europeas —«profeta en su tierra» dice Henri Behar [2]—, condición que lo hace situarse como el hermano mayor del movimiento vanguardista chileno de comienzos de siglo. El creacionismo, como teoría estética, no origina un movimiento organizado en Chile, si no es el movimiento *Agú*, de poca duración, y el movimiento *Runrunista* hacia 1928 que, como Cedomil Goic lo indica [3], continúa, dentro de un marco humorístico, las tendencias de la poesía creada.

El papel huidobriano, determinante para la renovación de la poesía chilena, es similar a aquel de Apollinaire para las promociones artísticas francesas, papel de patrocinador y de guía que va a permitir la maduración de una nueva lírica.

---

[2] *Etude sur le théâtre dada et surréaliste*, París, 1967.
[3] «Vicente Huidobro»: *Anales de la Universidad de Chile*, núms. 100-101, Santiago de Chile.

En busca de algunas precisiones: Huidobro y Apollinaire

Refiriéndonos al primer punto que habíamos considerado anteriormente, dos problemas quedan por dilucidar. En primer lugar al nivel de la elaboración teórica huidobriana en el momento de su contacto con los grupos franceses. En este aspecto nos detendremos un instante. Desde luego es necesario señalar la existencia de dos períodos claramente diferenciados en su nivel de elaboración cuyo punto de transición se observa en 1916, es decir en el período de encuentro del poeta chileno con los grupos franceses de vanguardia. Los límites de nuestro artículo no nos permiten desarrollar detalladamente la evolución de la doctrina creacionista, problema que hemos estudiado en otra investigación [4], pero una revisión de los escasos escritos teóricos de este período —el manifiesto *Non Serviam*, de 1914, y el prólogo al poema *Adán* en especial— permite concluir que las afirmaciones del poeta chileno se reducen en este primer nivel a los planteamientos siguientes:

a) Hay que romper con la poesía de reproducción de la naturaleza...

b) para crear una obra independiente que tenga una arquitectura propia.

A este rechazo de cánones tradicionales y a esta voluntad de búsqueda no corresponde por lo demás una práctica poética consecuente.

Ahora bien, la crítica ha visto en este primer período, y en particular en el manifiesto *Non Serviam*, la influencia de R. W. Emerson, cuyas consideraciones cita Huidobro en el prefacio a su poema *Adán* de 1916. Es así como Antonio de Undurraga ha indicado [5], refiriéndose al manifiesto *Non Serviam*, que ya se encuentra allí la idea de Emerson de que el poeta debe erigir una «arquitectura propia», «una cosa nueva», del mismo modo que la inmensa fe en la misión del poeta, que de allí se desprende.

Nuestra hipótesis se orienta más bien hacia la bús-

---

[4] Tesis doctoral presentada a la Facultad de Letras de la Universidad de París el 19 de junio de 1968.

[5] Antonio de Undurraga, «Teoría del Creacionismo» en Vicente Huidobro, *Poesía y alma*, Aguilar, Madrid, 1957.

queda de las fuentes teóricas francesas de la doctrina creacionista en este primer período. En efecto, aunque la posible influencia de Apollinaire haya sido negada, nos parece que una confrontación de los textos nos permitirá ponerla en evidencia.

A propósito de esto Antonio de Undurraga afirma que los antecedentes históricos y biográficos que posee lo llevan a pensar que Huidobro no conoció el texto de Apollinaire.

> «Desde luego —dice el crítico—, Huidobro no callaba su erudición francesa y ya hemos visto que en un libro suyo del año 1913 aparecido en 1914 *(Pasando y pasando)* nos habla, de paso, de los pintores cubistas, desde Santiago de Chile, antes de haber pisado tierra europea, de modo que estas afirmaciones suyas de *Non Serviam* deben proceder del manantial de Emerson» [6].

Ahora bien, el crítico nos indica un elemento más en apoyo de nuestra hipótesis: Huidobro conoce la pintura cubista en 1913.

En relación a este hecho es necesario recordar que, aunque el famoso cuadro de Picasso *Les Demoiselles d'Avignon* —que marca el nacimiento del movimiento cubista— data de 1907, la vulgarización de este movimiento no se lleva a efecto sino con el empuje decisivo de la publicación apollinaireana *Les Peintres Cubistes. Méditations esthétiques*, de 1913.

Antes de la aparición de la obra apollinaireana no hay sino un grupo restringido que conoce este arte naciente: el que frecuenta el Bateau-Lavoir. En el estudio preliminar al texto publicado en la colección «Miroirs de l'Art», L. C. Breunig y J. Cl. Chevalier anotan:

> «A decir verdad, el movimiento cubista tuvo escasamente el lado ruidoso de las otras escuelas de esta época: futurismo, dadaísmo, surrealismo. Ningún manifiesto había anunciado su nacimiento en 1907; *Les Demoiselles d'Avignon* no eran conocidas sino por algunos amigos que Picasso recibía en su taller. J. Braque, luego del silencio casi total que había acogido su exposición, donde Kahnweiler, en 1908, prefería también permanecer invisible. La obra cubista de los dos fundadores del movimiento era, pues, casi totalmente desconocida en el momento en que Apollinaire se puso a redactar su libro» [7].

---

[6] *Op. cit.*, p. 52.
[7] Guillaume Apollinaire, *Les Peintres Cubistes,* Hermann, París, 1965, página 12.

Lo más probable es que si el poeta chileno habla de «cubismo» en 1913 o 1914 su conocimiento haya sido adquirido a través del poeta francés.

En *Les Peintres Cubistes. Méditations esthétiques*, Apollinaire indica no sólo los nuevos principios vigentes para el cubismo, sino las líneas que orientan en general la concepción de un arte nuevo. Aunque posteriormente no se consideren válidos sus planteamientos en relación al cubismo y que la crítica haya señalado su inexactitud, éstos continúan vigentes en los términos generales de la consideración de un arte nuevo, que el mismo Apollinaire llamara más tarde «el espíritu nuevo».

Ahora bien, la idea central de esta concepción es aquella de un arte alejado del realismo. En este sentido las *Meditaciones* apollinaireanas se acercan mucho a los planteamientos establecidos por Huidobro en el manifiesto *Non Serviam*, en 1914; en la conferencia que da en Buenos Aires en 1916 cuando viaja hacia Europa y en los escasos textos teóricos anteriores al viaje.

La inmensa fe en la misión del poeta que señalaba Antonio de Undurraga, por ejemplo, y que procedería de la fuente de Emerson, se encuentra en Apollinaire e incluso con el matiz que Huidobro da a su visión del creador, es decir, con el carácter divino.

> «Mais le peintre doit avant tout se donner le spectacle de sa propre divinité et les tableaux qu'il offre à l'admiration des hommes leur conféreront la gloire d'exercer aussi et momentanément leur propre divinité»[8].

Por otra parte, en el aspecto que se refiere a la relación artista-naturaleza, en el texto apollinaireano encontramos:

> «trop d'artistes-peintres adorent encore les plantes, les pierres, l'onde ou les hommes»[9].

Esta constatación de hecho del enraizamiento del artista a su modelo natural es también señalado por Huidobro, cuyos primeros escarceos teóricos no presentan la

---

[8] *Op. cit.*, p. 17: «Pero antes que nada el pintor debe darse el espectáculo de su propia divinidad y los cuadros que ofrece a la admiración de los hombres les otorgarán también la gloria de ejercer momentáneamente su propia divinidad.»

[9] *Op. cit.*, p. 45: «demasiados pintores adoran aun las plantas, las piedras, la ola o los hombres».

fuerza lírica de la prosa de Apollinaire. En el chileno, la idea se manifiesta de un modo más explícito:

> «El poeta dice a sus hermanos: "Hasta ahora no hemos hecho otra cosa que imitar al mundo en sus aspectos, no hemos creado nada. ¿Qué ha salido de nosotros que no estuviera antes parado ante nosotros, rodeando nuestros ojos, desafiando nuestros pies o nuestras manos?»[10].

En el texto de Apollinaire la constatación prosigue:

> «On s'accoutume vite à l'esclavage du mystère.
> Et la servitude finit par créer de doux loisirs».

El poeta francés insiste aquí sobre la dependencia del artista con dos términos: «servitude» y «esclavage». Huidobro, quien presenta a su personaje, el artista, también en rebelión contra la naturaleza, indica que:

> «Ya no quiere *servirla** más en calidad de *esclavo***».

Se trata en este caso ya no sólo de una concomitancia ideológica, sino que ésta alcanza el nivel del léxico.

Luego de haber expuesto este estado de cosas que determina su rebelión, Apollinaire concluye:

> «On laisse les ouvriers maîtriser l'univers et les jardiniers ont
> [moins de respect
> pour la nature que n'en ont les artistes.
> Il est temps d'être les maîtres»[11].

Esta transposición de papeles de servidor, de esclavo a amo se encuentra también en el texto huidobriano, y el poeta chileno llega a la conclusión:

> «No he de ser tu esclavo, madre Natura, seré tu amo».

En esta común actitud de ruptura hay, sin embargo, una evidencia que los retiene. No se trata de una ruptura total, y considerando el papel que desempeñara la naturaleza en sus nuevas concepciones, Apollinaire dirá:

---

[10] VICENTE HUIDOBRO, *Obras completas*, Zig-Zag, Santiago de Chile, 1964.
[11] «Se deja a los obreros dominar el universo y los jardineros tienen menos respeto por la naturaleza que el que tiene los artistas.
Es hora de ser los amos.»
* Destacado por el autor.

«Elle est l'oubli après l'étude» [12].

En el texto huidobriano encontramos:

> «Lo único que deseo es no olvidar nunca tus lecciones, pero ya tengo edad para andar solo por estos mundos».

Reminiscencias del Apollinaire de las *Meditaciones Estéticas* se encuentran también, decíamos, en la conferencia de 1916 en Buenos Aires. En efecto, cuando el chileno habla de la historia del arte como una evolución del Hombre-Espejo hacia el Hombre-Dios, nos hace pensar en la asimilación artista-divinidad que había en Apollinaire:

> «Chaque divinité crée à son image, ainsi, les peintres. Et les photographes seuls fabriquent la reproduction de la nature» [13].

En esta conferencia la huella de Emerson es evidente como el mismo Huidobro lo ha señalado. Se halla integrada ya a su evolución doctrinaria y es palpable, por ejemplo, cuando nos encontramos con algunas precisiones respecto de la obra creada y Huidobro habla de ella como de una unidad con fuerzas propias que la individualizan del centro productor. Se piensa, naturalmente, en la idea de Emerson referente a una obra que posea una «arquitectura propia». Pero, sin embargo, también se piensa en la posible integración de contenidos teóricos apollinairianos, en particular cuando el poeta francés señala la independencia de una obra constituida por su «complitud»:

> «Le tableau existera inéluctablement. La vision sera entière, complète, et son infini, au lieu de marquer une imperfection, fera seulement ressortir le rapport d'une nouvelle créature à un nouveau créateur et rien d'autrè» [14].

Llama la atención, además, que Apollinaire haya incluso hablado de «creación» («un art de conception qui

---

[12] «Ella es el olvido luego del estudio.»
[13] «Cada divinidad crea a su imagen; de este mismo modo lo hacen los pintores. Y sólo los fotógrafos fabrican la reproducción de la naturaleza.»
[14] «El cuadro existirá ineluctablemente. La visión será entera, completa, y su infinito, en lugar de marcar una imperfección, sólo destacará la relación de una nueva creatura con un nuevo creador y nada más.»

tend à s'élever jusqu'à la création»), refiriéndose a lo que él definirá más adelante como cubismo «órfico». Es este tipo de expresión cubista, en efecto, la que en los términos en que el poeta francés la plantea, más se acerca a la concepción huidobriana. Si la obra orfista está constituida por elementos que no pertenecen a la «realidad visual», sino que son enteramente creados por el artista y dotados por él de una poderosa realidad, la obra creacionista es una obra «creada en todas sus partes».

Ahora bien, habíamos señalado el carácter de generalidad que alcanza la elaboración teórica de Huidobro en este primer período. Sus afirmaciones no la individualizan como una doctrina estética específica, y sus postulados dejan un inmenso margen de posibilidades de modo que podrían ser adaptables a diversos tipos de obras. Ellas se sitúan en el nivel del rechazo del cual se desprende una voluntad de búsqueda que no es aún una concepción autónoma. A este nivel ellas se encuentran al lado de las afirmaciones de todos los movimientos de vanguardia europeos de ese instante.

Respecto de esto hay que indicar el nivel de generalidad que se encuentra también en el texto de Apollinaire, para quien su obra es ante todo «meditaciones estéticas», es decir consideraciones sobre el fenómeno artístico en general y no sobre el cubismo en particular. El título *Les Peintres Cubistes* es destacado por conveniencias del editor. Su actitud frente a este movimiento es, por lo demás, la de un entusiasta propulsor, pero este entusiasmo está más motivado por el espíritu de vanguardia que él implica que por una ligazón profunda al estilo cubista [15].

Si el acercamiento que se observa en este primer nivel es claro por cuanto se puede establecer el enfrentamiento de dos personalidades estéticas —Huidobro y Apollinaire— que corresponden a dos situaciones vivenciales diferentes, en el segundo momento de la evolución teórica creacionista, es decir cuando ya ésta se muestra en sus elementos estructurales, el acercamiento se da a través de una relación de concomitancia en un mismo contexto de vivencias, es decir dentro del fenómeno histórico y estético europeo de un momento determinado. En este segundo caso, pues, la elaboración se yergue como el producto

---

[15] DAVID BARY: *Huidobro o la vocación poética*, Granada, 1963.

de una efervescencia masiva donde el problema de precedencia no se establece y no tiene importancia, ya que la relación vital se da de un modo dialéctico donde los encuentros son el producto de una experiencia estética común.

En este sentido David Bary ha señalado [16] muy acertadamente la comunidad de la elaboración teórica que se establece en Europa en ese momento y que se enraíza en la obra de poetas que preceden de lejos el comienzo de siglo.

Dentro de este segundo nivel, pues, la doctrina creacionista llega a ser tal, se individualiza, se define por oposición al futurismo, dadaísmo y surrealismo, y dentro de este proceso guarda siempre una estrecha distancia con el cubismo órfico. En su práctica poética Huidobro se mostrará menos intransigente: algo de toda esa vivencia común imprimirá a su lírica un sello definitorio.

LA AMBIVALENCIA HUIDOBRIANA: EVASIÓN Y AMERICANISMO

Los orígenes de la doctrina creacionista se revelan en sus raíces europeizantes. La historia cultural hispanoamericana está marcada por el colonialismo, y la doctrina creacionista no es una excepción.

Un segundo nivel de la evasión huidobriana se encuentra en su práctica poética. Desde luego en su primera poesía, la poesía anterior a 1917. Es el alejamiento, la evasión que experimentaron en mayor o menor grado cada uno de los modernistas. Luego, en la práctica poética posterior nos encontramos con contenidos y técnicas propios de los «ismos» al lado de los cuales la palabra lírica huidobriana crece en el París de los tres primeros decenios. En efecto, algo del futurismo —que tanto rechazó el poeta chileno— en su valoración de la velocidad y en su valoración de algunos temas índices de modernidad: el aeroplano, los hilos telefónicos. El espíritu del dadaísmo no deja de estar presente en la obra huidobriana, en su ímpetu de rechazo y arbitrariedad. En este último aspecto la poesía de Vicente Huidobro supera esta etapa hacia una creación más razonada. Algo del surrealismo se observa asimismo en un momento de la creación

---

[16] BARY, *Ob. citada.*

huidobriana posterior a 1925: la presencia de un «humor negro» propio de esta escuela, frente al cual aparece un «humor blanco», producto de asociaciones gratuitas, de carácter muy dadaísta. Al lado de éstos una atmósfera de misterio y de oscuros laberintos mentales se deja entrever en la lírica del chileno a través de imágenes de contenido alucinatorio y una visión obsesiva de la muerte.

Con el movimiento cubista hay una actitud de partida común en su voluntad razonadora frente a la creación, y en un momento parece que una intención cubista hubiese tentado al poeta chileno, en particular en lo que se refiere al empleo del adjetivo. Este nos recuerda los primeros ensayos cubistas, como en el Picasso de *Les Demoiselles d'Avignon,* por ejemplo, donde la variación de lo figurativo se da a través de una simple geometrización de la forma, guardando el respeto por el objeto mismo. En Huidobro el empleo del adjetivo, que apunta a dimensiones geométricas de la forma, es un fenómeno que se observa en especial en *Poemas árticos,* de 1918. Pero el dinamismo propio de la lírica del chileno lo aleja del estatismo de la creación cubista dando a su obra un carácter más dionisíaco frente a la sobriedad cubista.

Todos estos rasgos que hemos apuntado configuran al carácter europeizante y escapista en relación a lo americano que presenta la obra de Huidobro. Se trata de una actitud cuya explicación trataremos de encontrar más adelante, ya que corresponde a la tipificación de todo un grupo social en América Latina en su búsqueda de modelos culturales europeos. En efecto, a propósito de esta singularidad que es nuestra conciencia hispanoamericana habría que destacar uno de sus rasgos más relevantes: nuestro mestizaje cultural, mestizaje que lleva el sello del colonialismo. Hemos tomado todo de las culturas europeas, española y francesa —alemana a veces— y las hemos aceptado tratando de hacer de ellas nuestro instrumento expresivo. A propósito de este proceso Alejo Carpentier ha dicho muy acertadamente:

«Somos el producto de varias culturas, dominamos varias lenguas y respondemos a diferentes procesos, legítimos, de transculturación» [17].

---

[17] *Tientos y Diferencias,* La Habana, 1966, p. 27.

El problema de la evasión se presenta desde el momento en que ese proceso de transculturación se transforma en una aceptación directa de los contenidos extranjeros sin adaptación de éstos a nuestros patrones culturales, a nuestro «modus vivendi», a nuestra visión del mundo, a nuestra conciencia hispanoamericana. Y en este sentido, en su voluntad de huida y búsqueda de contenido ajenos a lo americano, como en su voluntad de creación de un nuevo realismo, la actitud huidobriana es escapista.

Pero al lado de este escapismo otra actitud definidora de la lírica del chileno en la medida en que su voz es cósmica, se encuentra subyacente en su visión del mundo. Se trata de una actitud que muestra su enraizamiento profundamente americano y que nos permite hablar de la «ambivalencia» del chileno.

En efecto, a medida que su obra evoluciona y alcanza mayor madurez, un rasgo comienza a marcarla. Este carácter es una visión del mundo propia del hombre primitivo, una visión del mundo natural que responde a un proceso de integración. Es el contacto del hombre con una naturaleza avasalladora que toma una andadura gigantesca y a veces lo destruye y que es un contacto propiamente americano. El «telurismo» es un carácter propio de América, dada la fuerza y la potencia de su medio natural: su pampa, su sierra, sus volcanes, su Amazonas son realidades que imprimen un carácter al hombre que tiene una vida en común con ellas.

Ahora bien, este carácter propio del hombre latinoamericano se expresa en Huidobro en la perspectiva de la «materia».

Un primer acercamiento a estos contenidos se observa en *Las pagodas ocultas*, de 1914, y el poema *Adán*, de 1916. Este primer tratamiento de los elementos naturales —elementos que forman parte tanto del reino vegetal como del mineral o animal, de las fuerzas naturales, del mundo natural que rodea al hombre en todo aspecto— se expresa en estas obras como descubrimiento de esos contenidos. El poeta toma conciencia de ellos y los poetiza en una visión exterior a ellos, los «cuenta», situándose a distancia, estableciendo una neta separación entre sujeto y objeto.

Pero a medida que su trabajo poético avanza Huidobro comenzará a «humanizar» las cosas, de modo que sujeto y objeto comenzarán a acercarse en un proceso que culminará con la fusión de ambos, con la integración de poeta y materias donde uno *es* el otro, en una simbiosis que le hará escribir en el magnífico poema *Monumento al mar*:

Hazte hombre te digo como yo a veces me hago mar.

El proceso de integración es total, no hay entidades individuales sino una sola vida donde uno ha penetrado en el otro y se expresa a través de él:

El mundo se me entra por los ojos
Se me entra por las manos se me entra por los pies
Me entra por la boca y me sale
En insectos celestes o nubes de palabras por los poros
Silencio la tierra va a dar a luz un árbol
Mis ojos en la gruta de la hipnosis
Mastican el universo que me atraviesa como un túnel
Un escalofrío de pájaros me sacude los hombros
Escalofrío de alas y olas interiores
Escalas de olas y alas en la sangre
Se rompen las amarras de las venas
Y se salta fuera de la carne
Se sale de las puertas de la tierra
Entre palomas espantadas.

(Altazor)

Es una vibración de mundo que brota del poeta, instrumento expresivo de esa palpitación. Ese mundo que le entra por los ojos, por sus manos, por sus poros, hace cósmica su expresión. Esa vida de la que él está grávido se vierte en intensidad de mundo a través de su lírica, de modo que su comunicación estética se vuelve transmisión del mundo vegetal, del mundo mineral, se vuelve entrega de ese universo natural que se le impone y que lo posee:

Soy rosa de trueno y sueno mis carrasperas
Estoy preso y arrastro mis propios grillos
Los astros que tengo rugen en mis entrañas
Proa a la borrasca en procesión procreadora
Proclamo mis proezas bramadoras
Y mis bronquios respiran en la tierra profunda
Bajo los mares y las montañas
Y luego soy pájaro
Y me disputo el día en gorjeos
El día que me cruza la garganta
Ahora solamente digo
Callaos que voy a cantar

Soy el único cantor de este siglo
Mío mío es todo el infinito
Mis mentiras huelen a cielo
Y nada más
Ahora soy mar
Pero guardo algo de mis modos de volcán
De mis modos de árbol de mis modos de luciérnaga
De mis modos de pájaro de hombre y de rosal
Y hablo como mar y digo, etc.

(Altazor)

Dos expresiones marcan la posesión cósmica que se apodera del poeta. El mismo lo dirá:

Y mientras los astros y las olas tengan algo que decir
Será por mi boca que hablarán a los hombres.

Ya que Huidobro como poeta cósmico es el gran poeta del mar. El mar que es inmensidad marina, que es náufrago, que es dulzura hipnotizada de estrellas, que es desencadenamiento telúrico:

Este es el mar
El mar con sus olas propias
Con sus propios sentidos
El mar tratando de romper sus cadenas
Queriendo imitar la eternidad
Queriendo ser pulmón o neblina de pájaros en pena
O el jardín de los astros que pesan sobre el cielo
Sobre las tinieblas que arrastramos
O que acaso nos arrastran
Cuando vuelan de repente todas las palomas de la luna
Y se hace más oscuro que las encrucijadas de la muerte.

(Monumento al Mar)

Es la fuerza imponente de esta realidad natural, realidad hispanoamericana y más especialmente chilena: el hombre de Chile no ignora lo que es el mar, su vida se desarrolla entre la cordillera y el océano inmenso. A menudo subsiste gracias a él: es el pescador que saca la riqueza marítima, que hace de «la mar» una compañera, que conoce las actitudes que debe tomar para no enfurecerla, que sabe cantarle y calmarla. También conoce sus peligros; a veces el maremoto arrasa con pueblos enteros y él ha aprendido a temerle. Chile es una larga costa y el mar ha impreso un carácter en su pueblo.
Huidobro es también el poeta del espacio aéreo, el poe-

ta de los astros, el poeta de la cosmicidad sideral. El poeta en que la vida del hombre primitivo vuelta hacia los astros, guiándose por ellos, interpretándolos y forjando mil leyendas se une a la del hombre del siglo veinte, para quien el espacio sideral es el aerolito, el meteoro y el avión. Es así como el personaje de *Altazor*, uno de los más hermosos poemas de lengua española es, al mismo tiempo, «pájaro», «hombre», «ángel» y «aviador».

Jaime Concha, en una excelente monografía donde analiza el itinerario lírico de este personaje, indica cómo la manera de participar de la experiencia futurista se expresa en Huidobro a través de la valoración no de la velocidad del elemento mecánico, sino de la del elemento natural: la trayectoria de los astros, la órbita vertiginosa de los planetas [18].

> ¿Qué combate se libra en el espacio?
> Ésas lanzas de luz entre planetas
> Reflejos de armaduras despiadadas
> ¿Qué estrella sanguinaria no quiere ceder el paso?

> *(Altazor)*

En la relación poeta-materias, los elementos siderales cumplen, pues, un papel importante. En ella la integración no es total, pero se observa en todo caso un proceso de acercamiento en que la población del espacio aéreo deviene familiar y el cosmos, en la expresión de Eduardo Anguita, «se humaniza y se domestica» [19].

Es de este modo que las dos actitudes —evasión y americanismo— se conjugan en el poeta chileno, encontrándose la expresión americana en una imaginación de las materias caracterizadas por un proceso de acercamiento e integración, plasmación de una actitud propia del hombre americano, frente a una búsqueda de técnicas y contenidos europeizantes y producto de una relación vital con la realidad artística europea de un momento determinado.

---

[18] J. CONCHA, «Altazor, de Vicente Huidobro» en: *Anales de la Universidad de Chile*, año CXXIII, núm. 133, enero-marzo de 1965.
[19] Ver EDUARDO ANGUITA, «Prólogo», en: Vicente Huidobro, *Antología*, Santiago de Chile, 1945.

La situación de Vicente Huidobro es la de un poeta ambivalente. Ambivalencia dada por su condición de poeta bilingüe que maneja ambas lenguas con igual maestría. Ambivalencia dada por su contradicción estética, por su balancearse entre lo americano y lo europeo, contradicción que está en la base de nuestra condición de americanos, pero que en Huidobro está nítida en la individualización de sus polos.

En esta individualización, como hemos visto, la evasión se da en varios niveles: en la práctica poética, en la teoría creacionista. Como hemos visto anteriormente, el creacionismo como concepción estética tiene sus raíces en la tradición europea y francesa, en particular a través del paso teórico de Apollinaire. Su desarrollo posterior se realiza en Francia.

Se observa además su carácter de injerto europeo al tronco cultural hispanoamericano, si se piensa en los contextos que han condicionado todas las teorías revolucionarias que nacen en Europa con el objeto de crear un nuevo realismo, en el primer cuarto de siglo. En efecto, si la «crisis de valores simbolistas» tiene un contexto económico, social, histórico en Europa, para el creacionismo, cuyo fundamento estético es similar, el contexto es bien diferente.

La aparición de las escuelas parnasiana y simbolista finiseculares, su vida y muerte para dar paso a una sucesión de movimientos de franca ruptura que no es sino una sola eclosión de rechazo que toma distintas caras en su búsqueda y definición posterior, responden a un contexto histórico general y podrían tener su explicación —a través de un análisis profundizado de las relaciones— en el incesante proceso de transformación que constituye y consolida nuevas bases para el capitalismo europeo. La crisis de los valores simbolistas, por lo demás, coincide con la ruptura que significa el paso de la economía liberal al capitalismo monopolista. Y es sintomático además que se establezca el paso de un sistema, el liberalismo, cuya concepción del mundo y del hombre significa el apogeo del individuo, a un sistema, el capitalismo de monopolios, donde el juego del individuo no es de participación directa sino que se da a través de mediaciones donde el monopolio absorbe el elemento humano y actúa en función de él. Decíamos que es sintomático porque el paso del simbolismo, del impresionismo de fines del siglo XIX, al cubismo, dadaísmo o surrealismo significa también un proceso de transición donde el elemento humano pierde su palpación directa en la obra de arte, que se da tal vez más cabalmente en el apogeo de lo figurativo, para llegar a encontrarse a través de mediaciones, como es el proceso de abstracción por ejemplo y que ha hecho hablar incluso de «deshumanización del arte». De hecho el arte no puede ser deshumanizado en la medida en que es producto del hombre y es adecuado a su esencia, pero es indudable que lo humano en el arte de comienzos del siglo XX se da a través de una serie de mediaciones y ha perdido la evidencia que se encontraba en el arte del siglo anterior.

Este punto de vista histórico es válido para un establecimiento de las relaciones del proceso global, como es el nacimiento de los «ismos» europeos. Ahora bien, dentro de sí mismo este proceso tiene su dinámica que permite explicar la aparición y muerte de sus movimientos internamente dentro de lo artístico como procesos de acción y reacción. Así se comprende por ejemplo la ruptura que plantea el cubismo, o el movimiento surrealista como consecuencia orgánica de la actitud dadaística. Se trata de un proceso sincrónico cuya virtualidad explicativa le es particular, pero que se inscribe en una totalidad mayor que es necesariamente de tipo más general y cuya explicación es previa.

Ahora bien, veamos el problema de lo que sucede en Hispanoamérica. Allí se dan las mismas expresiones artísticas: encontramos desde el simbolismo hasta la tendencia surrealista.

Sucede que la «démarche» explicativa en este caso no es válida en su paso previo de tipo histórico. En efecto, frente a la evidencia de los albores de un capitalismo que constituye un contexto americano, se encuentra el condicionamiento histórico europeo dado en un capitalismo monopolista consolidado. En su evolución, distintos papeles asumirán en el juego.

El papel económico que cumple Europa, y en particular un país como Francia, en la estructura del sistema capitalista mundial es el de metrópoli, cuya contrapartida es la colonia sobre la cual lleva un juego de apropiación/expropiación del excedente económico.

El papel de los países latinoamericanos, por el contrario, se encuentra en el otro polo de la contradicción. Chile, en particular, desde el siglo XVI presenta un status de satélites periféricos en quien la contradicción fundamental del sistema capitalista —metrópoli-satélite— se encuentra a otros niveles. Pero las relaciones y la problemática que se desprenden de su infraestructura son necesariamente diferentes de las que se desprenden de la de un país que desempeña un papel exactamente opuesto en la contradicción, es decir, de la de una metrópoli.

En un excelente estudio sobre el problema de esta contradicción en relación a dos países latinoamericanos, Chile y Brasil, André G. Frank ha señalado:

«El desarrollo histórico en Chile y en el mundo está signado por una tendencia secular a la polarización, tanto en el orden internacional como en el nacional; y el grado de interdependencia —que es el grado de la dependencia satélite— ha aumentado de la misma manera. La disparidad entre la metrópoli y Chile en cuanto a poder, ingresos y, lo que es quizá más importante, en cuanto a capacidad política, económica y tecnológica para el desarrollo, se ha hecho más profunda a través del tiempo, y el proceso continúa hoy. Al mismo tiempo, Chile, su metrópoli y su burguesía, se han tornado más y más dependientes de la metrópoli en lo político, económico y tecnológico. No sólo su comercio, su agricultura y su minería, como es tradicional, sino ahora también su industria, se van integrando económica, tecnológica e institucionalmente con la metrópoli capitalista mundial, de la que son satélites cada vez más subordinados» [20].

La superestructura que se desprende de las dos funciones económicas diferentes y opuestas es necesariamente de naturaleza diferente. Ellas presentan una problemática propia y desempeñan un papel diferente en la historia.

De este modo, si Europa ha tenido la experiencia de una guerra mundial, la ha vivido, Chile en esta experiencia no ha tenido sino un papel de espectador y las consecuencias tienen para él caracteres también diferentes.

Su historia cultural se da en relación a estos hechos

---

[20] ANDRÉ GUNDER FRANCK, «Chile: el desarrollo del subdesarrollo», en: *Monthly Review*, núms. 46-47, Santiago de Chile, enero-febrero de 1968, página 132.

y tiene, forzosamente, un carácter singular que no permite explicar sus fenómenos con los mismos elementos que permiten explicar los fenómenos de la historia cultural europea. Este mismo hecho ha llevado a escribir, por ejemplo, a Enrique Lihn, en lo que concierne al movimiento surrealista chileno, que este movimiento no respondía al mismo desafío que permitía comprenderlo históricamente en Francia. En efecto, su situación de entre-dos-guerras en Chile pierde su sentido y es por eso que fue, dice E. Lihn, a causa de su carácter excesivamente imitativo, más bien un fenómeno de excentricidad cultural que un intento de subversión plausible de todos los valores que se pueden comprender a partir de determinadas condiciones objetivas [21].

Todos estos elementos nos llevan a ver la concepción creacionista como el injerto de una elaboración extranjera, francesa, en el desarrollo literario de Chile. Por lo demás toda la herencia cultural europea tiene ese sentido para nuestra evolución cultural americana, ya que no es el producto natural de nuestro desarrollo: el legado que recibimos es un legado de contenido elaborado y maduro que adaptamos a nuestra visión del mundo y que integramos a nuestra historia cultural.

Pero en el caso de la teoría huidobriana el injerto es más abrupto, primeramente porque no es una concepción decantada en su elaboración: en el curso de su primera etapa ella se sitúa a nivel de un intento de ruptura, de un proyecto que forma parte de una serie de intentos de ruptura que aparecerán a comienzos de siglo en Europa. Luego, el injerto es abrupto porque es el producto de una voluntad de ruptura que responde a un condicionamiento histórico que en Chile no se da en ese instante. Y aún más, otro elemento apoya nuestra hipótesis: el creacionismo no prosperó en su naturaleza misma en Chile, no originó una corriente literaria propiamente creacionista y el papel que tuvo es más bien el de haber dado origen a un movimiento de vanguardia de tipo general.

El creacionismo es el producto de un contenido ideológico que llega a América española y se desarrolla en un poeta que por su situación de clase está mirando a Europa como centro de la historia y de la cultura. Porque la clase burguesa, la gran burguesía, es la clase más ligada

---

[21] ENRIQUE LIHN, «Autobiografía de una escritura», en: *Casa de las Américas,* núm. 45, noviembre-diciembre de 1967, La Habana, Cuba.

en todo aspecto a Europa, a la que se encuentra integrada representando sus valores y sus intereses. G. Frank escribe a propósito de este fenómeno:

> «Hemos observado, y esto es crucial para comprender a Chile y a todos los demás países subdesarrollados, que tanto la «burguesía nacional» como su «estado nacional» han sido siempre y son cada vez más partes integrantes de un sistema capitalista mundial, dentro del cual constituyen una burguesía y un estado fundamentalmente satélites o «subdesarrollados». Es así como la burguesía y el estado satélite «nacionales» se tornaron y siguen siendo dependientes de la metrópoli capitalista mundial, cuyo instrumento han sido y siguen siendo para la explotación de la periferia» [22].

Es así como los contenidos culturales de la gran burguesía chilena han sido siempre contenidos europeizantes, y Francia en especial ha sido el modelo que se ha limitado desde hace siglos en varios aspectos, desde su «savoir vivre» hasta su arquitectura.

Esta relación del grupo social, sus contenidos, su conciencia, determinan naturalmente una visión del mundo, y en ésta, una particular visión estética. Como dice Lukács:

> «La vinculación consciente con la sociedad o la imaginaria independencia absoluta del sujeto no son meras diferencias «sociológicas».., sino que, por el contrario, afectan directamente a la esencia humana, al ser del hombre y, por lo tanto, a sus capacidades estéticas» [23].

El creacionismo es, pues, un resultado de esta relación en su escapismo. Como concepción estética no es de origen americano, y si un aspecto expresivo de este continente encontramos en él, es el que se observa en la gran burguesía chilena, es decir un americanismo constituido paradojamente por contenidos europeizantes.

[*Mapocho*, Santiago de Chile, V, 18 (verano, de 1969).]

---

[22] *Op. cit.*, p. 131.
[23] Georg Lukács, *Estética*, 2, Grijalbo, México, 1966, p. 475.

RICHARD L. ADMUSSEN Y RENE DE COSTA *

HUIDOBRO, REVERDY Y LA EDICION PRINCIPE DE "EL ESPEJO DE AGUA" (1972)

Hace medio siglo ya que la proximidad literaria del poeta francés Pierre Reverdy y el chileno Vicente Huidobro ha sido la causa de acaloradas discusiones. Al sobrepasar los límites de las literaturas nacionales, la controversia ha llegado a cuestionar los orígenes de la poesía vanguardista en Francia y en España, así como en la América del Sur. A través de los años, las partes en disputa han producido apasionados libros y artículos. Es tiempo ya de resolver objetivamente esta guerra internacional de palabras. El asunto central es éste: ¿Aportó Vicente Huidobro, en 1917, un nuevo estilo de poesía a París; o es que apenas llegado imitó el de Pierre Reverdy? Partidarios de cada una de estas posibilidades han sostenido vigorosamente el debate.

Huidobro publicó sus primeros poemas en francés en *Nord-Sud*, [1] el órgano de la vanguardia en París editado por Reverdy. Desde abril hasta diciembre de 1917, las composiciones del chileno aparecieron allí con regularidad—un total de doce poemas [2]. Nueve de ellos fueron más

---

* Traducción del inglés por Sonia Csaszar.

[1] *Nord-Sud* (1-16, marzo 1917-octubre 1918) fue, junto con *Sic* y *Elan,* la primera revista literaria que apareció después de comenzar la guerra. Llamada así por el tranvía subterráneo que conecta los dos centros literarios más importantes de París, Montmartre y Montparnasse, esta revista trató de unir diversas tendencias literarias y de identificar su común denominador artístico. Sus colaboradores, Apollinaire, Aragon, Braque, Breton, Jacob, Soupault y Tzara, junto con Reverdy y Huidobro, habían de llegar a ser los representantes más notables de la estética nueva.

[2] «L'Homme triste», 2 (abril, 1917); «Je garde en mes yeux...», «La chambre déserte...», 3 (mayo, 1917); «Les heures glissent...», «Quelque

tarde recogidos ese mismo año en *Horizon carré* (1917)[3]. En 1918, mientras estaba en Madrid, Huidobro hizo editar una segunda edición de *El espejo de agua* (1918)[4]. Su presencia en Madrid por aquel entonces parece haber servido de estímulo al vanguardismo español; en el primer número de *Cosmópolis* (enero 1919), Rafael Cansinos-Asséns, reseñando el desarrollo literario de 1918, señaló la importancia de la visita del poeta:

> ... el acontecimiento supremo del año literario que ahora acaba lo constituye el tránsito por esta corte del joven poeta chileno Vicente Huidobro, que a mediados de estío llegó a nosotros, de regreso de París, donde pudo ver las grandes cosas de la guerra y alcanzar las últimas evoluciones literarias. Pocas líneas en nuestra prensa señalaron la estancia del original cantor, que, retraído y desdeñoso, sólo se comunicó con unos pocos para anunciarles sus primicias nuevas. Y, sin embargo, su venida a Madrid fue el único acontecimiento literario del año, porque con él pasaron por nuestro meridiano las últimas tendencias literarias del extranjero; y él mismo asumía la representación de una de ellas, no la menos interesante, el creacionismo, cuya paternidad compartió allá en París con otro singular poeta, Pedro Reverdy, el autor de *Les Ardoises du toit*, y cuyo evangelio práctico recogió en un libro, *Horizon carré*, Paris, 1917[5].

Es digno de notarse el hecho de que en 1919 no había cuestión alguna de rivalidad estética: Reverdy y Huidobro fueron tratados de manera igual. De hecho, la cuestión de la primacía poética no surgió sino hasta junio de 1920, cuando Enrique Gómez Carrillo publicó en un periódico de Madrid su versión de una entrevista con Pierre Reverdy. Aunque lo expresado por el poeta francés al locuaz cronista aún no ha sido aclarado, las siguientes

---

chose frôle la mur...», «Fille...», «La Glace», 4-5 (junio-julio, 1917); «Tour Eiffel», «Orage», 6-7 (agosto-septiembre, 1917). «Moi Flammfolle», 8 (octubre, 1917); «Ton cri perça...», 9 (noviembre, 1917); «Quelqu'un vient de mourir en moi...», 10 (diciembre, 1917).

[3] París, Editions Paul Birault, 1917. Solamente «Fille...», «Tour Eiffel», y «Quelqu'un vient de mourir en moi...» no figuraron en esta colección.

[4] Esta edición contenía los siguientes nueve poemas: «Arte poética», «El espejo de agua», «El hombre triste», «El hombre alegre», «Nocturno», «Otoño», «Nocturno II», «Año nuevo», «Alguien iba a nacer». Una reproducción cabal del texto completo puede encontrarse en la edición de las primeras poesías de Huidobro, hecha por Hugo Montes: *Obras poéticas selectas* (Santiago, Editorial del Pacífico, 1957).

[5] «Un gran poeta chileno: Vicente Huidobro y el Creacionismo», páginas 68-73.

acusaciones, publicadas por primera vez en *El Liberal*, documentan el peculiar origen de la polémica:

> Pierre Reverdy es, entre los cubistas parisienses, el único que me manda sus libros, el único que me escribe cartas afectuosas.
> —Voulez-vous me parler de votre école? —le dije—. Mais oui —contestóme cortés y entusiasta. Luego, muy gravemente, hablóme de esta manera:
> —Ya sé, ya sé que en lengua española hay un movimiento cubista interesante... En el primer número de *Cosmópolis* me dicen que un crítico influyente habla del chileno Huidobro como el creador del movimiento. ¿Es posible que tales cosas se escriban tan cerca de París? Ese joven Huidobro, muy influenciable, tuvo la debilidad, por no emplear otra palabra, de recurrir a la triste superchería de publicar un libro poniéndole una fecha muy anterior, antidatándolo, en suma, para hacer creer que lejos de ser él quien imitaba, los demás lo habían imitado a él... Es un muchacho sin importancia en la literatura francesa... No sé si en Valparaíso o en Caracas... [6].

A través del largo debate a que dio lugar la publicación de esta «entrevista», no hay otra indicación alguna de que los poetas mismos se hayan atacado directamente. Los críticos, en cambio, se vieron pronto metidos en una polémica. Pocos meses después, en *Cosmópolis*, Guillermo de Torre comenzó a desarrollar el alegato impugnando tanto a Reverdy como a Huidobro [7]. Entonces, ni el poeta francés ni el chileno se sintieron inclinados a contestar al joven ultraísta español; pero, al amplificar constantemente el argumento, enalteciéndose a sí mismo y a otros poetas hispánicos, terminó provocando una respuesa por par-

---

[6] ENRIQUE GÓMEZ CARRILLO, «El cubismo y su estética», *El Liberal*, Madrid, junio 30, 1920. Trozos de esta «entrevista», muy pobremente documentados, son frecuentemente citados mal por las partes en disputa. El fragmento arriba reproducido es quizá la primera cita directa de la acusación atribuida a Reverdy. Sin embargo, no pretende constatar la autenticidad del informe ni gran confianza en el redactor. Es sabido que las tendencias al rumor y a la exageración de Gómez Carrillo, lo sitúan frecuentemente en el centro de polémicas literarias. Véase, por ejemplo, «La querella entre Jacinto Benavente y Gómez Carrillo», *La Revista de América*, París, II, 9 (febrero, 1913). Además, parece poco probable que Reverdy, siendo sólo cuatro años mayor que Huidobro y conocido por su resuelta oposición al término «cubismo» aplicado a la literatura, hubiera hecho comentarios tan frívolos respecto a «ese joven Huidobro» y a «un movimiento cubista interesante».
[7] «La poesía creacionista y la pugna entre sus progenitores», *Cosmópolis*, II, 20 (agosto, 1920), 589-605.

te de Huidobro[8]. Aun así, es significativo el hecho de que Huidobro condescendiera a responder a Guillermo de Torre sin hacer mención alguna de Reverdy.

Después de 1925, las opiniones parciales comenzaron a aparecer también en libros[9]. Con el correr del tiempo, hasta los litigios más vehementes de los primeros años llegaron a adquirir cierto respeto, especialmente entre aquellos que no estaban directamente implicados. Luego, la posibilidad de establecer la verdad fue complicada por el influjo de neófitos que no hicieron más que prestarse crédulamente a las viejas ideas sectarias. Más críticos se agregaron a la querella. Por ejemplo, en Nueva York, Angel Flores loaba a Reverdy mientras Henry Holmes reclamaba mayor importancia para Huidobro; pero cada uno de estos estudiosos se contentaba con aceptar como un hecho establecido el conjunto de dudosos datos que tendieran a sostener su posición. Y así Flores opinaba, algo ingenuamente, que «the truth about the Huidobro versus Reverdy case has been thoroughly cleared»[10]. Con cierta firmeza ofreció una explicación de cómo Huidobro, al llegar a París,

> Began to study the poets of the hour. Soon he discove-red Pierre Reverdy. His liking became decidedly exasperating— but how he hated to have to imitate Reverdy! Under the circumstances the only plausible thing for him to do was to prove that he had anticipated and influenced Reverdy. And so he published, duly ante-dated, a plaquette containing six poems[11].

[8] VICENTE HUIDOBRO, «Al fin se descubre mi maestro», *Atenea*, II, 7 (septiembre, 1925), 217-244.

[9] GUILLERMO DE TORRE incorporó su argumento en el texto de su *Literaturas europeas de vanguardia* (Madrid, Rafael Caro Raggio, 1925). RAFAEL CANSINOS-ASSENS revisó su defensa de Huidobro en *La nueva literatura* (Madrid, Páez, 1927).

[10] «A High-Speed Cagliostro», *New York Herald Tribune Books*, noviembre 29, 1931.

[11] *Ibíd.* La plaqueta en cuestión (*El espejo de agua*) contiene nueve poemas, no seis. El error numérico, por más trivial que parezca, es indicativo de la desatención a los textos que tanto ha afectado a los estudios de Huidobro. Recientemente, Flores ha cambiado de posición. En su antología crítica *The Literature of Spanish America* (Nueva York, Las Américas, 1967), no menciona a Reverdy, y confiere primacía poética a Huidobro.

> «Empezó a estudiar los poetas del momento. Pronto descubrió a Pierre Reverdy. La precedencia de éste llegó a serle decididamente exasperante. ¡Cómo odiaba el tener que imitar a Reverdy! Bajo tales circunstancias lo único plausible que podía hacer era mostrar que él se había anticipado e influenciado a Reverdy. Y he aquí cómo publicó, debidamente antedatado, su 'plaquette' de seis poemas.»

Por ese entonces los campos críticos llegaron a ser tan incompatibles, que lo que para un crítico era objeto de incredulidad, para otro era un artículo de fe. De esta manera, Holmes pudo sentirse igualmente seguro:

> Certain poems of the collection *Espejo de agua* [sic] were originally published in Chilean magazines during the period from 1913 to 1915. The entire series, however, was first issued in book (strictly, plaquette) form in 1916. The place of publication was Buenos Aires [12].

Estos ejemplos indican no sólo la polarización de los dos campos en los comienzos de la década de 1930, sino también el nivel superficial de la crítica subsecuente. A la muerte de Huidobro, en 1948, el asunto estaba más confuso que nunca: los eruditos en Chile hacían muy poco por clarificar la controversia [13]. Cuando Reverdy murió en 1960 el asunto central sobre la primacía poética seguía siendo un problema, y una nueva ola de libros y artículos comenzó a aparecer, en su mayoría siguiendo los patrones de la retórica del pasado [14].

Entre los actuales defensores de Huidobro, está el escritor argentino Juan-Jacobo Bajarlía. Aunque él logra señalar hábilmente las numerosas falacias que se repetían en la argumentación sostenida por los opositores, su propio razonamiento en pro de la existencia de la edición de 1916 es debilitado por documentación tan dudosa como correspondencia, recuerdos, y testimonios personales. Su

---

[12] HENRY ALFRED HOLMES, *Vicente Huidobro and Creationism* (Nueva York, Institute of French Studies, 1934), p. 14. A pesar de la firme creencia del profesor Holmes en la edición de 1916, curiosamente no cita de ella; en lugar de ello reproduce en su texto inglés versiones francesas de poemas originalmente publicados en español.

«Algunos poemas de la colección *El espejo de agua* fueron publicados originalmente en una revista chilena entre 1913 y 1915. La serie entera se editó como libro (*plaquette*) en 1916. El lugar de publicación fue Buenos Aires.»

[13] CEDOMIL GOIC estudió en 1955 la trayectoria completa del desarrollo poético de Huidobro, ateniéndose rigurosamente a la existencia de la edición de 1916, en *La poesía de Vicente Huidobro* (Santiago, Anales de la Universidad de Chile, 1955). Más tarde, Antonio de Undurraga preparó un extenso estudio preliminar a una edición de las obras de Huidobro: «Teoría del Creacionismo», en *Poesía y prosa* (Madrid, Aguilar, 1957). Desgraciadamente, su desenfrenada admiración por su compatriota lo hace, a veces, perder toda objetividad.

[14] El carácter gratuito de la crítica francesa en cuanto a este asunto es detallado en el ensayo de MARIE LAFFRANQUE, «Aux sources de la poésie espagnole contemporaine: la querelle du "créationnisme"», *Bulletin Hispanique*, 64 bis (1962), 479-489.

libro, como casi toda la crítica sobre el asunto es tendencioso [15].

Recientemente, David Bary introdujo cierto grado de moderación en la controversia. Sin embargo, en pocas palabras descartó la posibilidad de que jamás existiera una primera edición:

> Sostuvo Huidobro ante sus compañeros madrileños que esta «primera edición» la había publicado en Buenos Aires, en donde había estado de paso rumbo a París; pero como nadie vio nunca semejante edición, que no se encuentra hoy en la Biblioteca Nacional de Buenos Aires, se difundió poco a poco la creencia de que la publicación de una supuesta segunda edición había sido una impostura debida al afán de originalidad del poeta chileno [16].

Hoy día, más de cinco décadas después de la acusación de 1920 en *El Liberal*, la controversia sigue sin resolverse. Críticos contemporáneos, habiendo prejuzgado el asunto, tienden ya a defender, ya a condenar a los poetas, descuidando, como sus predecesores, la realidad objetiva de la poesía misma [17]. Así, cuando las obras completas de Huidobro fueron publicadas en 1964, un comentario extraordinario contenido en el prefacio pasó completamente ignorado. Allí el poeta chileno Braulio Arenas menciona al pasar que la disputada edición de 1916 de *El espejo de agua* se encuentra en su posesión [18].

Al ser preguntado por los autores del presente estudio, Braulio Arenas, muy gentilmente, cedió el texto para ser examinado. La fecha de impresión de 1916 aparece en la edición príncipe de Buenos Aires [19]. Encuadernado senci-

---

[15] El subtítulo de por sí revela la tesis: *La polémica Reverdy-Huidobro: Origen del Ultraísmo* (Buenos Aires, Devenir, 1964).

[16] *Huidobro, o la vocación poética* (Granada, Consejo Superior de Investigaciones Científicas, 1963), p. 20.

[17] Sólo David Bary ha estudiado la poesía en lugar de la polémica. Curiosamente, sin embargo, no obtiene sus ejemplos de poemas de Reverdy de fuentes primarias, sino de una antología. De esta manera, su análisis de lo que él llama con acierto «el estilo *Nord-Sud*» (pp. 67-87) está basado en composiciones escritas durante un período de cuatro años (1915-1918), pero ninguna de ellas jamás apareció en *Nord-Sud*.

[18] «¡Y pensar que nosotros hojeamos en este momento dicha edición de 1916!» «Vicente Huidobro y el Creacionismo», *Obras completas de Vicente Huidobro* (Santiago, Zig-Zag, 1964), I, 23.

[19] EL ESPEJO DE AGUA / POEMAS / 1915-1916 / VICENTE HUIDOBRO / BUENOS AIRES, 1916.
Un volumen de 22×14 cm. de [16] páginas, cosido. Tapas de papel oscuro amarillento. Tapa superior: EL ESPEJO / DE AGUA / POEMAS /

llamente en papel oscuro amarillento, este delgado volumen de dieciséis páginas contiene nueve poemas—los mismos nueve que figuran en la segunda edición de 1918. No hay variantes. La mera existencia de este texto podría, normalmente, considerarse como evidencia suficiente para exonerar a Vicente Huidobro de las acusaciones dirigidas contra él; sin embargo, el fervor de la polémica a través de los años ha sido de suficiente magnitud como para proseguir con cautela. Por lo tanto, para minimizar toda posibilidad de duda, hemos analizado estos poemas de Huidobro y los hemos comparado con los de Reverdy. Un primer resultado, por lo menos, de nuestro análisis puede adelantarse ahora: la poesía por sí misma no justifica la prolija controversia crítica.

Curiosamente, desde 1920 hasta ahora, los estudiosos no han examinado los textos pertinentes. Aunque la polémica se desarrolló sin el concurso de la edición de 1916 de *El espejo de agua*, la segunda edición, la de 1918, que después de todo, fue la causa de la controversia, ha estado siempre disponible. La poesía de Reverdy también ha sido accesible, así como la otra fuente primaria de los trabajos iniciales de ambos poetas, la revista literaria parisiense *Nord-Sud*. No se ha carecido de textos sino, en verdad, de un tranquilo examen de ellos. La abultada bibliografía que abarca el asunto primordial ha sido comparado —apropiadamente— con una «montagne de fumier» [20]. Ha llegado la hora para intentar un análisis imparcial de los hechos.

Ya hemos determinado que en abril de 1917, poco después de su llegada a París, Vicente Huidobro comenzó a colaborar en la revista de Pierre Reverdy, *Nord-Sud*. Des-

---

[adorno del impresor] / VICENTE HUIDOBRO. *Tapa inferior*: La «Biblioteca Orión publicará libros de los / más interesantes poetas jóvenes de América. / En ella aparecerán obras de Fernán Félix de / Amador, Segura Castro, Daniel de la Vega, / Juan Guzmán, Jorge Hubner, Andrés Chabri- / llón, Angel Cruchaga, Gabriela Mistral, Evar / Méndez, etc., etc. Contenido: [1] página titular, ver descripción arriba; [2] Lista de obras del autor, incluyendo dos títulos «en preparación» nunca publicados: LOS ESPEJOS SONAMBULOS, y DOÑA QUIJOTA, *Novelas; [3] dedicatoria; [4] en blanco;* [5] ARTE POETICA; [6] EL ESPEJO DE AGUA; [7]-8 EL HOMBRE TRISTE; [9] EL HOMBRE ALEGRE; [10] NOCTURNO; [11] OTOÑO; [12] NOCTURNO II; [13] AÑO NUEVO; [14] ALGUIEN IBA A NACER; [15] *en blanco;* [16] *nota*: Este libro es el segundo / de la «Biblioteca Orión».

[20] JUAN-JACOBO BAJARLÍA, «La Polémique Reverdy-Huidobro», *Courrier du Centre International d'Études Poétiques,* 46 (s. f.), 4.

de entonces, sus trabajos aparecieron allí con regularidad hasta diciembre de 1917. Sus doce colaboraciones se dividen en dos categorías: traducciones del español al francés, y composiciones originales en francés. En los números de abril, mayo y el número doble de junio-julio de 1917, Huidobro publicó un total de cinco poemas traducidos del español. Este hecho debiera haber sido de especial interés para los estudiosos de Huidobro, ya que estos cinco poemas, sin excepción alguna, se encuentran también en *El espejo de agua* [21]. Una sencilla comparación entre los textos en español y francés habría sido suficiente en cualquier momento para resolver el largo debate sobre prioridades. Ciertamente, si cualquiera de las partes en disputa hubiera examinado las fuentes, la controversia habría terminado en el acto. La contribución inicial de Huidobro a la revista de Reverdy hace una referencia directa a una versión española anterior: «L'Homme triste» es una traducción de «El hombre triste», un poema contenido en *El espejo de agua*. En este caso no puede haber duda alguna respecto a su antelación, porque en la versión francesa de abril de 1917, bajo el nombre de Vicente Huidobro figura la indicación precisa: «Traduit de l'espagnol». Hoy día, volviendo la vista sobre la miríada de referencias al período parisiense de Huidobro, parece increíble que esta nota atestiguadora de un original en español haya sido constantemente pasada por alto. La declaración demuestra claramente que en 1917, en la revista de Reverdy, la cuestión de rivalidad no existía.

Una comparación de las dos composiciones apoya la indicación de que «L'Homme triste» es efectivamente, una versión posterior del poema contenido en *El espejo de agua*. El indicio más evidente del proceso de modificación se halla en la puntuación: «El hombre triste», como los otros poemas de la edición de Buenos Aires, lleva una puntuación enteramente conforme con el uso tradicional mientras que los signos de puntuación en «L'Homme triste» han sido drásticamente reducidos (de veintiuno a cuatro). El mismo fenómeno es progresivamente aparente en cada uno de los otros poemas traducidos, y en «La Cham-

---

[21] «El hombre triste»—«L'Homme triste», «Otoño»—«Je garde en mes yeux...», «Nocturno II»—«La chambre déserte...», «Nocturno»—«Les heures glissent...», «Alguien iba a nacer»—«Quelque chose frôle le mur...» La ubicación de cada uno de estos poemas en *El espejo de agua* y en *Nord-Sud* se encuentra, respectivamente, en las notas 19 y 2.

bre deserte...» (mayo 1917), la puntuación está totalmente suprimida. En las páginas de *Nord-Sud* se puede notar un proceso paralelo en la poesía de Reverdy [22].

Otros cambios se hicieron también: eliminación de títulos, separación de versos, y algunas modificaciones sintácticas. En diversos casos, el poeta llegó a transformar las imágenes, esforzándose por eliminar de los poemas aquellos elementos cuya validez se limitara a un contexto cultural chileno. Por ejemplo, en la versión francesa de «Nocturno», la línea «el viento llora en el estanque» fue suprimida. Tal imagen, culturalmente significativa en la versión original, era inapropiada en la francesa. Lo mismo sucede en la línea «el chorro de agua en el jardín», que, de manera semejante fue eliminada de la versión parisina de «El hombre triste». En este poema, una prolongada imagen basada en la calidad de la puesta del sol en el desierto, peculiar a la capital sudamericana, también fue modificada en la traducción. En suma, la prueba ofrecida por los cambios de puntuación e imágenes apunta hacia la calidad primordial de *El espejo de agua*.

Otra indicación está dada en los poemas que Huidobro decidió no traducir después de su llegada a Francia: estos poemas, «El espejo de agua» y «Arte poética» contienen invectivas contra los excesos de las tendencias simbolistas entonces corrientes en Chile. Para los colaboradores de *Nord-Sud*, el simbolismo en 1917 ya era un asunto liquidado. Una vez en París, Huidobro tiene que haberlo comprendido así y tradujo sólo los poemas apropiados para la revista de vanguardia. Más tarde, en sus composiciones originales en francés se alejó aún más de la norma estética de *El espejo de agua*. Luego, no había razón alguna para dudar jamás de la autenticidad de esta edición, en la que los poemas en español son claramente más primitivos que las versiones francesas publicadas el año siguiente en *Nord-Sud*.

La poesía de Huidobro en francés sirve para aclarar su evolución estética en París. Pruebas de que las traducciones publicadas en *Nord-Sud* representan sólo un paso de transición en el desarrollo del poeta chileno se pueden encontrar en las páginas de *Horizon carré*, su primer li-

---

[22] Sin embargo, en lo que respecta a la puntuación, ninguno de los dos poetas es, estrictamente hablando, un innovador. Por no citar a Mallarmé, debe notarse que «La Victoire» de Apollinaire apareció en el primer número de *Nord-Sud*.

17

bro en francés. Esta colección apareció en diciembre de 1917, después que Huidobro dejó la revista. Contiene los cinco poemas de *El espejo de agua*, si bien en un estado más evolucionado. El desarrollo del poeta puede comprobarse fácilmente yuxtaponiendo las distintas versiones de un solo poema: «Nocturno», por ejemplo. La versión primitiva de esta composición apareció, como ya se ha establecido, en 1916, antes de que Huidobro llegara a París:

> Las horas resbalan lentamente
> Como las gotas de agua por un vidrio.
>
> Silencio nocturno.
>
> El miedo se esparce por el aire
> Y el viento llora en el estanque.
>
> ¡Oh!...
>
> Es una hoja.
>
> Se diría que es el fin de las cosas.
>
> Todo el mundo duerme...
> Un suspiro;
> En la casa alguien ha muerto.

En el número de junio-julio de *Nord-Sud* de 1917, la primera traducción al francés de «Nocturno» se publicó, habiéndosele eliminado el título, junto con la mayor parte de la puntuación. Incluso había cambios de algunas imágenes:

> Les heures glissent
> Comme des gouttes d'eau sur une vitre
>
> Silence de minuit
> La peur
> Se déroule dans l'air
>
> Oh!...
> C'est une feuille
> On pense que la terre va finir
> Tout le monde dort
> Un soupir
> Dans la maison quelqu'un vient de mourir

Sólo más tarde, en *Horizon carré*, este poema alcanzó su forma final, más evolucionada. Los márgenes fueron desplazados, y ciertas palabras y frases fueron destaca-

dos a través de su disposición tipográfica. Se logró mayor
fuerza visual con el empleo de mayúsculas:

> Les heures glissent
> Comme des gouttes d'eau sur une vitre
>
>   Silence de minuit
> La peur se déroule dans l'air
> Et le vent
>   se cache au fond du puits
>
>   OH
>
>   C'est une feuille
>   On pense que la terre va finir
>   Le temps
>   remue dans l'ombre
> Tout le monde dort
>
>   UN SOUPIR
> Dans la maison quelqu'un vient de mourir

La dirección del cambio es clara: *El espejo de agua*
—*Nord-Sud*— *Horizon carré.* Los indicios estilísticos no
sólo certifican la anterioridad de los poemas en español,
sino que a la vez eliminan toda duda en cuanto a la autenticidad de la edición de Buenos Aires.

Aunque la existencia del texto original de *El espejo de
agua* libera al poeta chileno del alegato de la antedatación, ciertamente no resuelve la pregunta mayor, sobre
la cual se ha centrado la polémica: ¿Trajo Vicente Huidobro un nuevo estilo de poesía a París en 1917, o es que
a su llegada imitó el de Pierre Reverdy? Si el enigma tiene solución, ésta no ha de encontrarse en la crítica
voluminosa sino en las páginas de la revista de Reverdy,
donde cada poeta publicó en los cruciales meses de 1917
doce poemas [23]. Una extensa comparación estilística de todos estos poemas en *Nord-Sud* está fuera del alcance del
presente estudio; sin embargo una faceta de tal comparación está ligada a la edición de *El espejo de agua,* y exige por lo menos una exposición abreviada.

---

[23] Las colaboraciones de Huidobro aparecen citadas en la nota 2. Los
doce poemas de Reverdy son: «Poème», 1 (marzo, 1917); «Un carré de
rayon...», «Une lettre écrite...», «Quelque temps passé...», 2 (abril, 1917);
«Matin», 3 (mayo, 1917); «Derrière la gare», «L'Ombre», 4-5 (junio-julio,
1917); «Dernière Heure», «De Haut en bas», 6-7 (agosto-septiembre, 1917);

Ya se ha dicho que las primeras cinco colaboraciones de Huidobro a *Nord-Sud* en 1917 fueron traducciones de los poemas escritos en 1916 antes de que el poeta llegara a Francia. Hay una decidida similitud entre el tono de estos poemas y la primera obra de Pierre Reverdy. Los poemas de Huidobro de 1916 impresionan con una nota característica de angustiada incertidumbre. «Nocturno II» es un ejemplo breve y convincente:

> La pieza desierta;
> Cerrada está la puerta;
> Se siente irse la luz.
>
> Las sombras salen de debajo de los muebles
> Y allá lejos, los objetos perdidos
> Se ríen.
>
> La noche.
>
> La alcoba se inunda.
> Estoy perdido.
> Un grito lleno de angustia;
> Nadie ha respondido.

Ciertos poemas de *La Lucarne ovale* de Reverdy, publicados como *El espejo de agua* a fines de 1916, poco antes de que los poetas se encontraran, están imbuidos de una atmósfera casi idéntica. La estrofa final del poema de Huidobro puede compararse con la atemorizante acusación de soledad evocada por Reverdy en las últimas líneas de «D'un autre ciel»:

> Je suis seul
> Oui tout seul...
>
> Personne n'est venu me prendre par la main [24].

Ambos poetas revelan similares preocupaciones metafísicas. Al final de «Nocturno II» no hay respuesta al grito angustiado. En «Coeur à coeur» el sentimiento de frustración es el mismo:

> On pourrait crier: personne n'entend
> On pourrait pleurer: personne ne comprend

«Avant l'orage», 8 (octubre, 1917); «Drame», 9 (noviembre, 1917); «Galeries», 10 (diciembre, 1917).

[24] París, Paul Birault, 1916.

El procedimiento de final ominoso de *El espejo de agua* es también característico de la conclusión de ciertos poemas de *La Lucarne ovale*, como por ejemplo «Le Sang troublé»:

On entend venir quelqu'un qui ne se montre pas
On entend parler
On entend rire et on entend pleurer
Une ombre passe
*
Les mots qu'on dit derrière le volet sont une menace [25]

Ambos poetas utilizaban ya un lenguaje directo y sin afectaciones. El conjunto de imágenes es diferente, pero posee una común cualidad misteriosa que se deriva de la ausencia de tradicionales palabras de enlace. Particularmente notable es la identidad de ambiente —el sentimiento de soledad y angustia que crea una atmósfera que presagia emoción y tensión. Ya que no se da la posibilidad de una influencia mutua en esta etapa tan temprana —ambos poetas publican al mismo tiempo en distintos continentes— hay que admitir que la polémica está basada por lo menos parcialmente, en meras coincidencias.

El estilo literario de Reverdy continúa desarrollándose en esta misma dirección durante el invierno de 1916-1917. El poema que el director de *Nord-Sud* escribió para el primer número (marzo 1917) sintetiza efectivamente la concisión de la nueva técnica:

La neige tombe
Et le ciel gris
Sur ma tête où le toit est pris
La nuit.
Où ira l'ombre qui me suit
A qui est-elle?
Une étoile ou une hirondelle
Au coin de la fenêtre

La lune
Et une femme brune.
C'est là
Quelqu'un passe et ne me voit pas.

---

[25] La tipografía y la puntuación de ésta y de las dos citas siguientes concuerdan con la rara primera edición de *La Lucarne ovale* que difiere de subsecuentes reimpresiones. No hay paginación. Los títulos descriptivos, citados con propósito de identificación fueron agregados por Reverdy después de 1916, y los hemos tomado de *Plupart du temps* (París, Flammarion, 1967).

> Je regarde tourner la grille
> Et le feu presque éteint qui brille
> Pour moi seul.
> Mais là où je m'en vais il fait un froid mortel

El tono característico de presentimiento y pesimismo se hace más aparente. Ciertas líneas tienen un tono angustiado, las preguntas permanecen sin respuesta, el poema está cargado de frustración y duda; el marco sombrío refleja y profundiza la atmósfera de desesperación. Pero aun así, en contraste con lo elaborado del verso simbolista, el lenguaje aquí es muy cotidiano y la sintaxis elemental. La misteriosa cualidad de este poema, casi atemorizante, se debe en gran parte al hecho de que el artista rehusa unir las imágenes verbales con enlaces tradicionales. Extremadamente oscuro en significado, el poema deja de ser anecdótico y ensambla diversos elementos a la manera de un pintor cubista, elementos que sólo al agruparse forman una composición total.

La primera colaboración de Huidobro para *Nord-Sud*, la traducción de «El hombre triste» presenta características similares:

> Sur mon coeur il y a des voix qui pleurent
> Ne plus penser à rien!
> Le souvenir et la douleur se dresssent
> Prends garde aux portes mal fermées.

> Les choses s'ennuient
> Dans la chambre
> Derrière la fenêtre où le jardin se meurt
> les feuilles pleurent
> Et dans le foyer tout s'écrase

> Tout est noir
> Rien ne vit que dans les yeux du chat

> Sur la route un homme s'en va
> L'Horizon parle
> dans le crépuscule il s'efface

> La mère est morte sans rien dire
> Et dans ma gorge un souvenir
> Ta figure au feu s'illumine
> Quelque chose voudrait sortir

> Quelqu'un tousse dans l'autre chambre
> Une vieille voix

Comme c'est loin!
Un peu de mort tremble dans tous les coins [26].

Ambos poemas son decididamente sombríos; la sintaxis llana hace que algunos versos parezcan casi idénticos en la estructura básica de sus imágenes. En «L'Homme triste», el efecto de la línea «Quelqu'un tousse dans l'autre chambre» coincide casi exactamente con el de «Quelqu'un passe et ne me voit pas», del primer poema de Reverdy en *Nord-Sud* [27]. Reverdy, como Huidobro, tiende a amontonar frases truncadas en *staccato* que realzan el amedrentador tono predominante. Ya hemos notado la forma de terminar el poema, que relaciona las obras del poeta chileno con las del francés [28].

De estos ejemplos, es necesario deducir que Reverdy y Huidobro eran de ánimo semejante que, aun antes de conocer la obra del otro, crecieron independientemente a lo largo de líneas similares. En las páginas de *Nord-Sud*, muchos de los poemas de *El espejo de agua*, yuxtapuestos a los de Reverdy, parecen casi indistinguibles. Luego, es fácil comprender cómo acusaciones de

---

[26] El original se publicó en *El espejo de agua*: «Lloran voces sobre mi corazón... / No más pensar en nada. / Despierta el recuerdo y el dolor, / Tened cuidado con las puertas mal cerradas. / Las cosas se fatigan. / En la alcoba, / Detrás de la ventana donde el jardín se muere, / Las hojas lloran. / En la chimenea languidece el mundo. / Todo está oscuro, / Nada vive, / Tan sólo en el ocaso / Brillan los ojos del gato. / Sobre la ruta se alejaba un hombre. / El horizonte habla, / Detrás todo agonizaba. / La madre que murió sin decir nada / Trabaja en mi garganta. / Tu figura se ilumina al fuego / Y algo quiere salir. / El chorro de agua en el jardín. / Alguien tose en la otra pieza, / Una voz vieja. / ¡Cuán lejos! / Un poco de muerte / Tiembla en los rincones.»

[27] El uso de pronombres indeterminados es propio de ambos poetas. El poema «Alguien iba a nacer» de *El espejo de agua* contiene además del indefinido en el título varios ejemplos textuales: «Alguien busca una puerta...», «Algo roza los muros...», «Alguien la espera». *La Lucarne ovale* contiene construcciones similares: «Quelqu'un vient le long du mur» («Les Vides du printemps»), «Quelqu'un passe sous la fenêtre et baisse les yeux» («Passage clandestin»), «Quelqu'un qui tombe pousse un cri» («Jour monotone»).

[28] Se encuentran muchos finales similares en los poemas de *El espejo de agua*: «En la casa alguien ha muerto» («Nocturno»), «Nadie ha respondido» («Nocturno II»), «Un viejo ha rodado al vacío» («Año nuevo»). Esta técnica es común en la poesía de Reverdy de 1917, pero aun en *La Lucarne ovale* hay algunos ejemplos tempranos de esta tendencia: «Les mots qu'on dit derrière le volet sont une menace» («Le Sang troublé»), «Personne n'est venu me prendre par la main» («D'un autre ciel»), «La nuit descend» («Coeur à coeur»).

imitación se hicieron equivocadamente por críticos no familiarizados con la obra de ambos poetas .

La existencia confirmada de la edición de 1916 de *El espejo de agua* —conteniendo indicios de ciertas afinidades estilísticas con *La Lucarne ovale*— hace muy evidente que la polémica crítica fue de toda proporción por medio siglo de especulaciones que ignoraron persistentemente las pruebas objetivas en los textos mismos.

[Publicado originalmente en inglés, «Huidobro, Reverdy, and the *editio princeps* of *El espejo de agua*», *Comparative Literature* (Eugene), XXIV, 2 (primavera, 1972).]

III

OBRA:

ESTUDIOS Y VALORACIONES

RAFAEL CANSINOS-ASSENS

LA NUEVA LIRICA ("HORIZON CARRE", "POEMAS ARTICOS", "ECUATORIAL")

La nueva lírica que ya florecía en Francia en vísperas de la guerra, se incorporará a nuestra poesía, en su modo más avanzado —el Creacionismo— pasando bajo los arcos que le abren los cinco libros de Huidobro: *Horizon carré*, publicado en París en 1917, y *Ecuatorial, Poemas árticos, Tour Eiffel, Hallali*, publicados en Madrid en el estío de 1918. Ya hablé del paso del innovador poeta por esta corte y estos divanes literarios. Pero en aquellas líneas —*Cosmópolis*, número primero— atendí más al acontecimiento que a la idea, señalando sobre todo la trascendencia que en la política literaria habría de tener el breve tránsito del poeta chileno. Ahora la atención principal ha de ser concedida a su obra, a ese pentalto lírico que forman los libros mencionados. En la serie cronológica de su actividad, vienen después de dos graves libros, *Las pagodas ocultas*, poemas en prosa, y *Adán*, poema, llenos de ideología y sentimentalismo, muy modernos e integrales, pero plasmados en una estructura que, comparada con la forma de sus últimos hermanos, ya parece antigua. El nexo entre las dos maneras se encuentra en un libro intermedio publicado en 1915 —*El espejo de agua*— que salva el salto audacísimo entre una y otra época, evitando que se convirtiese en un salto mortal. En este breviario lírico figuran ya algunos poemas que, más tarde, traducidos al francés por el mismo autor, y transcritos en una tipografía más moderna, pasaron a las páginas de *Horizon carré*. Tales los titulados *El hombre triste* —*L'homme triste*— y *Alguien iba a nacer* —*Ame*—. Entre *El espejo de agua* y *Horizon carré*, median seguramente los influjos de la iniciación parisiense del poeta en exaltado y cosmopolita cenáculo de *La Closerie des Lilas*, donde se reunían artistas del verso y del pincel, cubistas, planistas y toda clase de *fauves*. La tipografía se ha alterado, respondiendo a la nueva sintaxis, o haciéndola resaltar más, a la manera que Mallarmé la empleara en *Un coup de dés* y por las mismas razones. Pierre Reverdy insiste sobre estas razones, en algún número de *Nord-Sud*, proclamando el principio de que «un arte nuevo reclama una nueva sintaxis; y a ésta ha de ser paralela una nueva disposición tipográfica». También en estos nuevos libros de Huidobro se definen ya prácticamente, en paradigmas consumados, las tendencias de la nueva escuela —el Creacionismo— nacida al calor de entusiastas conversaciones y lecturas recíprocas y cuya paternidad ha de quedar indecisa entre Huidobro y Reverdy, si no se le concede resueltamente a Apollinaire, de cuya mano abierta han salido, en nébula profusa, todos estos gérmenes. Desde 1919, los nuevos poetas pueden considerarse fraternos entre sí, sin que ninguno de ellos pueda aspirar sino a lo sumo, a una progenitura. La nueva lírica se manifiesta en revistas como *Nord-Sud* y *Soi-Même*, en las cuales el genio paternal de Apollinaire incuba los óvulos henchidos de estrellas y dirige el vuelo de los aviones líricos. En *Nord-Sud*, Apollinaire pontifica, y bajo su egida ofician en ritos menores: Reverdy, que fija el instante más puro y claro de la nueva estética; Huidobro, Aragon, Max Jacob, Dermée y Tristan Tzara, que exalta y aguza todas las virtudes de la escuela, hasta alcanzar el índice de la extravagancia. Pero, con desarrollarse a la clara sombra del genio de Apollinaire, el creacionismo señala ya, en cierto modo, una reacción contra el pánico espiritual del maestro. Cierto que éste, en algunos poemas como *Fusée signal*, muestra ya el arquetipo del poema creacionista, en el que todo está creado por el poeta y en el que cosas que no existen asumen una existencia turbadora y vivaz. Pero un anhelo pánico, un torbellino que viene del antiguo en inflamado versículo, forma más o menos su remolino en la obra múltiplemente simbolista del autor de *Le poète assassiné*. Los creacionistas aspiran a ser más impasibles y lejanos; son como los nuevos caballeros del Parnaso en esta evolución literaria; como la reacción termidoriana de esta revolución espiritual. Ellos mismos se han proclamado clásicos; clásicos al modo de Píndaro, que se proponen crear, no las cosas que existen, sino las ideas platónicas de las cosas. La estética creacionista ha sido expuesta señaladamente por Max Jacob, en el prólogo a la segunda edición de su libro *Le cornet à dés*. En este prólogo define el autor su teoría —*c'est la théorie classique que je rappelle modestement*, dice— del poema situado que no es más que el poema creado de Reverdy y Huidobro, y explica su interpretación del estilo —la voluntad de exteriorizarse por medios elegidos, de la emoción artística— que es el efecto de una actividad pensante sobre una actividad pensada —y de la situación del poema, o sea su alejamiento respecto del sujeto—, algo parecido a la teoría de la sorpresa que preconizaba Baudelaire. También define su concepto del arte como una distracción. Todas estas características se encuentran realizadas en los poemas de Reverdy y Huidobro. En los libros de este último que hemos citado, puede verse, en múltiples ejemplos, lo que es el poema creado, construido o situado, premeditadamente alejado del objeto y del sujeto, cerrado en una parquedad de expresión que le infunde el inevitable aire epigramático de las representaciones esquemáticas. Una gran libertad de creación, restringida por una elección severa, distingue a todos estos orbes líricos, que se aíslan del lector y parecen volverle la espalda, satisfechos en sí mismos como las cosas suficientes, que no pueden ser aumentadas. Cualquier poema de *Horizon carré* o de *Ecuatorial* es una estancia cerrada, en la que sólo se penetra por un gran esfuerzo de atención. Las imágenes líricas están creadas del todo por la visión interior del poeta; no son una amalgama de elementos reales, alterados caprichosamente por la voluntad creadora. Un don de taumaturgia se manifiesta en cada una de estas creaciones. Se ha prescindido de todo nexo lógico, aún más atrevidamente de como lo hiciera Mallarmé. Los pájaros beben el agua de los espejos, las estrellas sangran, en el fondo del alba una araña de patas de alambre teje su tela de nubes. Una lluvia de alas cubre la tierra en otoño. Son imágenes creadas, cuya representación viva no hallaríamos en la realidad. Son la verdadera imagen, que ya presintieron los prerrafaelistas, al establecer la distinción entre imaginación y fantasía, atribuyendo a la primera la facultad creadora y a la segunda sólo el poder de transformar las reminiscencias.

De esta suerte lograban Keats y Browning sus alegorías o figuraciones, que, sin embargo, no lograban la independencia biológica de estas imágenes creacionistas. Siempre, a pesar de todo, acaso por la intención moral que aspiraban a dar a sus obras —esta intención existe hasta en la ironía wildeana, especie de psicología humorística—, como un resabio del romanticismo. Sin embargo, los prerrafaelitas intuyeron la posibilidad de lo que ahora realizan los modernísimos poetas—que entre unos y otros podría señalarse un interesante paralelo. Prerrafaelitas y creacionistas buscan sus modelos en la antigüedad clásica, aunque unos y otros exaltan temas de sus épocas respectivas: así Shelley se inspira en el Petrarca, Coleridge en el Dante; y los poetas novísimos hallan sus arquetipos en la poesía mítica y en Góngora y Mallarmé, por cuya obra circula la olímpica sangre pindárica. Puede decirse que el creacionismo es la última expresión en la serie del tiempo del anhelo creador que siempre sintieron todos los artistas conscientes, es decir, los innovadores y los precursores. Espigando en las florestas de los buenos poetas de todos los tiempos, recogeríamos gavillas de imágenes verdaderamente creadas, según el novísimo canon. Las hallaríamos en Homero, en la forma gigantesca del mito, pues toda imagen creada no es, en suma, más que una mentira, un aspecto de la voluntad de ficción y bello engaño que constituye el arte; y Homero, al proceder por selección de atributos, al imaginar perfecciones y engendrar las divinas figuras irreprochables, también se apartaba de la realidad para pintar ideas. Las hallaríamos también en Virgilio, que sigue la norma idealizante del ciego aeda —creador acaso por su misma ceguera. Pero este método de selección no es más que el primer paso para el logro de la imagen creada verdaderamente, pues todas las preceptivas antiguas y modernas se transmitieron el mismo pánico hacia el monstruo horaciano que, contra la intención satírica de su inventor, encerraba ya un anhelo de creación verdadera. La imagen creada es algo que no existe en la realidad, que se logra no amalgamando reminiscencias, sino uniendo en intuición vivaz atributos diversos e individuales que sólo pueden coexistir en la imaginación del poeta. De esta suerte, se obtiene una doble imagen que se presenta fundida en una sola, simultáneamente a la evocación del lector, y que en virtud de su duplicidad, autoriza para que al género de poesía en que fructifica se le denomine simultaneísta o cubista.

Cuando Huidobro, hablando de un espejo, dice: «es un estanque verde en la muralla—y en medio duerme tu desnudez anclada» (*El espejo de agua*, 1916), la imagen contenida en el último verso nos da la sensación simultánea y doble de un navío en reposo y un cuerpo de mujer. Tal es la doble virtud de esa sola imagen —desnudez anclada. La misma impresión doble nos da Reverdy cuando dice en *Espacio*: «y el viento de la noche sale de un pecho», fundiendo en una sola visión dos operaciones, la cósmica y la humana. Imágenes de esta índole sólo se encuentran, tan perfectas, en el arte nuevo. Señalan un procedimiento estético, distinto del método selectivo de los clásicos y de la norma hiperbolizante de los románticos. Sin embargo, los nuevos poetas se acercan más a éstos, por el nexo de la alegoría. ¿No profesan el culto de Góngora, en cuya poesía circula la savia de las humanidades? En un poeta neoclásico, en Petrarca, he hallado una imagen que podría considerarse como creada: «En abril, cuando todas las cumbres de la floresta comienzan a arder con un verde fuego...» —dice el dulce poeta en los tercetos de *Il trionfo della vita*. He ahí una imagen verdaderamente nacida de la imaginación, no de la fantasía ni del recuerdo. Ese fuego verde con que arden las florestas y que a un tiempo hiere nuestra retina con el reflejo de la llama y la dulzura de la yerba nueva, es una imagen doble y simultánea. Nada tiene de extraño encontrar este precedente a los nuevos modos, si se tiene en cuenta, primero, que los modernos creacionistas se apellidan clásicos y olímpicamente se apartan de la realidad; y segundo, que en general todos los buenos poetas aspiraron siempre a crear de sí mismos, por su más íntima virtud. ¿No significa hacedor la palabra helénica con que todavía los designamos? Los creacionistas exaltan esta voluntad creadora hasta intentar continuamente la taumaturgia, el milagro lírico. La antigüedad conoció la hipotiposis o figuración vivísima de la realidad, especie de creación fulminante de segundo orden; pero no conoció la taumaturgia, practicada casi en nuestros días por Mallarmé y sistematizada por los nuevos poetas. Cada imagen de las mencionadas es una taumaturgia, está creada por el anhelo de un dios. El poeta moderno se afirma divino, creador. «El poeta es un pequeño dios» —dice Huidobro en *El espejo de agua*—. ¿Y por qué no un gran dios? En su mundo imaginativo y libérrimo, de seres y cosas arbitrarias, la telurgia reina en todo instante; y si el poeta no es un dios, por lo menos es un mago poderoso, que hace madurar los astros y convierte las lunas en navíos de jarcias rotas. (V. Huidobro: *Ecuatorial*.)

De este anhelo de creación, así como de la natural parquedad del orbe expresivo, proviene la facilidad con que en la obra lírica son acogidos los rasgos humorísticos, las travesuras verbales, hasta en su forma más elemental: el retruécano. En todos los últimos libros de Huidobro es prolífico el retruécano, así como en la obra caricaturesca de un Max Jacob. El monte Cenis brinda a su travesura demiúrgica un Cenit nuevo e inesperado; en *Horizon carré*, las palabras enviadas por teléfono se caen al agua —allo! allo!—; en *Tour Eiffel* los sombreros tienen alas, pero no pueden cantar—en este retruécano aparece de nuevo la sugestión doble y simultánea... Esta intención traviesa es general, en mayor o menor grado, a toda la pléyade de nuevos poetas y aun prosistas. Tristan Tzara ha abusado de ella hasta convertirla a veces en una paronomasia reiterada y sin sentido. —*Bois d'or—Morne, mords, fumée de mort*... Pero, en cierto momento, ha sido un rasgo general. En Vicente Huidobro esa intención de *blague* que, si queréis, puede tener sus precedentes en Bambille y Hugo, esa disposición irónica y traviesa que, por lo demás, parece inseparable en todos los grandes creadores, de la otra tarea grave y profunda—¿no se le ha atribuido también a Dios por algunos pesimistas una intención burlona al crear nuestro universo? ¿Y no llegan hasta nosotros las tonantes carcajadas de los dioses olímpicos?—Va menguando, poco a poco, hasta quedar casi extinguida en las serias estrofas de *Hallali*, canto de guerra, creación y arquetipo de la moderna epopeya.

Podría afirmarse que *Horizon carré* marca los módulos excesivos de toda iniciación, y es, por tanto, el libro más seminado y divergente. *Ecuatorial* es acaso el más consumado y cumplido, el más cerrado y puro, como si hubiese alcanzado la más amplia zona generosa y madura, y la igualdad de los días y las noches. *Poemas árticos* es una alegoría de la guerra en las ciudades, con muchos instantes puramente simbólicos y algunas visiones trazadas al estilo de las aguafuertes de los impresionistas; tales las imágenes de ese cortejo de reyes que van al destierro, ornados con collares de lámparas extintas—¿no podría haber dicho eso Hugo? Y de esos hombres «pegados a las paredes como anuncios»; tal ese símbolo de quien «vio pasar todos los ríos bajo sus brazos». *Tour Eiffel* es un poema cívico, tarareado con la desenvoltura y frivolidad aparente de una canción de *music-hall*, en el que los retruécanos y las gracias traviesas espejean como lentejuelas y las estrofas semejan subir cantando una larga escalera:

> Mon petit garçon
> Pour monter à la tour Eiffel
> On monte sur une chanson
> Do
>   re
>   mi
>   fa
>   sol
>   la
>   si
>   do

pero a pesar de ello, esta *plaquette*, que lleva en la portada una pintura cubista de Delaunay, alegoría de la famosa torre, que subvierte la representación de todas las tradicionales giraldas, muestra ya un anhelo constructivo con respecto a los anteriores poemas, pues sus sugestiones diversas se ajustan ya a una unidad genésica.

Pero sobre todo *Hallali*, el último libro de esta serie, la última centella de este reguero luminoso, parece señalar ya un claro retorno hacia la gravedad intencional y patética de las abandonadas *Pagodas ocultas*. *Hallali* es un libro serio, una dramática alegoría de la guerra, un canto a Francia, modulado, es verdad, con la sordina que impone la independencia del nuevo arte situado, pero claro y evidente entre líneas.

El horror de la representación verídica de la guerra lo mitiga este arte nuevo, dirigiendo todos los obuses hacia las estrellas que sangran, en vez de los soldados, y hacia la luna, blanco maravilloso. La realidad se deja ver a intervalos, desfigurada y alejada en los espejos de la doble visión; pero por esta técnica doble, tierra y cielo parecen sufrir con el hombre que está en las trincheras, y las bélicas sugestiones, al par que se atenúan compartidas y cósmicas, se dilatan en dos líneas paralelas de sufrimiento y de heroísmo. Pero en algunos instantes la voz del poeta se liberta de toda reticencia y se hace explícita y humana, como en los cantos más misericordiosos. Así cuando dice: «todas las madres del mundo lloran».

El poema que cierra el libro, «El día de la victoria», es grave y solemne como una oda antigua, y tiene la plenitud de tono de la marcha triunfal de Darío. Es un himno orquestado, para los instrumentos modernos y con arreglo a la nueva armonía disonante; pero es francamente un himno.

Los lectores a quienes hayan enojado las rarezas y atrevimientos y funambulismos de *Horizon carré*, se reconciliarán seguramente con Huidobro al leer estas estrofas rotas que tan admirablemente se unen en la intensidad de emoción, sin perder la gracia de su técnica. A pesar de que la tipografía especial que emplea el autor las separa, estas estrofas marchan, marchan unidas como los batallones que regresan del triunfo. Y sobre el ritmo acompasado, interrumpido con cierta dejadez cívica, muy moderna, los aeroplanos revolotean, marcando a cada instante la elevación de las miradas. Este final patético añade a la labor anterior la virtud de clara emoción que parecía faltarle y hace presentir un arte grande y sincero, capaz de conciliar todos los primores de la técnica con la amplitud emocional. El creacionismo se salva al lograr estas grandes líneas. Y esto nos hace pensar en su porvenir. ¿Representará sólo un instante efímero en la historia de las evoluciones literarias, tan semejantes a las evoluciones religiosas, a los cambios que diría Bossuet?

Crear, crear siempre es una facultad sólo concedida a los dioses; y aun a éstos, los teólogos sólo conceden la creación primitiva, la fijación de las leyes eternas, nacidas del primer acto volitivo. El poeta que no es un dios, por más que afecte creerlo y nos lo quiera hacer creer, no siempre puede estar asistido del don creador, ni aun en sus figuradas taumaturgias. Expresar el mundo en imágenes absolutamente nuevas equivaldría a crearlo, y esto no es posible. El creacionismo absoluto tendría un pobre porvenir como escuela literaria; los poetas que siguieran esta norma estricta, sólo podrían tener contados momentos de estado de gracia literaria. La pura labor creacionista es hasta ahora muy limitada; sus creadores se repiten, se prestan unos a otros sus medios de expresión, se pasan de mano en mano sus pájaros-estrellas y sus estrellas-frutos. Y aun así, en muchos de sus poemas se podrían separar, con una electrolisis crítica, que no vale la pena aplicar, bastantes rasgos que se reintegrarían a la escuela simbólica o fantasista.

Ya hemos visto cómo esta nueva modalidad lírica tiene el resabio caricaturesco y la aspiración a lo «feérico» de los poetas directamente nacidos de la progenie de Apollinaire. El poema creacionista auténtico no podría rebasar las dimensiones de esa brevísima composición de Reverdy, *Espace*, que podría inscribirse, no en un escudo como la famosa alegoría homérica, sino en el ruedo de un dedal, y en la que se hallan contenidos a un tiempo el paradigma y el evangelio de la escuela. Pero si formalmente se restringe así, virtualmente el creacionismo, representando un momento de singular fervor y lucidez en el oscuro anhelo de crear de los artistas de todos los tiempos, dilata por modo prodigioso su influjo y adquiere la fuerza de una afirmación, siempre oportuna.

Los libros de Huidobro, que hemos señalado, constituyen una lección estética, una obra ya lograda y que ya empieza a fructificar en nuestra lírica. De esto último hablaremos en otro artículo.

[*Cosmópolis* (Madrid), I, 5 (mayo, 1919).]

HUGO MONTES

NOTA SOBRE UN POEMA DE VICENTE HUIDOBRO ("POEMAS ARTICOS")

Vicente Huidobro no es sólo un poeta importante ineludible en el estudio integral de las literaturas vanguardistas y en una visión orgánica de la lírica hispanoamericana. El interés de su obra estriba también en algo sencillo y elemental que dentro del mundo de eruditos en que necesariamente han de caer los escritos poéticos puede parecer poco atrayente. Nos referimos a la belleza de muchos de sus poemas. Que la poesía no apunta a lo bello como a blanco único ni principal, es incuestionable; pero parece también incuestionable que en la realización de un poema *puede* alcanzarse ese blanco, y que cuando ello ocurre el lector sensible se siente hondamente complacido. De tiempo en tiempo conviene destacar la belleza de un poema, aunque sólo sea para que no se olvide la posibilidad de un encuentro que en las artes del siglo veinte ha sido —por buenas y fructíferas razones, es cierto— excesivamente evitado.

Poetas hay cuyos poemas evidencian a una primera lectura la belleza de algunos de sus poemas. Son poetas claros, simples, que gustan a muchos lectores. Así, Federico García Lorca o Rafael Alberti en su poesía neopopular o Neruda en sus *Odas elementales*. Otros, en cambio, nos dejan una obra más hermética, difícil, abstrusa. No son necesariamente poetas oscuros ni exóticos, sino quizá poetas de profundidad mayor o de «maneras» diversas de las corrientes. Unos y otros merecen la atención del crítico, pero los últimos de un modo absolutamente ineludible, ya que sin ella seguirán siendo inaccesibles para el público. Y esto es grave, pues todo poeta ha de tener lectores, no únicamente estudiosos. No menos que el drama, la lírica supone al lector sensible y fino capaz de acusar en su espíritu similares vibraciones estéticas a las del poeta.

Esto basta para justificar el comentario que sigue sobre un poema hermoso y delicado, quebradizo casi, de nuestro Vicente Huidobro. Tal comentario quiere facilitar la llegada de lectores a una obra por más de una razón relativamente «difícil». No es excepcional en Huidobro la alianza de belleza y poesía. Su credo estético no suponía esta alianza; en cierto sentido, puede decirse que lo rechazaba. Pero felizmente a veces la obra escapa a las teorías del que la realiza.

Se trata de «Niño», perteneciente al libro *Poemas árticos* que el autor publicó el año 1918 en Madrid, Imprenta Pueyo. Es un período de efervescencia creadora. *Adán* y *El Espejo de agua* habían aparecido dos años antes; *Horizon carré*, en el inmediatamente anterior; y en el mismo 1918 se publica *Tour Eiffel*, *Hallali* y *Ecuatorial*. Gestábase entonces además el célebre *Altazor* que apareció como libro sólo en 1931. Entre *Adán* y *Altazor* —figuras de inicio y remate, entre el cielo y la tierra— sin perjuicio de algún poema excepcional, se ha de buscar la mejor poesía de Vicente Huidobro. ¡Cuántos versos en ella delicados, bonitos! Se nos vienen a la memoria sin ningún esfuerzo: «Y tú / Hijo / hermoso como un dios desnudo... Irías a ser ciega que dios te dio esas manos... Mujer el mundo está amueblado por tus ojos... La canción caía de los árboles... Las rosas deshojadas / iluminan las calles... La garganta de la mujer hermosa / tiene la forma de una canción...»[1]

Todos los versos de «Niño» podrían ser citados al lado de los anteriores. El poema dice así:

Aquella casa
                Sentada en el tiempo
Sobre las nubes
                que alejaba el viento
Iba un pájaro muerto

Caen sus plumas sobre el otoño

---

[1] La primera cita es de «Hijo», poema de *Poemas árticos;* las otras, de *Altazor.*

Un niño sin alas
Mira en la ventana
} El balandrón resbala
Y bajo la sombra de los mástiles
Los peces temen trizar el agua

Se olvidó el nombre de la madre
Tras la puerta que bate
               como una bandera
El techo está agujereado de estrellas.

             El abuelo duerme
Cae su barba
           Un poco de nieve[2].

Es fácil distinguir una constante espacial en estos versos, o sea, una serie de términos designadores de realidades que ocupan espacio: casa, ventana, puerta, techo. Dentro de esta casa, determinada por tres elementos constitutivos esenciales, están un niño y el abuelo. En situación de una espacialidad casi inexistente, vaporosa, se encuentran las nubes y un pájaro. Fácil es distinguir también una constante temporal, es decir, una serie de términos designadores de realidades que implican o denotan transcurso de tiempo: desde luego, la misma palabra *tiempo* del verso segundo; además, las palabras otoño, noche (= estrellas), invierno (= nieve).

¿Hay alguna relación entre ambas constantes? La respuesta positiva es dada por el comienzo del poema: «Aquella casa / Sentada en el tiempo.»

Las palabras iniciadoras y sintetizadoras de ambas series se vinculan expresamente. La casa está sentada, asentada, sustentada en el tiempo. La vinculación concede al elemento espacial un dinamismo evidente, que se expresa en los verbos—«alejaba, iba, caen, bate, cae». Son verbos negativos, en cuanto implican la idea de desvinculación, desasimiento, caída. En otras palabras, la relación espacio-temporal trae consigo un efecto destructor. El primer vocablo propiamente negativo es *muerto*; su negatividad se intensifica por adscribirse a *pájaro*, término ordinariamente denotador de mañana, de fragilidad, de belleza. De este pájaro, paradójicamente en movimiento a la vez que en muerte, caen las plumas sobre la estación depresiva, la misma que hace perder a los árboles sus hojas. Y el lector sentirá que en las plumas del pájaro muerto van muriendo también los árboles que ordinaria-

   [2] Véase mi edición: HUIDOBRO, V., *Obras Selectas: Poesía*. Santiago de Chile, Ed. del Pacífico, 1957, pp. 208-209.

mente sostienen a las aves, donde éstas se asientan, se sientan.

Más clara aun que la relación pájaro-árboles es la relación pájaro-niño. No sólo porque en un niño solemos admirar semejante fragilidad y belleza, sino por el calificativo con que nos lo presenta aquí el poeta: «niño sin alas». Es, así, un chico sin movimiento, sin vida quizá. Apoyado en la ventana, mira hacia afuera la realidad poseedora de un dinamismo que él ha perdido. Huidobro proclamaba una poesía no descriptiva ni anecdótica. Aquí nos deja apenas entrever un paisaje delicadísimo, algo esotérico. La palabra «balandro» —única en el poema que excede del lenguaje trivial— implica cierta artificiosidad elegante y refinada.

El niño entrevé de este modo un mundo de ensueño que transcurre fuera de sí y de su casa, que en alguna manera no le pertenece y frente al cual tiene sólo una actitud pasiva, de mero contemplador. Los peces y el balandro se mueven, sienten temor, viven; él, en cambio, los contempla desde su quietud mortal. Su realidad propia es distinta, más brutal. Es una realidad que ocurre en la casa amenazada por el tiempo, en el pájaro muerto, en la madre y en el abuelo. Las tres generaciones aparecen designadas sucesivamente, en un orden de exasperante a la vez que de normal cronología. Exasperación y normalidad no casuales (nada es casual en el poema), sino de expresiva significación, ya que de la normal sujeción de cosas y personas a la fuerza del tiempo, proviene su caducidad.

El poema alcanza una cima —clímax retórico— en un verso que deliberadamente no hemos mencionado. Se encuentra en el centro mismo del poema y dice: «Se olvidó el nombre de la madre.» Por el contexto se desprende que el sujeto que olvida es el niño, pero textualmente hay cierta deliberada impersonalidad que lleva a una generalización del fenómeno del olvido. El nombre de la madre aparece así olvidado por muchos, por todos, en un olvido que afecta no obstante antes que nada al hijo. La madre aparece evocada sólo en su ausencia, a diferencia del niño y del abuelo, presentes en el poema. Esta exclusión hace así más doloroso su desaparecimiento. Su realidad es su no realidad, el olvido que de ella se hace. O sea, quien es el centro de las generaciones, madre e hija a la vez, no está ni siquiera en la memoria de los

suyos ni de nadie. La transitoriedad de la vida cobra de
este modo un patetismo trágico. Algo que empezó en forma grata, casi ligera —pájaros y niños— se torna en una
realidad mortal, dolorosísima. Y ello sin aspavientos, sin
un solo adjetivo grandilocuente ni fácil. La realidad es
en sí dura y dolorosa, y basta mostrarla descarnadamente
para que exprese su dureza y su dolor. Imposible no recordar la sentencia huidobriana acerca del adjetivo: El
adjetivo cuando no da vida, mata[3].

El resto del poema está en consonancia con lo dicho.
La puerta bate como una bandera. Es una puerta que no
guarda, inútil. En su constante abrir y cerrar simboliza
el ir y venir de las cosas y las gentes, dinamismo como
ya se ha visto rematador en la paralización de la muerte.
El techo está roto y no protege la casa de la intemperie.
Las estrellas lo agujerean con su luz y su belleza. De nuevo una realidad normal y hermosa se vincula a la destrucción. La casa aparece de este modo como una casa abierta al aire y al viento, a la noche; sin fuerza protectora.
Es la consecuencia de estar sentada en el tiempo. De ello
resulta que sus habitantes no pueden sobrevivir, conser-
varse. La unidad del poema aparece así cada vez más definida en torno del problema vida-muerte, ecuación que
se desprende de la subordinación de la vida al tiempo
y del transcurso irrefrenable de éste. Tópico universal
también que una vez más se expresa en la literatura con
singularidad y fuerza creadora.

Después de lo dicho, es fácil reducir el poemita a es-
quemas significativos. Ya hemos visto la constante espacial presidida por el término *casa* y la constante temporal encabezada por la palabra *tiempo*. Recuérdense
además la serie de verbos relacionadores y su significación negativa, de empuje hacia la muerte. Tómense ahora otros elementos. Por ejemplo, el de las personas: «niño, abuelo, madre»; o el de las estaciones: «otoño, invierno» (implícito en la nieve); o el de las horas: «día»
(implícito en la mirada del niño y en lo por él visto), «noche» (implícito en las estrellas). Siempre se llega a lo
mismo, a saber, la gradual e implacable marcha hacia
una meta de muerte, nocturna, helada, paralizadora, va-
cía. El poema está estructurado con unidad implacable.
Cada serie de elementos conduce a lo mismo. La impre-

---

[3] *Ibíd.*, p. 69. Estas palabras vienen del poema «Arte poético».

sión dolorosa se agudiza por el hecho de que el poema se titula «Niño». Lo que parecía destinado por su juventud a una instalación plácida en la vida y a un dominio de ella, está desde el inicio también vencido. El niño es al mismo tiempo madre y abuelo, o sea, ser que perece; no sólo perecedero. La tensión hacia la muerte es ya muerte, así como a la inversa la esperanza fundada es «fruto cierto», según la maravillosa aseveración de Fray Luis. La expresión «niño sin alas» adquiere de este modo todo su alcance, pues no debe relacionarse sólo con el pájaro muerto, sino también con la madre ausente y con el abuelo dormido e invernal. La serie sustantiva se enriquece así con el ser del pájaro, que es presentado en la misma línea que los seres humanos. Es una deliberada confusión para mostrar hasta qué punto cuanto existe tiene un destino mortal. Casa, árbol, pájaro, hombre, todo al fin se confunde en la muerte. Esta confusión es obra del tiempo.

[*Romance Notes* (Chapel Hill), XI, 2 (invierno, 1969).]

JAIME CONCHA

"ALTAZOR", DE VICENTE HUIDOBRO

A mi esposa

1. Después de las primeras lecturas de *Altazor*, una constatación se impone: el «Prefacio» en prosa que abre el poema hay que considerarlo más bien un post-facio. Lo cual no es simplemente una paradoja para situar en el espíritu de Huidobro, sino corresponde efectivamente al camino interior del poema, a la secuencia de sus Cantos. Una observación de hecho corrobora nuestro aserto: a pesar de algunas connotaciones deprimentes, el temple predominante en el prefacio es serenamente risueño, algo juguetón, contrastando con el tono doloroso y patético que impregna la mayor parte de los Cantos. Comparemos directamente algunos fragmentos, el primero del «Prefacio» y el siguiente del Canto Primero:

a) Tenía yo un profundo mirar de pichón, de túnel y de automóvil sentimental. Lanzaba suspiros de acróbata. Mi padre era ciego y sus manos eran más admirables que la noche.
Amo la noche, sombrero de todos los días. La noche, la noche del día, del día al día siguiente. Mi madre hablaba como la aurora y como los dirigibles que van a caer. Tenía cabellos color de bandera y ojos llenos de navíos lejanos (pág. 7).

b) Altazor ¿por qué perdiste tu primera serenidad?
¿Qué ángel malo se paró en la puerta de tu sonrisa
Con la espada en la mano?
¿Quién sembró la angustia en las llanuras de tus ojos
[como el adorno de un dios?

¿Por qué un día de repente sentiste el terror de ser?
Y esa voz te gritó vives y no te ves vivir
¿Quién hizo converger tus pensamientos al cauce de
[todos los vientos del dolor?
Se rompió el diamante de tus sueños en un mar de es-
[tupor
Estás perdido Altazor
Solo en medio del universo
Solo como una nota que florece en las alturas del
[vacío[1] (pág. 17).

Derivado de ese primer contraste básico surge, como oposición secundaria, el fuerte *pathos* blasfematorio de los Cantos, muy diferente desde luego a ese diálogo tranquilo, casi indiferente del poeta con las figuras cristianas del «Prefacio» (el Creador y la Virgen). Como de esto hablaremos más adelante, omitiremos aquí mayores referencias.

2. Sabemos que cualquiera composición lírica posee o debe poseer unidad de experiencia; y cuando un poema amplía su onda y se hace más dilatada su extensión, como es el caso de *Altazor*, aquella exigencia de unidad se hace imperiosa. Pero en *Altazor*, asimismo, se nos describe una trayectoria, hay un itinerario del alma que pasa por diversos estados; hay, en definitiva, una vicisitud del sentimiento. Ahora bien, ¿cómo se mantiene la unidad en un poema largo como *Altazor*, cuando además se poetiza una aventura que transforma al yo lírico?

Con dos procedimientos logra Huidobro estructurar unitariamente su poema: mediante la creación de un personaje lírico y por su desplazamiento en un espacio imaginario.

Es de notar, digámoslo de pasada, que por la utilización que hace el poeta de este doble procedimiento, se emparenta con la gran lírica europea contemporánea. Para citar sólo dos ejemplos egregios, recuérdense *Anabase*, de St. John Perse y *The Waste Land*, de T. S. Eliot. La forja del personaje lírico «el Extranjero» en el primer poema, y su solemne peregrinación a través de mesetas infinitas han permitido a críticos franceses hablar de él como un intento de recuperar el espíritu épico en nues-

---

[1] Citamos por la ed. Santiago, Cruz del Sur, 1949.

tro tiempo. Lo cual en parte es verdadero. Con todo, tales características provienen también de una necesidad interna de la lírica extensa.

Para bien del orden expositivo, vamos a mostrar primero el paisaje lírico predominante en *Altazor*, refiriéndonos luego a su figura humana.

3. Entrar al mundo sorprendente de *Altazor* significa, en primer lugar, admirar un paisaje no común, escasamente trajinado. ¿Paisaje exótico, o búsqueda romántica de otros climas? Nada de eso, pues dos diferencias sustanciales anulan la posibilidad de este parangón. No hay en *Altazor* paisaje artificial, elaborado, estilización melancólica de países lejanos o irrecuperables. Ningún Oriente pagano a lo Gautier. Porque el mundo huidobriano, aunque insólito, se da como familiar, se presenta como un reino habitual y cotidiano. Pero además, y esto es lo decisivo, no tiene tampoco domicilio terrestre. Las de Huidobro, las de *Altazor*, son provincias del aire, reino etéreo y del cielo donde se ejercita libremente el poder de movimiento.

Las alturas de la atmósfera, sus regiones superiores están, en este poema, pobladas de estrellas. Al elemento aéreo se agrega entonces el contacto con las estrellas como rasgos distintivos del mundo circundante de *Altazor*. Toda una fauna celeste abunda en sus alturas: aerolitos, cometas, arco-iris. La intuición plena y ferviente de este espacio maravilloso sólo cabe atribuirla a la poderosa imaginación sideral de que está dotado el poeta. Sideral, y no imaginación meteorológica. Esta más bien se ve reducida por el comercio del cielo y de la tierra; subrayando la vinculación de esas esferas busca sobre todo penetrar en las acciones de intercambio entre ambas. La atraen las nubes, la lluvia, las neblinas y la nieve. Pero no son las regiones inferiores del aire las que complacen a Huidobro, sino la superestructura estelar y luminosa:

Mira este cielo lleno
Más rico que los arroyos de las minas
Cielo lleno de estrellas que esperan el bautismo [2] (pág. 20).

---

[2] La génesis de este paisaje tiene una explicación histórico-literaria. Sin llegar a más detalles, puede decirse que la esfera de lo alto sirvió a los ro-

4. Elemento aéreo y alturas siderales son entonces los componentes básicos del paisaje lírico de *Altazor*. Ellos constituyen un ambiente, son la morada permanente del personaje que allí deambula.

Sin embargo, es necesario, además, subrayar la existencia de otro factor en este paisaje, que debe atribuirse, creemos, a la buena dosis de futurismo que presenta en general Huidobro y especialmente *Altazor*. Futurismo, desde luego, también en sentido amplio, el que alude a los cohetes y satélites artificiales, en suma a la colonización estelar que han emprendido nuestros contemporáneos:

> Después de mi muerte un día
> El mundo será pequeño a las gentes
> Plantarán continentes sobre los mares
> Se harán islas en el cielo
> Habrá un gran puente de metal en torno a la tierra
> Como los anillos construidos en Saturno.
> Habrá ciudades grandes como un país
> Gigantescas ciudades del porvenir (pág. 35).

Pero futurismo especialmente en sentido restricto, como movimiento literario. Y esto pese a las negaciones de Huidobro. Pues la estética futurista no fue sólo la exaltación de lo muscular, como creyó el poeta chileno [3]. No;

---

mánticos para expresar con grandeza las fuerzas irracionales del alma. Las acciones meteorológicas se convierten para ellos en trasunto biográfico de su destino. Podrían citarse pasajes de Chateaubriand, de Rousseau o de Hugo. Tomemos, por lo ejemplar, éste de Baudelaire:

> Ma jeunesse ne fut qu'un ténébreux orage,
> traversé çà et là par de brillants soleils;
> le tonnerre et la pluie ont fait un tel ravage,
> qu'il reste en mon jardin bien peu de fruits vermeils.
>
> («L'Ennemi». *Les Fleurs du Mal*)

En Huidobro, como hemos visto, persiste esta simbólica macroscópica del ego poético. Con algo totalmente peculiar, eso sí: que los procesos naturales se independizan, y dejan de ser signos directos de estados subjetivos. Mediante un ejemplo aclararemos este procedimiento, en buena medida constitutivo de la lírica contemporánea: mientras para el romántico la tensión del ánimo se simboliza *mediante* el relámpago, el lírico actual se sitúa *junto* al relámpago, convive con él.

Generalizando, podemos concluir que de símbolos subjetivos que eran, los elementos siderales pasan a ser presencias objetivas. Recuperan, es cierto, su condición de reino autónomo de la naturaleza (cielo o atmósfera); pero, por otra parte, quedan como elementos fuertemente subjetivizados.

[3] En efecto, en su «Arte Poética» expresó:

Estamos en el ciclo de los nervios

constituyó en lo fundamental una valoración de la velocidad, una íntima simpatía por los prodigios del movimiento acelerado. Las máquinas, los automóviles y aviones, toda la constelación de objetos futuristas, no son valorados en su forma o figura, en su apariencia material, sino por su corazón rápido [4].

Es por lo que despiertan en nosotros de vértigo y dinamismo; estimulan, en fin, nuestra vocación para la movilidad pura. Es ésta, la vivencia de la velocidad, lo primario; lo demás, las máquinas y todo eso son exteriorización [5].

Pero es que lo dijo explícitamente el mismo Marinetti en su «Manifiesto Futurista», publicado en *Le Figaro*, el 20 de febrero de 1909:

———————

> El músculo cuelga,
> Como recuerdo, en los museos...

Lo último es obviamente una referencia al credo futurista, superado ya, según Huidobro. Ironiza así la posición de Marinetti, presentada por el poeta italiano como revolucionaria: «Cantar la guerra, los boxeadores, la violencia, los atletas, es algo mucho más antiguo que Píndaro.»

[4] Incluso Guillermo de Torre, crítico siempre tan sagaz en la penetración de la poesía moderna, no llega a captar la entraña viva del Futurismo:

> «En realidad, todas las innovaciones futuristas se condensan en eso: en la abolición de lo subjetivo y sentimental, y en la incorporación metódica a la literatura del dinamismo fabril; en la apoteosis del maquinismo.»

> (*Guillermo Apollinaire,* Buenos Aires, Edit. Poseidón, 1946, p. 49.)

[5] De hecho, el primero que intenta una comprensión psicológica de las creaciones industriales es el joven Marx:

> «Se verá como la historia de la industria y la existencia establecida objetiva son el libro abierto de las potencias esenciales del hombre, la exposición a los sentidos de la psicología humana»... «Una psicología para la cual ésta, la parte de la historia más contemporánea y accesible al sentido, permanece como un libro cerrado, no puede convertirse en una ciencia genuina, completa y real» (Manuscritos económico-filosóficos de 1844. Edit. Austral, pp. 110-111).

A consecuencia del contenido humanista de estos opúsculos, siempre el objeto (naturaleza o industria) aparece referido al sujeto humano como a su centro de gravedad. Este vaivén objetivo-subjetivo, característico del método de los Manuscritos, y que cuaja aquí en la alianza propuesta entre Industria y Psicología, permite conseguir una visión de la técnica y de la industria más honda que la positivista.

Declaramos que el esplendor del mundo se ha enriquecido con una nueva belleza: la belleza de la velocidad... el tiempo y el espacio murieron ayer, y vivimos ya en lo absoluto, puesto que hemos creado la velocidad eterna y omnipotente.

Una imagen del mismo Marinetti, del Manifiesto citado, nos muestra este dinamismo operando en vivo:

«Cantaremos... a los puentes como saltos de gimnastas tendidos sobre el diabólico cabrillear de los ríos bañados por el sol.»

Nada hay en la imagen de la modalidad tradicional del ritmo plástico, que consiste sólo en dotar de movimiento interno a objetos en sí inmóviles. No, aquí el objeto está cogido en un acto instantáneo, en el gesto original del brinco. El puente, para Marinetti, es una hazaña deportiva, una prueba atlética. Y esto se posibilita gracias a que la mirada del poeta está dotada de un fuerte cinetismo.

5. Ahora bien, Huidobro, sin duda, comparte esta vivencia futurista; pero ¿de qué modo se la apropia verdaderamente, de qué modo la hace originalmente suya?

Creemos que el suyo consiste en trasladar el futurismo, desde las cosas artificiales o inventadas por el ser humano, a la naturaleza. ¿Es que no hay máquinas naturales dotadas de velocidad increíble? Desde luego, no los lentos y callados organismos terrestres [6]; pero sí las trayectorias de los astros, la órbita vertiginosa de los planetas. Es al movimiento del cielo, a la condición migratoria de la población celeste adonde Huidobro trasplanta su visión futurista y, por tanto, su sensibilidad para lo veloz [7].

Este dinamismo determina la apariencia traviesa del cosmos huidobriano, su fundamental ludismo. En un ver-

---

[6] Huidobro nos dice de las flores: «... los pájaros maldicen el amanecer de tanta flor inútil. Con cuánta razón ellos insultan las palpitaciones de esas cosas oscuras» («Temblor de Cielo», p. 11).

[7] El tránsito de lo veloz técnico (propiamente futurista) a lo veloz natural (específicamente huidobriano) requeriría un amplio estudio Un hito importante, en el mismo Huidobro, es su poema «Aéroplane», de *Horizon carré*. Otro antecedente, valioso para la historia de las fuentes de su poesía, son algunos poemas de Apollinaire («Zone», de *Alcools*; «Lou mon étoile», de *Ombre de mon amour*, etc.).

so que figura en un lugar importante del Canto IV, cuando se van a resolver muchos enigmas de los que más adelante hablaremos, Altazor se llamará a sí mismo: «el jugador aéreo». En el «Prefacio» la Virgen, con la cual mantiene un tierno diálogo Altazor, le dice, prometiéndole un hermoso don de hada madrina:

> Amame, hijo mío, pues adoro tu poesía y te enseñaré proezas aéreas.

Veamos un aspecto de esta visión lúdica de los espapacios siderales:

> La nebulosa en olores solidificada huye de su propia soledad
> Siento un telescopio que me apunta como un revólver
> La cola de un cometa me azota el rostro y pasa relleno de eternidad (págs. 17-18).

A pesar de algunas significaciones patéticas o depresivas que son proyección de la intimidad del personaje y su problemática vital, la convivencia que se establece entre el ser que allí se desplaza y ese ambiente de nebulosas, cometas y ojos de telescopio lo sentimos como una morada familiar, un espacio donde un yo infantil se complace en jugar. Veamos otro momento:

> Los planetas giran en torno a mi cabeza y me despeinan al pasar con el viento que desplazan (págs. 22-23).

Los planetas y estrellas no conservan su identidad material, sus estructuras macrocósmicas. Todo lo contrario: estrellas planetas se domestican, se hacen íntimos, siendo como juguetes en las manos de un niño. Como lo dice el mismo Huidobro:

> El infinito se instala en el nido del pecho

Es como si el cosmos fuera un carrusel que girara y girara, y que hace las delicias de este niño inquieto que es Altazor [8].

---

[8] «Durante todo el transcurso del poema, y eso ocurre en *Tout à coup* a menudo, se agranda el mundo humano mediante la imagen cósmica, y se humaniza y domestica el cosmos inmenso al ser relacionado con las cosas humanas y próximas al corazón» (Eduardo Anguita: «Vicente Huidobro, el Creador»: En *Antología*. Santiago, 1945, p. 25).
Por otra parte, el mismo Huidobro formula teóricamente este procedimiento en el primer principio del creacionismo (Carta a Tomás Chazal, con motivo de la publicación de *Horizon carré*. En «El Creacionismo»).

19

6. Hemos descrito el paisaje que el poema nos configura. Miraremos ahora el ser que allí vive, ese personaje de formas poco fijas y nítidas que es su habitante.

Se llama Altazor. Sabemos, porque el mismo poeta se encarga de aclarárnoslo en el interior del poema, que Altazor es un nombre compuesto de Alt-azor, o sea azor de las alturas, o como el mismo Huidobro dice, «azor fulminado por la altura». Este ser, que es semipájaro, pero que al mismo tiempo lo sentimos como un ente humano, con problemas y sentimientos y deseos humanos, es un personaje híbrido, quizá un ángel por su don de vuelo. A Altazor, pues, debemos imaginarlo en su figura externa como una creatura casi mitológica, con vida alada, como el antiguo Icaro. Pájaro, hombre, ángel todo eso lo es en su apariencia externa, en su compleja estructura imaginaria.

> Soy el ángel salvaje que cayó una mañana
> En vuestras plantaciones de preceptos (pág. 31).

> Y un eterno viajar en los adentros de mí mismo
> Con dolor de límites constantes y vergüenza de ángel estropeado (pág. 25).

> Eres tú, tú el ángel caído (pág. 27).

Pero Altazor, este ángel que se desplaza por los espacios casi inmateriales del cosmos, no confía sólo en sus alas, sino como ángel moderno y del siglo xx lleva paracaídas. ¡Por si las alas fallaran, Altazor toma precauciones! En efecto, el subtítulo del poema es *El viaje en paracaídas*. Como los antiguos héroes, los héroes de los cuentos y leyendas que salían a correr tierra montados en su cabalgadura, Altazor sale a recorrer cielos en una cabalgadura aérea, su paracaídas:

> Ah, ah, soy Altazor, el gran poeta, sin caballo que coma alpiste, ni caliente su garganta en claro de luna, sino con mi pequeño paracaídas como un quitasol sobre los planetas (pág. 14).

Este nuevo objeto, que enriquece la personalidad ya plural de Altazor, pájaro-hombre-ángel-aviador, cosmonauta, en fin, da una tónica sostenida a la fauna celeste, a los objetos y elementos que circulan en las alturas: aviones, golondrinas y otros muchos ya señalados.

Todo lo dicho anteriormente alcanza una sorprendente síntesis en la definición poética de la vida que nos da Huidobro:

> La vida es un viaje en paracaídas, y no lo que tú quieres creer (pág. 13).

De modo que con esto alcanzamos el simbolismo del viaje en paracaídas, pues esta aventura por el aire no es otra cosa que una imagen de la trayectoria vital de Altazor, «Hombre», «Poeta» y «Mago».

7. Acerquémonos más a Altazor, tratemos de sorprender sus amargos secretos, el dolor y amargura que nos revela en su Canto. Como esos personajes románticos que tras su exterior deleznable ocultan un noble origen, Altazor es también un ser caído, al cual sólo es dado recordar su estancia original:

> Hemos saltado del vientre de nuestra madre o del borde de una estrella y vamos cayendo (pág. 13).

> Soy yo Altazor...
> El que cayó de las alturas de su estrella (pág. 22).

> Perro lamiendo estrellas y recuerdos de estrellas (pág. 25).

> Yo podría caerme de destino en destino, pero siempre guardaré el recuerdo del cielo. (Temblor de Cielo.)

Constatamos, a través de la persistencia en estos versos de los mismos motivos, dos cosas: en primer lugar, el cielo y sus estrellas, ese paisaje antes descrito, se nos muestra ahora en su significado humano, en la relación que guarda con el personaje de que hablamos: es el paraíso perdido, el *habitat* original, el lugar de la felicidad primera y antigua. Altazor es un desterrado, vive en el exilio. En segundo lugar comprobamos que este destino mortal es sensibilizado como caída. Siempre la caída tiene, para Huidobro, valores mortuorios, significación letal:

Vamos cayendo, cayendo de nuestro zenit a nuestro
nadir y dejamos el aire manchado de sangre para que
se envenenen los que vengan mañana a respirarlo (pág. 13).

Adentro de ti mismo, fuera de ti mismo, caerás del
zenit al nadir porque ése es tu destino, tu miserable
destino.
Y mientras de más alto caigas, más alto será el rebote,
más larga tu duración en la memoria de la piedra (pág. 13).

Eres tú, tú el ángel caído
La caída eterna sobre la muerte
La caída sin fin de muerte en muerte (págs. 27-28) [9].

8. Ahora bien, ¿cómo se explica que este destino vital y mortal se nos haga sensible en la caída, en el fenómeno del descenso violento por el aire? Precisamente, debido a la configuración del mundo de Huidobro, a su valoración de las alturas siderales y al hecho de que siente
la gravitación como el llamado de las fuerzas irreprimi-
bles de la materia terrestre:

He aquí la muerte que se acerca como la tierra
al globo que cae [10].

En eso consistía y aún quiere consistir el privilegio
angélico de Altazor: en estar más allá de toda inercia y
gravitación. Pues la dicha más alta, la libertad misma es
para él la delectación provocada por las acrobacias aé-
reas. En este sentido quizá nunca ningún poeta nos haya
hecho tan sensible lo espiritual que alienta en el ser humano:

Tú sabes bien que Dios arranca los ojos a las
flores pues su manía es la ceguera.
Y transforma el espíritu en un paquete de plumas... [11].

---

[9] La más formidable elaboración de este motivo se da en el pasaje que
comienza:
Cae
Cae eternamente...

Vid. CEDOMIL GOIC: «La poesía de Vicente Huidobro», AUCH, número 101 (1956), p. 85.
[10] No nos resistimos a señalar aquí algunos versos muy semejantes, por
su valoración de la gravitación, de Marinetti:
Horror de la tierra. Tierra, liga siniestra
Para mis patas de pájaro... Necesidad de evadirme
Ebriedad de subir... Mi monoplano, mi monoplano.
[11] Temblor de Cielo, Santiago, Edit. del Pacífico, 1960, p. 12.

Este último verso es muy claro si recordamos el origen ornitológico del nombre Altazor.

Sin duda, por todo lo dicho es ya posible establecer asociaciones con un haz de significaciones cristianas, bíblicas: la caída, física es claro, pero también espiritual; el recuerdo de una felicidad primitiva, etc. Precisamente a esta órbita de elementos hace alusión el comienzo de Altazor, el inicio del Canto Primero:

> Altazor ¿por qué perdiste tu primera serenidad?
> ¿Qué ángel malo se paró en la puerta de tu sonrisa
> Con la espada en la mano? (pág. 17).

Pero todo esto es ostensible y evidente, de tal modo que no necesita ni siquiera comentarlo. Lo que importa destacar fundamentalmente es que la actitud, la posición que toma el poeta frente al mundo cristiano es lo que provoca en su alma la tragedia y la desolación.

9. En efecto, la catástrofe que origina el tono patético del poetizar de Huidobro es la experiencia de las ruinas del cristianismo. Como tantos contemporáneos suyos, Huidobro se conecta aquí con Nietzsche y su dictum definitivo «Dios ha muerto». ¡Conexión, desde luego, no directa, sino fruto de cierta comunidad espiritual! Es, pues, este hecho histórico-cultural el que determina el temple de Altazor, como obra y personaje, como poema y poeta, ya que aquí todo es lo mismo:

> Abrí los ojos en el siglo
> En que moría el cristianismo
> Retorcido en su cruz agonizante
> ya va a dar el último suspiro
> ¿Y mañana qué pondremos en el sitio vacío?
> Pondremos un alba o un crepúsculo
> ¿Y hay que poner algo acaso?
> La corona de espinas
> Chorreando sus últimas estrellas se marchita...
> Muere después de dos mil años de existencia
> un cañoneo enorme pone punto final a la era cristiana
> El Cristo quiere morir acompañado de millones de almas
> Hundirse en sus templos
> Y atravesar la muerte con un cortejo inmenso.
> Mil aeroplanos saludan la nueva era
> Ellos son los oráculos y las banderas (pág. 21).

Como antes lo adelantábamos, este sentimiento inmediato y violento de la muerte de Dios, sin resurrección
posible, su definitivo aniquilamiento, se desarrolla en una
vehemente lírica blasfematoria:

> Solitario como una paradoja
> Paradoja fatal
> Flor de contradicciones bailando un fox-trot
> Sobre el sepulcro de Dios (pág. 31).

Queda a la imaginación del lector de Huidobro establecer la relación profunda que puede existir entre esta
obsesión por la blasfemia y su educación por los jesuitas.
No cabe duda, que la hay. Pues lo mismo que De Rokha
ha incorporado a la poesía chilena todo el valor estético
de la grosería criolla, de las interjecciones violentas, Huidobro nos trae en *Altazor* este rasgo que sólo los creyen-
tes que lo han sido de verdad tienen el dolor de utilizar.

La muerte de Dios, pues, engendra en el espíritu del
yo lírico sentimientos antitéticos de liberación y de pérdida, de libertad y de congoja. Conviene subrayar, para
ver cómo avanza esta experiencia a lo largo de la obra,
que en el Canto IV sólo se da una despedida juguetona
a la divinidad, y nada hay ya de las imprecaciones des-
esperadas:

> Adiós hay que decir adiós
> Adiós hay que decir a Dios.

Y finalmente sólo queda una serena aceptación. Los
que han leído *Altazor* conocen su asombroso comienzo:

> Nací a los treinta y tres años, el día de la muerte de Cristo

Después de la obsesión acelerada, del pulso eléctrico
de los Cantos propiamente tales, se llega a este blando reposo, donde apenas subsiste un dejo melancólico. Ya no
hay entonces Dios creador, Persona divina que haga el
mundo desde la nada:

> Entonces oí hablar al creador, sin nombre, que es un
> simple hueco en el vacío, hermoso como un ombligo.

Así, pues, frente al dogma cristiano desechado, se alza
el mito del omphalos, de la procedencia de todo lo exis-
tente a partir de un ombligo cósmico primitivo. Esto, cla-

ro, semicreído, irónicamente sobrepuesto a la gran idea sustituida. De ahí que a continuación del pasaje citado siga una paráfrasis de la Creación bíblica, que es puro ludismo, ejercicio y voluntad de juego. El Creador dice entonces:

Hice un gran ruido y este ruido formó el océano
y las olas del océano.
Este ruido irá siempre pegado a las olas del mar
y las olas del mar irán siempre pegadas a él, como
los sellos en las tarjetas postales.
Después tejí un largo bramante de rayos luminosos
para coser los días uno a uno; los días que tienen
un oriente legítimo o reconstituido, pero indiscutible.
Después tracé la geografía de la tierra y las líneas
de la mano.
Después bebí un poco de cognac (a causa de la hidrografía)
(pp. 8-9)

Como vemos, el apóstrofe insolente a lo Divino se cambiará en el «Prefacio» por el chiste irreverente, por la ironía, que lo mismo se ejerce contra el Creador que hacia la Virgen. Pero todo esto es posible porque el poeta tiene una aventura cumplida; empero, en los Cantos, el derrumbe de sus creencias significa para Altazor una conmoción metafísica.

10. En efecto, liquidado el cristianismo, sus valores ya no tienen vigencia:

No hay bien ni hay mal ni verdad ni orden ni belleza

Derrumbado el orden cristiano, el individuo inmediatamente postcristiano no tiene asidero moral. Su angustia es el reflejo de esta situación. Sin embargo, todo esto que aún es demasiado general y abstracto —los versos citados son apoéticos, porque su enunciación no es sensible, sino conceptual y filosófica—, todo esto plasma en tres sentimientos cardinales, que fijarán el temple doloroso del Canto I, además que, al impregnarlo totalmente, le suministran unidad. Estos tres motivos son —motivos líricos, en el sentido de vivencias, estados de ánimo irradiadores de subjetividad—:

a) *el motivo de la soledad*:

> Estás perdido Altazor
> solo en medio del universo
> solo como una nota que florece
> En las alturas del vacío (pág. 17).

b) *el anhelo de eternidad.* Como la muerte no puede asumir el sentido cristiano de tránsito hacia la eternidad, el poeta debe pedir esta eternidad o infinitud temporal para sí mismo en la propia vida:

> Dadme el infinito como una flor para mis manos.

c) *la poesía,* como afán de una nueva forma de belleza, una vez caído el orden estético cristiano:

> La palabra electrizada de sangre y corazón
> Es el gran paracaídas y el pararrayo de Dios.

11. El Canto II, panegírico a la mujer, es uno de los más hermosos cantos dirigidos a la mujer en lengua española.

La mujer cumple una triple función de acuerdo con lo que venimos examinando:

a) Rompe transitoriamente la soledad y la angustia a que se veía condenado el poeta. El canto termina definitivamente:

> Si tú murieras
> Las estrellas a pesar de su lámpara encendida
> Perderían el camino
> ¿Qué sería del universo? (pág. 52).

b) Realiza de algún modo el anhelo de eternidad que padece Altazor:

> Sólo lo que piensa en ti tiene sabor a eternidad

c) Pero la mujer es también imagen encarnada de la poesía por su belleza:

> Eres más hermosa...
> Que la sirena de un barco que deja escapar toda su alma
> Que un faro en la neblina buscando a quien salvar
> Eres más hermosa que la golondrina atravesada por el viento...
> (pp. 50-51)

Así, pues, en el Canto II observamos cómo la mujer unifica los tres motivos básicos antes señalados: soledad y angustia, afán de eternidad, y es, en fin, presencia humana sensible de la Poesía.

12. El Canto III es una progresión cada vez más anhelante hacia un total desprendimiento de la poesía respecto de la realidad; el Canto finaliza así:

Y puesto que debemos vivir y no nos suicidamos
Mientras vivamos juguemos
El simple sport de los vocablos...
Un ritual de vocablos sin sombra
Juego de ángel allá en el infinito...
Pasión de juego en el espacio
Sin alas de luna y pretensión
Combate singular entre el pecho y el cielo
Total desprendimiento al fin de voz de carne
Eco de luz que sangra aire sobre el aire

Después nada nada.
Rumor aliento de frase sin palabra.

(pp. 58-59)

Las palabras son esclavas de la realidad por su valor representativo, en cuanto designan objetos; por tanto, el verdadero elemento creador de la palabra se encontrará más allá de sí misma, en las raíces de sí misma, en la palabra que no designa «nada nada», sino que es puro «rumor», «aliento de frase». En cuanto trata de perforar la palabra para llegar a sus orígenes aéreos, el creacionismo es, en primera instancia, un destruccionismo, o como el mismo Huidobro designa su tarea preparatoria, una antipoesía, nombre, hasta donde sabemos, inventado por nuestro poeta.

13. Todas estas búsquedas alcanzan su definitiva coronación al término del Canto IV. En todos los cantos anteriores se ha venido haciendo referencias, anuncios, a la «clave del poeta», a sus llaves para abrirnos las puertas de zonas desconocidas, de modo que nuestro ánimo está preparado para escuchar la revelación. Oigámosla venir,

después del estribillo de este Canto IV que es «no hay tiempo que perder»:

La eternidad quiere vencer
Y por lo tanto no hay tiempo que perder
Entonces
   Ah entonces
Más allá del último horizonte
Se verá lo que hay que ver
La ciudad...
El jugador aéreo
Desnudo
Frágil
Y el sonido y el sonido
La tierra y su cielo
El cielo y su tierra
El pájaro traladí cantó en las ramas de mi cerebro
Porque encontró la clave del eternifrete
Rotundo como el unipacio y el espaverso
Tralalí tralalá.

(pp. 73-74)

La clave llega en forma de rompecabezas, a la manera de un enigma o acertijo infantil propuesto risueñamente. «La clave del eternifrete» se nos asocia fónicamente primero con un instrumento musical como el clarinete, por ejemplo: la clave del clarinete. Estas significaciones vienen preludiadas por todo eso de «el sonido y el sonido». Pero más abajo, por intercambio de sílabas, reconstituimos:

rotundo como el unipacio y el espaverso

como

rotundo como el universo y el espacio.

Esto nos lleva a mirar de nuevo esa «clave del eternifrete». Si leemos desde atrás nos da «éter —fin— éter». Si contrastamos este enigma resuelto con el comienzo del framento leído:

la eternidad quiere triunfar

Se nos muestra plenamente la revelación esperada. Cuando parecía querer darnos «la clave de la eternidad» nos anuncia en realidad la finitud del espacio o del universo en el cual reina como principio creador del éter, infinitamente renovable.

El aire, pues, el éter, es el principio cósmico que llena el mundo con su presencia. No sólo es entonces medio elemental de las acciones de Altazor. Pues el hombre y el poeta sobre todo, tienen también en su propio pecho el principio microcósmico del aliento, éter espiritualizado:

Canta el caos al caos que tiene pecho de hombre.

En las oscuridades de esta relación, tan antigua como Anaxímenes, éter cósmico-aliento humano, encontramos el sentimiento prístino del alma.

Alma/anim-a/ánemos..., el vientecillo, el anim-us soplo interior al pecho.

De acuerdo con esto, la palabra tiene para Huidobro, en cuanto emanación sonora del alma, un triple valor.

a) es el órgano de la comunicación, y por tanto, el instrumento que capacita al ser humano para superar la soledad;

b) es la fuente de la poesía, pero de una poesía valorada en sus orígenes más prístinos, donde aún no existe la sujeción objetiva;

c) por estar amasada con materia etérea, participa también de la eternidad viva del principio cósmico.

14. Luego de este descubrimiento se trasmutan los misterios dolorosos de Altazor en gozosos, se abre el camino a la dicha:

Levántate alegría
y pasa de poro en poro la aguja de tus sedas.

Se ha producido entonces el tránsito de la tristeza a la alegría. Esta se funda en el presentimiento de una posible comunión con los demás:

Yo estoy aquí
¿En dónde están los otros?
Eco de gesto en gesto
Cadena electrizada o sin correspondencias
Interrumpido el ritmo solitario
¿Quiénes se están muriendo y quiénes nacen
Mientras mi pluma corre en el papel?

Con esto se supera lo que puede denominarse el monadismo huidobriano [12].

---

[12] La fórmula no es caprichosa. Para el filósofo alemán, «las mónadas no tienen ventanas...» (*Monadología,* 7). Análogamente, Huidobro imagina el alma como habitación del yo:

Todos los poemas anteriores a *Altazor*, ínsitos también en la vena creacionista, son siempre auscultamiento de procesos mentales. El motivo de esos breves poemas es el surgimiento de los recuerdos y deseos, los estados rápidos y suaves del alma, su dulce tumulto interno. El desarrollo de aquellos motivos, nunca bien traídos a un cetro explicativo general por la crítica, consiste precisamente en complacerse sensibilizando esos momentos fugaces de la vida interior. Este solipsismo se rompe débilmente por la experiencia del otro, del ser humano próximo:

Yo no tengo orgullo de campanario

El campanario es a primera vista (además lo señala el mismo Huidobro) símbolo de la interioridad orgullosa. Agregamos, de todos modos, esta cita de Melville, en su *Moby Dick*, por lo precisa:

Hay siempre algo egoísta en las cumbres de las montañas y en las torres, lo mismo que en todas las cosas grandes y altas.

El campanario es, pues, abolido en Altazor, como fruto de la revelación que hemos descrito. En este sentido Huidobro desarrolla análoga trayectoria poética a Neruda y a la Mistral: ésta descubre el ser objetivo sólo en *Tala*, después de consumada su experiencia personal en *Desolación*, y lo descubre en el diálogo con las *Materias* y en sus *Himnos Americanos*[13]. Neruda, igualmente, sólo

Abre la puerta de tu alma y sal a respirar al lado afuera.
Puedes abrir con un suspiro la puerta que haya cerrado el huracán (p. 14).

Y más claramente aún en «Mío Cid Campeador»:

Ese simple gesto, abrir una ventana, que parece tan nimio, tan sin importancia, es una cosa grave. Abrir una ventana es como abrir el alma, es como abrir el cuerpo.

(Edics. Ercilla, 1949, p. 16)

Por supuesto, no se trata sólo de semejanzas simbólicas. Para el monadismo huidobriano, para esa alma sin puertas ni ventanas, importa más que el objeto mismo, los sentimientos que provoca; su emoción, más que su consistencia objetiva; más la sensación y el recuerdo que su presencia actual. De ahí que en su poesía las cosas aparezcan desmaterializadas, como reflejadas en el espejo de la conciencia. Sin peso ontológico propio. tienen la flotante ingravidez que el mundo adquiere en los espacios íntimos del ser.

[13] Véase GASTÓN VON DEM BUSSCHE, *Visión de una poesía*, Santiago, Ediciones AUCH, 1957, p. 22.

después de *Residencia en la tierra* supera su individualismo desenfrenado. Pero en estos poetas la apertura a lo objetivo (social o natural) es absoluta, es más definitiva que en Huidobro, siempre vacilante en salir de la isla encantada de sus sueños privados.

15. Una vez superada la soledad, es posible observar un magno acontecimiento en los espacios cósmicos: se inicia la comunicación en las alturas del universo. Los símbolos de este hecho son las golondrinas y el molino: las primeras, verdaderos puentes aéreos que inauguran rutas y caminos en lo alto. Altazor exclama:

> Nunca en el cielo hubo tantos caminos.
>
> (pág. 73)

El molino, por su parte, es el receptor de todas las energías de circulación que pueblan el cosmos. Todo el universo, por obra y gracia de esta revelación y de la palabra humana y poética, se impregna de electricidad comunicante.

El molino es quizá una de las figuras más complejas en el universo huidobriano. Aparte de la ya señalada, y de otras muchas significaciones que sin duda posee, veamos otra. Después de la inmensa letanía que se le dirige, se dice:

> Habla habla molino de cuento
> Cuando el viento narra tu leyenda etérea
> Sangra sangra molino del descendimiento
> Con tu gran recuerdo pegado a los ocasos del mundo
> Y los brazos de tu cruz fatigados por el huracán.
>
> (pág. 90)

El molino es entonces una caricatura de la cruz que, como un fantasma sarcástico, está en el centro de este universo de Huidobro estremecido por la experiencia cristiana. Es una figura antipoemática de la cruz. Pero ya en su célebre caligrama, no recogido en ningún poemario, «Moulin», lo especificaba:

> Gira, gira, gira,
> Molino que muele las rosas,
> tú serás triste como la Cruz.

Ernst Robert Curtius, en un precioso ensayo sobre el poeta recién fallecido Jean Cocteau, establecía hace algunos años como las dos modalidades axiales del hacer poético la del vate y la del juglar. El vate, cercano por su tono solemne a la actitud sacerdotal, linda en la videncia, adquiriendo su poesía muchas veces dimensión profética y un cariz admonitorio. El juglar, visto no en su desempeño mímico, sino de acuerdo con la etimología amplia de la palabra, representa una concepción diferente de la poesía, la cual se convierte en ocio lúdico, en creatividad pirotécnica y brillante. Más que la revelación de la verdad busca obtener el asombro y desconcierto de su público.

En Huidobro se conjugan estas dos tendencias naturales en todo poeta:

> Lo veo todo, tengo mi cerebro forjado en lenguas de profeta.

> ... Juguemos
> el simple sport de los vocablos.

Su poesía es, pues, profecía y deporte a la vez. Si a veces tales tendencias no se concilian en una síntesis perfecta, y vemos que el juglar monopoliza excesivamente la conducción de la palabra, casi siempre, sin embargo, y sostenidamente, ambos rostros suyos alcanzan un equilibrio armonioso, que es lo más privativo de su condición lírica, de su intelecto poéticamente evolucionado, educado —y educador también— de los movimientos líricos más importantes de la primera postguerra.

[*Anales de la Universidad de Chile* (Santiago de Chile), CXXIII, 133 (enero-marzo, 1965).]

"ALTAZOR" O LA REBELION DE LA PALABRA

Cuando hablamos de *Altazor*, la denominación que mejor le cuadra es la de aventura en su sentido más heroico, el de intento riesgoso. Apasionante aventura que procuraremos revivir en nuestra requisa crítica. Su prefacio y sus siete cantos constituyen un ciclo orgánico, un proceso progresivo, una prospección coherente, intentan el trastocamiento del lenguaje en busca de un verbo puramente poético. Se trata de una auténtica *poiesis*, una operación del lenguaje. En este itinerario, Vicente Huidobro toma la poesía en el punto de transformación en que la dejó Rimbaud y se propone avanzar forzando la palabra para extraerle una expresividad cada vez menos sujeta a la realidad exterior, al mundo de los objetos, a toda racionalización de su experiencia. Es una tentativa de desarticular la lengua fáctica, de desmantelarla e irla suplantando por otra que manifieste directamente nuestra interioridad, no interferida por mediaciones conceptuales o por el peso objetivo de las palabras. Un camino que va del pensamiento a la pura fonación, pasando por todos los estadios intermedios. La revuelta de *Altazor* comienza por un lenguaje cargado de contenido, de información, de ideología, hasta desembocar en una mera armonización sonora.

Si aceptamos las dicotomías de Saussure, que distingue dentro del lenguaje un ingrediente social, la lengua, y otro individual, la palabra, podemos decir que Huidobro se insubordina contra la lengua y su sistema de normas, contra la lengua cuyo código de signos convencionales quieren imponerle una percepción preconcebida de la realidad.

Huidobro busca acrecentar los poderes de la palabra, palabra que no sea una combinación de estereotipos sino un verdadero acto creador; forjar una palabra incontaminada, a contrapelo de la lengua.

Nunca, en el ámbito del castellano, la singularización idiomática fue llevada a tal extremo. Huidobro va convirtiendo paulatinamente la lengua en puro idiolecto, en un lenguaje al margen de la colectividad, en acto por completo personal. Se propone participar no sólo en el manipuleo del lenguaje sino, y sobre todo, en su fabricación.

Primero postula una poética, una ética y una metafísica sobre las que asienta su cosmogonía; luego las pone en práctica. Y aunque preconiza y ejecuta una poesía vital, agnóstica, intuitiva, onírica, ilógica, lúdica, libérrima, el decurso de *Altazor* presupone, como todo proceso idiomático, cierto código, un principio de sistema. La descomposición y recomposición del mundo y del lenguaje se operan aquí de acuerdo con una praxis sujeta, aunque no rigurosamente, a algunos módulos, a ciertas tendencias operativas. Analicemos primero la doctrina y luego su ejercitación.

El libro se apoya sobre un mito básico: *Altazor* (alto azor), encarnación del poeta, desciende a las honduras —como Orfeo, como Eneas, como Dante— con ayuda de su paracaídas, la poesía, «el caballo de la fuga interminable». En su trayecto se encuentra con el Creador, «un simple hueco en el vacío, hermoso como un ombligo» * (8), un dios humorista y burlón que evoca, en versión irreverente, entremezclando jerarquías, el engendramiento del universo. Este generador, parodia de taumaturgo, confiesa su decepción ante el mal empleo que los hombres han hecho de la lengua, «la bella nadadora, desviada para siempre de su rol acuático y puramente acariciador» (9). O sea: se ha abusado del uso instrumental del lenguaje. Al considerárselo sólo un mediador entre el hombre y los objetos, el lenguaje ha perdido su poder genésico (descubrir, crear, nominar); se lo ha entumecido al enganchar cada palabra en la espalda de una cosa; los peces se han convertido en etiquetas. Pero, ¿cómo librarlo de esta anquilosis, de tantas duras costras? Altazor, masticando las

---

* *Altazor* (Santiago, Cruz del Sur, 1949). Los números entre paréntesis corresponden a la indicación de página.

quejas de la divinidad, concluye: «Se debe escribir en una lengua que no sea materna» (9), hay que desechar los modos heredados y retrotraerla, mediante descalabros y catástrofes, a su pureza edénica. Y a partir de esta reconquista, zambullirse en las «oscuras lucideces». La vida es, como su equivalente la poesía, un descenso a los abismos de la existencia. Y cuanto más raigal sea la caída, más poderoso será el reflujo. Cuando más adentro se hunda, más penetrante y perdurable será la vislumbre: «Y mientras de más alto caigas, más alto será el rebote, más larga tu duración en la memoria de la piedra» (13).

Huidobro se inscribe en la línea de los poetas subversivos, de los incendiarios, de los románticos a ultranza, línea que va de Rimbaud al surrealismo, pasando por Apollinaire, y por Dadá. Para ellos la poesía es búsqueda de la realidad más esencial, en el más allá de la conciencia. A la vislumbre de nuestro yo auténtico se llega mediante el desarreglo de los sentidos, mediante una ascesis bárbara («Bárbaro limpio de rutinas y de caminos marcados» [31]), un despojamiento de los conformismos, los contralores, los convencionalismos interpuestos entre nosotros y el mundo primigenio:

> Limpia tu cabeza de prejuicio y moral
> Y si queriendo alzarte nada has alcanzado
> Déjate caer sin parar tu caída sin miedo al
> fondo de la sombra
> Sin miedo al enigma de ti mismo
> Acaso encuentres una luz sin noche
> Perdida en las grietas de los precipicios (18).

La poesía cobra así carácter de reveladora suprema; sólo ella puede ser camino de conocimiento válido, porque la verdad no está en la mente sino en el corazón:

> Sigamos cultivando en el cerebro las tierras
> del error
> Sigamos cultivando las tierras veraces en el
> pecho (23).

Altazor nos incita a fundirnos, a consustanciarnos con el universo en una comunión alucinada: «Canta el caos al caos que tiene pecho de hombre» (23). Poesía equivale aquí a «fiebre y vértigo interno», a «hostia angustiada y ardiente», a desorden, sortilegio, desmesura, tempestad. Estas apelaciones extremas delatan la alta temperatura

20

emocional, el estado de paroxismo, de delirio a que el poeta debe tender en su trágico hundimiento hasta las cavernas del ser:

> Anda en mi cerebro una gramática dolorosa
> y brutal
> La matanza continua de conceptos internos
> Y una última aventura de esperanzas celestes
> Un desorden de estrellas imprudentes
> Caídas de los sortilegios sin refugio
> Todo lo que se esconde y nos incita con imanes
> fatales
> Lo que se esconde en las frías regiones de lo
> invisible
> O en la ardiente tempestad de nuestro cráneo (28)

Huidobro se mueve siempre en un plano cósmico; casi no aparecen referencias a lo cotidiano. Su poesía, a pesar del desborde y del extremismo, es todavía de rango olímpico. Amplifica sus sentimientos hasta confundirlos con el universo.

Para expresar esos «subsuelos de intuiciones fabulosas», hay que retrotraer la poesía a la naturaleza primitiva del lenguaje, a un estado preutilitario, mítico, donde la palabra no es un interpósito sino una nueva génesis del mundo. Nominar equivale entonces a recrear. Hay que despojar a la poesía de todas las cáscaras acumuladas a través de tan remoto mal uso, devolverle a la palabra su poder de revelación:

> La cuna de mi lengua se meció en el vacío
> Anterior a los tiempos (30)

> Hablo en una lengua mojada en mares no
> nacidos (40).

Este desnudarse de falsos atributos, este retorno a la virginidad resulta terriblemente doloroso; el dolor es el precio de la clarividencia turbulenta, dolor al desampararse de engañosos asideros hasta dar con la verdad:

> Hablo porque soy protesta insulto y mueca
> de dolor
> Sólo creo en los climas de la pasión
> Sólo deben hablar los que tienen el corazón
> clarividente
> La lengua a alta frecuencia (36)

El poeta no puede crear en estado de serena vigilia; imposible consumar el rito sin enajenación, sin que las palabras se afiebren. La gestación de un poema se compara con el crecimiento de un árbol; la boca del poeta se sitúa en la puerta del sueño y sus ojos, en la gruta de la hipnosis, hasta que el mundo lo penetre, lo posesione, lo fecunde y salga en forma de poema.

Este verbo existencial, eidético, ontológico se rebela contra la poesía decorativa, estetizante, refinada; contra ella lanza Altazor sus apotegmas:

> Poesía aún y poesía poesía
> Poética poesía poesía
> Poesía poética de poético poeta
> Poesía
> Demasiada poesía (55)

Para consumar ese acto supremo, ese holocausto exasperado no podemos contar con el auxilio de las lenguas esclerosadas; se puede intentar resucitarlas provocándoles cataclismos y cortocircuitos:

> Todas las lenguas están muertas
> Muertas en mano del vecino trágico
> Hay que resucitar las lenguas
> Con sonoras risas
> Con vagones de carcajadas
> Con cortocircuitos en las frases
> Y cataclismo en la gramática (57).

Hay que desencadenar «una bella locura en la vida de la palabra», hasta conseguir el total desprendimiento de todos los residuos que se resisten a la imantación. Se puede recurrir al reino onírico («Ruedo interminablemente sobre las rocas de los sueños» [10]), escapar hacia las comarcas de la imaginación en libre vuelo, adonde todas las fabulaciones, todas las asociaciones y todas las trasposiciones son posibles; buscar a través de la duermevela y de la imaginación errática el punto de fusión de todas las antinomias. Se puede desafiar al azar, concertar los encuentros más casuales, buscar en lo aleatorio y arbitrario («Mientras bailamos sobre el azar de la risa» [91]), los matrimonios deslumbrantes. O bien, jugar con las palabras para quitarles la cargazón que las constriñe: «Mientras vivamos juguemos/El simple sport de los vocablos» (58). Si no se logra instaurar así en la zona del lenguaje, esa revelación penetrante que es la poesía, silenciaremos las palabras y quedarán los rumores de «la noche al fondo del océano»:

Volvamos al silencio
Al silencio de las palabras que vienen del
silencio (38).

Tal es el periplo que va a recorrer Huidobro en *Altazor*, desde el decir expreso hasta la tácita sugerencia de una pura orquestación de fonemas.

El acierto y la potencia de una poesía dependen de la adecuación entre la voluntad expresiva y los medios expresivos. El poeta se instala en el lenguaje para forzarlo a comunicarnos algo que, a menudo, el tratamiento normal de la palabra es incapaz de transmitir. Necesita, por lo tanto, someterla a un moldeo, generalmente artesanal, para que pierda su opacidad y se vuelva traslúcida. Si Huidobro condena el lenguaje literario por anquilosado e impotente, ¿con qué herramientas idiomáticas contará para adentrarse en el ser del hombre y del mundo, para llegar a la suprarrealidad? Pues las mismas que otrora, mientras respete la estructura del lenguaje articulado. Al principio se mantiene, como Rimbaud, en los límites de la elocución normal. No es normal lo que dice, pero sí la manera de decirlo. Las modificaciones se operan sólo en el plano del significado; luego va a ir alternando paulatinamente los significantes. Al pasar del prefacio a los cantos suprimirá la puntuación.

En su estadio inicial del proceso, comienza por desprenderse de la cohesión del mundo objetivo. Su fantasía establece nexos imaginarios, percibidos por los sentidos interiores a través de un tiempo y un espacio mentales; altera las distancias y trastoca la cronología. O sea, la realidad es desmantelada y recompuesta luego en un orden puramente poético; fragmentos en aparente incongruencia aparecen ligados por relaciones personales de sentido. La metáfora pura es un corte de amarras, el paracaídas que permite descender a esa región subyacente donde todo lo que existe retoma su parentesco primigenio, vuelve a fusionarse en su unidad original.

Para estos vitalistas agnósticos que reniegan del intelecto y que quieren adentrarse con un salto intuitivo, totalizador, hasta el meollo de la realidad, la metáfora no es ya mero efecto técnico, artificio para sorprender al lector con combinaciones novedosas, sino al talismán metafísico que los transporta al más allá, a la traslumbre; es sistro revelador, «la voz que se desfonda en la noche de las rocas». El poeta, para expresarse, no tiene sino el decir indirecto, alusivo; no le cabe más que componer con palabras libremente asociadas una tesitura, un paisaje sentimental, no un discurso organizado sino un transcurso verbal capaz de infundirnos, por resonancia, determinadas vibraciones. Huidobro acata esta imposición del idioma y lo puebla de metáforas audaces:

> Noche préstame tu mujer con pantorrillas de
> florero de amapolas jóvenes
> Mojadas de color como el asno pequeño desgraciado
> La novia sin flores ni globos de pájaros
> El invierno endurece las palomas presentes
> Mira la carreta y el atentado de cocodrilos
> azulados (65)

Se coaligan los objetos usuales y también los gigantescos, los del micro y macrocosmos: árboles, nubes, noches, continentes, meteoros, planetas, nebulosas; de lo pequeño a lo inconmensurable, todo se vuelve receptáculo de la exaltación de *Altazor*.

Huidobro se esfuerza por extraerle a las imágenes y a las metáforas todo su poder semántico; las exprime angustiado, hasta el agotamiento, para que transfieran ese torbellino avasallador que le aflora de las profundidades y que pugna por salir. Hasta el canto III (*Altazor* se compone de siete), la poesía se ciñe aún a los modos habituales, pero llevados a su extrema tensión. Por ahí exclama basta: basta de poesía ornato, de la «manicura de la lengua». Y para desafiarla, para restablecer al verbo sus poderes mágicos, concierta un encadenamiento de comparaciones disparatadas:

> Basta señora arpa de las bellas imágenes
> De los furtivos comos iluminados
> Otra cosa otra cosa buscamos
> Sabemos posar un beso como una mirada
> Plantar miradas como árboles
> Enjaular árboles como pájaros
> Regar pájaros como heliotropos
> Tocar un heliotropo como una música
> Vaciar una música como un saco
> Degollar un saco como un pingüino
> Cultivar pingüinos como viñedos (56).

Cuando los carriles del verso le resultan estrechos, cuando su enajenamiento y su dolor irrumpen incontenibles, Huidobro los desborda en la extensión mayor de la prosa, una prosa impuntuada y completamente metafórica. En el Canto IV da comienzo al descalabro milagroso; Altazor repite página tras página: «Darse prisa darse prisa», «No hay tiempo que perder». Las sentinas se atestan y se rompen, el poeta se lanza al río revuelto. Ya no es sólo el mundo el desmantelado y recompuesto, ahora son las palabras mismas las que se desintegran y se reconstituyen en nueva asociación de sus partes:

> Al horitaña de la montazonte
> La violondrina y el goloncelo
> Descolgada esta mañana de la lunala
> Se acerca a todo galope
> Ya viene viene la golondrina
> Ya viene viene la golonfina
> Ya viene la golontrina
> Ya viene la goloncima
> Viene la golonchina
> Viene la golonclima
> Ya viene la golonrima
> Ya viene la golonrisa
> La golonniña
> La golongira
> La golonlira
> La golonbrisa
> La golonchilla
> Ya viene la golondía (68)

Una palabra sale de la nebulosa primaria y, como la vasija del alfarero, comienza a rodar hasta cobrar forma:

> Pero el cielo prefiere el rodoñol
> Su niño querido el rorreñol
> Su flor de alegría el romiñol
> Su piel de lágrima el rofañol
> Su garganta nocturna el rosoñol
> El rolañol
> El rosiñol (69)

Al final del canto cuarto *Altazor* sintetiza su derrotero; en unas pocas líneas nos muestra todas las escalas en gradación descendente:

> En cruz
>   en luz
> La tierra y su cielo
> El cielo y su tierra
> Selva noche
> Y río día por el universo
> El pájaro traladí canta en las ramas de mi
> cerebro

Porque encontró la clave del eternifrete
Rotundo como el unipacio y el espaverso
Uiu uiui
Tralalí tralalá
Aia ai ai aaia ii (74)

Un proceso de desintegración, de renunciamiento pau-
latino, de condensación, hasta llegar al «unipacio» interior donde «la clave del eternifrete» es una pura música
verbal, ese magma adonde apenas retumban ecos de vocablos conocidos. Tal es el camino que *Altazor* nos hará
recorrer desde el Canto V al VII, pasando por toda clase
de mutaciones. En el Canto V las metástasis, los desarre-
glos en el interior de las palabras, alcanzan su pináculo:

Empiece ya ·
La farandolina en la lejantaña de la montamía
El horimento bajo el firmazonte
Se embarca en la luna
Para dar la vuelta al mundo
Empiece ya
La faranmandó mandó liná
Con su musiquí con su musicá
La carabantantina
La carabantantú
La farandosilina
La Farandú

Son los sustantivos, o sea las cosas, los trastornados;
los verbos, las acciones, se han mantenido regulares. Pero
ya en el Canto V, el trastocamiento de las categorías gra-
maticales invade también el campo verbal: «La cascada
que cabellera sobre la noche/Mientras la noche se cama
a descansar» (92). En el Canto VI, el lenguaje se constriñe, se vuelve telegráfico, se sustantiva y los verbos desaparecen casi por completo; los vocablos entran en franca armonización fónica, rítmica, acentuada para ahondar
el foso entre la expresión normal y la poética:

Cristal mío
Baño eterno
                el nudo noche
El gloria trino
                sin desmayo
Al tan prodigio
Con su estatua
Noche y rama
                Cristal sueño
                Cristal viaje

Flor y noche
Con su estatua
                    Cristal   muerte   (104)

Todavía estamos en el ámbito de la palabra con sentido objetivo; las palabras llevan aún suspensas sus acep-
ciones que apuntan al mundo exterior. Falta cortar el último eslabón que lo retiene, Altazor lo desnuda y con él
saltamos a los confines de su descenso, el retorno a la
argamasa embrionaria, a una suerte de lenguaje larval
donde los vocablos se derriten y se metamorfosean:

          Montañendo oraranía
          Arorasía ululacente
          Semperiva
                    ivarisa tarirá
          Campanudio lalalí
                    Auriciento   auronida
          Lalalí
                    Io ia
          iiio
          Ai a i ai a i i i i o ia (107)

Con esta vocalización interjectiva Huidobro termina
por abolir las barreras interpuestas entre el sentimiento
del poeta y su comunicación inmediata. Por momentos se
coloca, con respecto a la lengua, en una postura tan mar-
ginal, tan asocial, que linda con la excentricidad; atenta
entonces contra esa ley de supervivencia que restringe el
poder comunicativo de toda palabra a medida que se aleja de la lengua. Pero a su vez, esta insubordinación acti-
va y fertiliza la lengua. Sea cual fuere el margen de éxito
o fracaso de la tentativa, ningún poeta ha manipulado el
español con tamaña riqueza de registro; el despliegue de
Altazor es no sólo horizontal, sino también vertical; se da
tanto en extensión como en profundidad.

[Ponencia leída en el IV.ᵉ Congrès des Hispanistes
Français, *Etudes Ibériques et Latino-Américaines* (Paris,
Presses Universitaires de France, 1968).]

"MIO CID CAMPEADOR",
POR VICENTE HUIDOBRO

Vicente Huidobro presenta esta personalísima versión de la vida del Cid Campeador, que ya fue editada en Madrid, con el rubro novelesco de «Hazaña». Es una especie de novela, que no es rigurosamente una construcción técnica, sino una serie de episodios heroicos, sin más argumento o trama que la vida del personaje, cuyo tiempo histórico restableció, con paciente fervor, don Ramón Menéndez Pidal.

La epopeya castellana brotó como una manifestación del carácter de la meseta frente a la hegemonía leonesa. Castilla, a partir del siglo XI, adquiere la conciencia poética de sus valores fundamentales. El *Poema de Mío Cid*, destacó la generosidad castellana en un tono viril que era compatible con una noble y sobria ternura. Con todo, el poema famoso no idealizó a sus personajes, y participó, por esto, del realismo típico de la literatura española. La épica, por otra parte, creó en Castilla héroes simpáticos y humanos en contraste con monarcas fríamente odiosos. El *Poema de Mío Cid* se escribió cuarenta años después de muerto el protagonista, y en él se entremezcla la historia y lo fabuloso. Castilla se había unificado hacia 950, mediante la reunión de varios condados menores, bajo el Gobierno de Fernán González.

La fama del Cid fue considerable, desde el punto de vista literario, en la caudalosa serie de versiones y deformaciones que padeció en escritores de lenguas y nacionalidades diversas. El recuerdo poético del héroe influyó, en España, entre otros, a Guillén de Castro, a Fernández y González, a Zorrilla, a Marquina, a Antonio Machado y a cien escritores más. Pero su fama europea se debió a la versión francesa de Corneille. El célebre dramaturgo, al asimilar el personaje hispánico, lo rehizo con la imagen de su genio y del genio del pueblo francés. Quizá en la propia España lo recibieron, en la época moderna, dentro de la versión francesa, que dio vuelta al mundo europeo.

Otros grandes artistas nos dieron sus personales maneras de sentir y entender al Cid. Entre éstos se destacaron Víctor Hugo, Heredia, Leconte de Lisle, Southey, Gibson y Monti. Hay, pues, tantos modos de encarar al legendario personaje como escritores que se hayan atrevido a someterlo al análisis. La tarea no deja de tener sus peligros, sobre todo, en el campo novelesco.

Ya lo había tratado de someter a su fantasía el torrencial folletinista de genio que se llamó Fernández y González. Ahora lo vemos moverse, con amplia libertad, entre las manos fantásticas de Vicente Huidobro. El lirismo entraña sus inconvenientes y resulta, a la larga, fatigoso como procedimiento para construir o reconstruir una existencia histórica. Lo lírico no puede siempre apuntalarse en lo fantástico. Tiene que reposar en lo real para someter la acción a una lógica encadenada. Huidobro ha acometido, como veremos más adelante, una empresa arriesgada, que no siempre lo premia con el buen éxito, por más que a menudo lo equilibra entre la relación de lo fabuloso y la discreta realidad. El escritor entiende por «hazaña» una recreación poética, una especie de elaboración personal que el prologuista denomina una serie de tapices heroicos, sin argumento. En esto se ha diferenciado la fantasía dislocada del autor de *Vientos contrarios*, que es felicísima en los detalles, con la imaginación constructiva del folletinista del siglo XIX. Uno busca la atmósfera poética, la magia de lo épico para animar al héroe de Vivar. El otro ha preferido la versión apoyada en el Romancero y en la Crónica de Castilla, para erguir a un bizarro y pintoresco aventurero, a un conquistador heroico.

Para evitar desorientaciones sobre su intención constructiva, Huidobro nos advierte en el prólogo que en los detalles sobre el Cid, a veces, siguió el poema anónimo, el Romancero y la Gesta, y otras veces se ha ceñido a la historia.

Según Huidobro, el Conde Lozano resulta padrino y tutor de Jimena. Las hijas del Cid no se llaman en la «hazaña», Elvira y Sol, sino doña Cristina y doña María. Tampoco se casan con los Infantes de Carrión, y no reciben la afrenta de Corpes, que en el poema provoca la ira del Campeador y la acusación a las Cortes de Toledo. Las licencias poéticas e históricas de Huidobro se acumulan con desenfado, pero no dañan la unidad psicológica de su versión. El *Mío Cid Campeador* está concebido con amor y con sentido fino del heroísmo castellano. Es un canto permanente, sostenido, prolongado a la virtud, al honor, a la lealtad, al desinterés. No corresponde a la versión histórica moderna del Cid, a su sentido del dinero, a su afición al oro, a la plata, a las preseas y vestiduras. Esto habría dañado la unidad esencial que persigue el poeta, sin matices, sin vacilaciones, sin detenerse en la cara negativa del héroe. No decimos esto para desmedrar a Huidobro, sino para situar su genuina intención, que él explica con franqueza. En el prólogo nos advierte sobre su españolismo esencial, con curiosas palabras: «Soy por mis abuelos, castellano, gallego, andaluz, catalán y bretón. Celta y español; español y celta. Soy un celtíbero aborigen, impermeable y de cabeza dura, que tal vez ablanda un poco de judío.» (Página 10.)

La cronología y el ambiente histórico del Cid, que puede conocerse hasta donde es posible por el tiempo transcurrido, debido al magistral esfuerzo de Menéndez Pidal, no han preocupado, con exceso, al escritor chileno. Por esto, su Cid está afincado en otro terreno: el de la fantasía y el de la poesía, que tienen sus leyes. Esto nos da una perspectiva original, arbitraria, desenfrenada, en algunos momentos de rapto. El estilo participa, con exceso, de tales libertades y se halla enriquecido con americanismos y chilenismos de efecto sospechoso. Es el tributo de América y el aporte de un remoto descendiente que se declara un brote austral del señor Vivar.

Los escrupulosos hispanistas que buscan el rigor y la puntillosa reconstrucción de una época, en cierto modo confusa, no podrán gustar de esta «hazaña».

Huidobro ensaya aquí sus métodos juglarescos, sus sazonadas recreaciones, sus contrapuntos maliciosos, sus «boutades» típicas. Con todos los dislocados procedimientos y con sus lagunas indiscutibles, no podemos desconocer que estamos ante una obra profundamente española. Aquí Huidobro ha revelado quizá el cauce más serio de su obra, que abarca cerca de treinta libros y mucho material suelto. En los mejores instantes de *Mío Cid Campeador* nos acercamos al poeta que escribió *Temblor de cielo* y *Altazor*, felices innovaciones que superaron a sus períodos creacionistas.

Estamos en el pleno reino de la imagen, de la metáfora codiciosa en su afán de regir al mundo heroico en que se agita el Cid. Este permanente tono de lirismo perjudica todo el aspecto objetivo de la empresa novelesca. El poeta, que ha sabido captar con viveza muchos de los aspectos del carácter español, no ha tenido la misma suerte al enfrentar al medio geográfico. Flaquea la visión del paisaje, no hallamos el apoyo debido en el firme suelo castellano o en la perspectiva de la huerta valenciana. No sentimos a Vivar, cuya reconstrucción es artificiosa y no corresponde al ambiente típico de los altos valles de la meseta del Duero. Es una tierra que, como recuerda Menéndez Pidal, tiene nueve meses de invierno y tres de infierno.

Pero, en cambio, hay una firme y maciza determinación al sostener el enlace dramático y la fidelidad amorosa del Cid. Es admirable, en un genuino rasgo del héroe que participa de la gallardía y del señorío castellanos. Todo el poema del Cid trasunta la fidelidad del Campeador a doña Jimena, cuya psicología está pintada con rasgos sobrios y maestros. También el escritor chileno ha sido leal con la sostenida idealización que surge del poema, cuando se trata de pintar caracteres femeninos. Se destaca la distinción caballeresca, la fidelidad de la primera Edad Media a la mujer de los pensamientos propios, la pureza de las hijas, el entrañado cariño que el Cid derramó como padre y como esposo amantísimo. A medida que avanzamos en la lectura de *Mío Cid Campeador* asimilamos mejor la severa estampa que, en ese rasgo, nos parece muy adecuada a la realidad del héroe. El episodio de los judíos Raquel y Vidas, típico del antagonismo entre los cristianos y hebreos, está mejorado en la versión de Huidobro, y la imagen del Cid sale favorecida con el cambio. En el poema queda flotando una sombra sobre la reputación del Campeador. El episodio de Corpes ha sido, también, suprimido, y hay una utilización ingeniosa de la escena del león suelto que aquí es administrada con cierta loca y graciosa fantasía.

La fuerza descriptiva de Huidobro, a veces atenuada por el sesgo lírico de su «hazaña», tiene un realce notorio en la descripción de una corrida de toros que ocupa las páginas 37 a 41. Muy fina la escena del nacimiento del héroe y más movidas que las anteriores las que describen las hazañas valencianas del Cid. La tentación de lo moderno arrastra a Huidobro a las alusiones y a las destrezas de ingenio. Define al pueblo español como a un «pueblo de dados, de lotería y de frailes». Es acertado al inventar un diario árabe de un presunto Aben Alí, para describir las intimidades de Valencia, cuando era sitiada por las tropas castellanas. La imagen a veces se sale de madre y nos lleva por laderas audaces. «Una brisa desinteresada pasa refrescando el mundo, y el firmamento con grandes sábanas de nubes, se enjuga el sudor.» (Página 388.)

Por lo general, da en el blanco y se exhibe nutrida con la savia de los grandes momentos del creador del ultraísmo.

La lectura de este libro ha devuelto una perdida imagen de su autor: la más española de su complicado carácter, la más esencial a su espíritu que asimiló viejos estilos y culturas europeas. *Mío Cid Campeador*, en la edición chilena, extenderá su prestigio y lo mostrará moviendo una pesada máquina histórica medieval, que pocos habrían podido dominar. La riqueza poética, la fantasía juguetona, la sensibilidad moderna, compensan, en este libro, de los anacronismos y de las dificultades impuestas por la lejanía maravillosa.

[*La Nación* (Santiago de Chile), 20 de septiembre de 1942.]

DAVID BARY

VICENTE HUIDOBRO
Y LA LITERATURA SOCIAL

Casi todos los estudios que versan sobre Vicente Huidobro coinciden en clasificar al poeta chileno como un
esteta puro cuyos juegos cerebrales, arquetipos de la «deshumanización del arte», poco tienen que ver con los problemas personales y sociales del hombre actual[1]. Este
juicio, que por cierto parece bien fundado si nos limitamos al estudio de los manifiestos creacionistas y de parte
de la poesía del período creacionista (1916-1925), resulta
insuficiente al confrontarse con la totalidad de la producción huidobriana.

Huidobro comenzó su carrera con un concepto romántico del poeta como vate[2], textos como *Hallali* y *Ecuatorial* (1918), publicados en pleno creacionismo, pese a sus
fulminaciones contra lo «anecdótico» y descriptivo, hacen ver que no había de abandonar sus deseos de hacer
una poesía profética e interpretativa[3]. A partir de 1925
el choque entre los instintos del poeta y las limitaciones
de la doctrina creacionista tiene por resultado el abandono de ésta. En *Altazor* (1931) Huidobro proclama el fracaso de la imagen, eje del estilo creacionista, buscando

---

[1] Hasta en el ensayo reciente de ANTONIO DE UNDARRAGA, «Teoría del
creacionismo» que precede a su antología *Poesía y prosa de Vicente Huidobro* (Madrid, 1957) y que pretende ser el estudio definitivo sobre Huidobro, no se menciona el aspecto social de la obra de Huidobro.

[2] Véase mi estudio «Vicente Huidobro: comienzos de una vocación poética», *Revista Iberoamericana,* vol. XXIII, núm. 45, pp. 9-42.

[3] A este punto dedico el estudio «Vicente Huidobro: el poeta contra
su doctrina», que publicará la *Revista Iberoamericana.*

desesperadamente, un lenguaje que exprese sus procupaciones metafísicas [4].

Esta superación de las prohibiciones creacionistas le permite a Huidobro hablar directamente en su poesía y en su prosa no sólo de sus problemas personales sino de lo social. En este artículo estudio el aspecto social de sus escritos poscreacionistas, procurando precisar también por qué motivos Huidobro no logró darse a conocer como poeta «social».

Espíritu rebelde en la literatura y en su vida personal, Huidobro no vacilaba en declararse partidario de cualquier tentativa de renovación social y política. Sea por esto, o sea por aquel afán que sentía de ser en todo el precursor, sus preocupaciones por la política revolucionaria se adelantan a las de muchos de los poetas de su generación, tanto en España como en América. Ya en 1923, en *Finis Britannia*, ataca, si bien de manera estrafalaria y un tanto sospechosa, al imperialismo británico, y defiende los derechos de los pueblos coloniales. En *Vientos contrarios* (1926) presenta al comunista como «el hombre más noble y más elevado dentro del concepto sociológico humano» (pág. 149). Con estas anticipaciones no es raro que se acerque, hacia el año 1930, al partido comunista francés, ni que en *Altazor* (pág. 22) diga de la revolución rusa que representa «La única esperanza/La última esperanza». Según anécdotas del período, el hijo de un millonario chileno fue en una ocasión a indoctrinar a un grupo de zapateros franceses; según la misma fuente, al salir de Francia para Chile en 1932 vestía la tradicional pana de la clase obrera.

El tema revolucionario anima los libros en prosa que publica Huidobro en Chile después de regresar de Europa. En *La próxima* (1934), novela profética cuyo tema es la Segunda Guerra Mundial, el visionario Alfredo Roc establece una colonia utópica en Angola con el fin de conservar la civilización occidental, amenazada según él por la guerra inevitable. El hijo de Roc, comunista, se niega a acompañar a su padre. Da los esfuerzos de éste por inútiles y va a Rusia a «construir el futuro», ya que el sistema capitalista está destinado a desaparecer. En la última página de la novela, ante la destrucción no sólo de Europa sino del refugio africano, Roc, convencido por fin, gri-

---

[4] Trato este tema en el artículo «*Altazor* o la divina parodia», que saldrá en la *Revista Hispánica Moderna*.

ta: «Rusia, Rusia, mi hijo tenía la razón. Rusia, la única esperanza.»

En la luna (1934) es un «pequeño guiñol» que satiriza la política hispanoamericana al uso. A raíz de unas elecciones absurdas un presidente «patrófago» llega al poder. Incapaz de solucionar los problemas económicos de la luna —sus ministros recomiendan que todos se hagan mendigos para que «corra el dinero»— se retira ante un pronunciamiento militar. Los militares, igualmente inútiles como gobernantes, son sustituidos en el poder por pronunciamientos sucesivos de un almirante, de los bomberos, de los dentistas, de las dactilógrafas y de los sastres. Por fin el partido «colectivista», hasta entonces perseguido, derroca el sistema parlamentario burgués.

El personaje central de la novela autobiográfica *Papá, o el diario de Alicia Mir* (1934) rebelde como el autor en el amor, en la literatura y en la política, tiene, según el diario de su hija, un «amor profundo al proletario»; charla con los obreros a la salida de las fábricas, y cree que «el verdadero cristianismo era en su esencia comunista» (página 27). Otro libro del mismo año es *Tres novelas ejemplares*, escrito en colaboración con Hans Arp y publicado por Huidobro en un tomo que contiene también *Dos ejemplares de novela*, escritos por Huidobro sin colaboración. Estos cuentos de índole dadaísta ofrecen muchos ejemplos de feroz sátira política, como la de «El gato con botas y Simbad el marino o Badsim el marrano». Aquí el narrador elogia el sistema político de su patria Oratoria, la mejor de todas las patrias, que con sus tres partidos ridículos y su culto fanático a la diosa Mosca se parece mucho a la luna precolectivista descrita en *En la luna*.

Por fin en *Sátiro, o el poder de las palabras* (1939), el protagonista, tipo enfermizo que acaba enloqueciendo, sabe que la causa de su mal estriba en su soledad y que su única posibilidad de salvación sería el entregarse, como su amigo el revolucionario Pedro Almora, a la lucha colectiva de los obreros. Pero le falta voluntad para «hacer triunfar la vida» (pág. 80). En el carácter de este Bernardo Saguen, literato, neurótico, rentista, desdoblamiento del autor, está la clave de la actitud ambigua de Huidobro hacia lo social. Individualista de un tipo extremado que un marxista llamaría típicamente burgués, quiere entregarse a los otros pero no puede. Se lo impide el dominio de un yo hipertrofiado. De aquí que muchos contemporáneos suyos recibieran la adhesión del poeta al marxismo con escepticismo, a tal punto que según una anécdota, Huidobro se vio obligado a decir a un escritor chileno: «Para probarle que soy comunista le voy a regalar cien mil pesos.» Que la anécdota sea verdadera o falsa no tiene importancia; sí la tiene la actitud que revela.

Por una parte la actitud revolucionaria de Huidobro, individualista por los cuatro costados, es más que nada un anarquismo personal y aristocrático de tradición hispánica influida por el pensamiento de Nietzsche. En *Vientos contrarios*, ya lo vimos, elogia al comunista como tipo humano; pero el libro no es más que un tejido de aforismos a cual más anticolectivista y antisocial. «Todo aquello que es calidad en el individuo es detestable para la colectividad» (pág. 24). «Abandona tu familia, tu hogar, tu patria, y no me sigas» (pág. 75). Habla de la «muralla china» que siempre le separaba de los demás (pág. 31), y declara que su ideal es el de ser el «primer hombre libre» (pág. 36). Sus afinidades las declaran los personajes que escoge como protagonistas de tres libros en prosa escritos durante este mismo período: *Mío Cid Campeador* (1929), *Gilles de Raiz* (escrito en 1925-26 y publicado en 1932) y *Cagliostro* (publicado en castellano en 1934, aunque escrito, si hemos de creer la afirmación del autor, en 1921). Al personaje Gilles de Raiz, portavoz del Huidobro de 1926, le acusan ante el tribunal de sentir la «tentation de détruire les lois humaines et divines. Mauvaise tentation». A lo cual responde el héroe maldito: «Tentation d'éprouver ses forces, d'éprouver ses capacités, de se mesurer contre la collectivité. Grande tentation» (pág. 80).

La vacilación que respecto a lo social se nota en los escritos posteriores de Huidobro se debe, pues, al conflicto entre dos deseos, el de medirse *contra* la colectividad y el de fundirse con ella, sirviéndola. Se trata, desde otro punto de vista, del mismo conflicto que en *Altazor* y en otras poesías posteriores opone al yo encastillado del «pequeño dios» de la teoría poética creacionista el deseo de evadirse de la cárcel de la egolatría para encontrar una conciencia por así decirlo impersonal y objetiva [5].

Esto lo sabía Huidobro perfectamente bien, como lo

---

[5] No puedo entrar aquí en los detalles de este tema, tratado en «*Altazor o la divina parodia*».

prueba el fino análisis del personaje Bernardo Saguen en *Sátiro*. En la poesía publicada después de *Altazor* trata de resolver el problema, pero, y esto es lo interesante, de manera auténtica; es decir, sigue fiel a las dos corrientes de sentimiento que realmente existían en él. No trata de suprimir ni una ni otra, negando su existencia según el modelo de las conversiones al cristianismo de tipo paulino que tanta influencia parecen tener en muchas de las súbitas y aparentemente milagrosas conversiones al realismo social que se han visto en este siglo.

En estas conversiones como en el caso de Pablo Neruda, un poeta narcisista abjura solemnemente de sus errores pasados para pasar al polo opuesto de un colectivismo teórico que no pocas veces adolece de cierta rigidez dogmática. Si cree que el hacer una profesión de fe basta para suprimir todos aquellos aspectos de su personalidad que antes determinaron su actitud personal y poética y que ahora quiere negar, suele recurrir al procedimiento clásicamente cristiano de atribuirlos al enemigo. El enemigo, necesidad psicológica que si no existe se busca o se inventa, ya no se llama diablo ni hereje; pasa a ser el enemigo de la «humanidad», o sea del grupo a que pertenece el converso. Desde el punto de vista de la poesía lo más grave del caso no es la saña verdaderamente inquisitorial de algunos ataques contra los enemigos de la «humanidad» —nótese por ejemplo la «Oda a Juan Larrea» del propio Neruda— sino el riesgo que corre el poeta de una como atrofia moral y emotiva al no incorporar dentro de una nueva síntesis elementos de su personalidad que siguen existiendo por más que los tema o los desprecie. Gracias al genio de Neruda, en su caso el riesgo parece haberse superado, por lo menos en parte. Pero a pesar de este feliz accidente el peligro no deja de existir.

Acaso no sea raro que Huidobro haya tenido tan clara conciencia del peligro, ya que luchó durante toda la vida, no siempre con éxito, contra esta misma tendencia. Narcisista, egotista, siempre dispuesto a encontrar rivales y enemigos por todas partes, deseoso de ser en todo el primero, conocía sus defectos y quería superarlos. Parecía perfectamente bien dispuesto para una conversión de tipo paulino [6].

---

[6] Trato estos aspectos de la personalidad de Huidobro en «Vicente Huidobro: comienzos de una vocación poética».

¿A qué atribuir el que dicha conversión no se produjera? El hecho no puede achacarse al aspecto negativo del conocido individualismo del poeta, esto es, su egotismo arbitrario de hijo de familia, porque cuando Huidobro se dejaba dominar por este sentimiento solía tratar de lograr sus fines valiéndose de la falsificación, fingiendo haber hecho algo en una tentativa de engañar a los demás y a sí mismo. Tal es el caso de la supuesta «primera edición» del libro *El espejo de agua,* de la fecha inverosímil de 1919 que atribuye al texto definitivo de *Altazor,* y de la experiencia mística ficticia con que termina este poema [7]. En el caso de que se trata aquí, el de la literatura social, un Huidobro dominado por el infantilismo no habría tardado en simular una conversión total y definitiva.

La actitud de Huidobro se debe, pues, a motivos más nobles. No quería cambiar una literatura defectuosa por excesivamente individualista sólo para adoptar otra deformación de signo inverso. Para él toda mutilación ha de evitarse. Como dice en el manifiesto «Total»: «Ninguna castración del hombre ni tampoco del mundo externo. Ni castración espiritual ni castración social... Como especialista, tu primera especialidad, poeta, es ser humano, integralmente humano» [8]. De modo que una conversión paulina, que mantiene el dualismo hombre-mundo, resulta tan insuficiente como el estado de «pecado» o de individualismo que pretende abolir. Dice Huidobro, en el mismo manifiesto:

> No se puede fraccionar el hombre, porque adentro hay todo el universo, las estrellas, las montañas, el mar, las selvas, el día y la noche. Basta de vuestras guerras adentro de vuestra piel o algunos pasos más allá de vuestra piel. (El pecho contra la cabeza, el sentimiento contra la razón, la materia contra el espíritu, el sueño contra la realidad. Lo concreto contra lo abstracto)... No podéis dar un hombre, todo un hombre, un hombre entero.

Es preciso, sigue diciendo el poeta en «Total», «el canto de la nueva conciencia», que será «la voz de un mundo de hombres y no de clases... Después de tanta tesis y tanta antítesis, es preciso ahora la gran síntesis». Claro está que Huidobro emplea la terminología marxista en el sen-

---

[7] Véanse «Vicente Huidobro: comienzos de una vocación poética», y «*Altazor* o la divina parodia».

[8] Publicado en francés en la revista parisiense *Vertigral,* julio de 1932, y en castellano en *Antología* (Santiago, 1945), pp. 270-272.

tido que venimos aclarando. En este caso la tesis es la literatura «burguesa», y la antítesis la literatura «proletaria», siendo ambas visiones truncadas de la realidad. La síntesis sería «una voz de poeta que pertenece a la humanidad y no a cierto clan». Uno de los clanes aludidos, huelga decir que sería el grupo de poetas de origen burgués que escribe en nombre del solo proletariado.

Por esto Huidobro no llega a identificarse plenamente ni con el comunismo ni con la literatura proletaria, como lo demuestra su poesía poscreacionista. En estos poemas el tema de la esperanza social no reemplaza los de la zozobra metafísica y del amor como vislumbre del paraíso perdido de la unidad de conciencia; convive con ellos, siendo evidente el esfuerzo que hace el autor de fundir las dos esperanzas, la social y la personal.

En *Altazor*, uno de los primeros poemas de este tipo, no se produce la fusión deseada entre las dos esperanzas. Las referencias a la revolución rusa del canto I (pág. 22) desentonan con el clima de asco metafísico y de protesta contra el rumbo que parece seguir la vida colectiva que se expresan en estos versos del mismo canto:

Después de mi muerte un día
El mundo será pequeño a las gentes
Plantarán continentes sobre los mares
Se harán islas en el cielo...
Habrá ciudades grandes como un país...
En donde el hombre-hormiga será una cifra
Un número que se mueve y sufre y baila
(Un poco de amor a veces como un arpa que hace olvidar la vida)
Jardines de tomates y repollos
Los parques públicos plantados de árboles frutales
No hay carne que comer el planeta es estrecho
Y las máquinas mataron el último animal
Arboles frutales en todos los caminos
Lo aprovechable sólo lo aprovechable
Ah la hermosa vida que preparan las fábricas

Ante esta perspectiva el poeta se niega a abandonar sus ambiciones personales, por absurdas que parezcan. «Cómo se reirán los hombres de aquí a mil años/ Hombre perro que aúllas a tu propia noche/ Delincuente de tu alma/ El hombre de mañana se burlará de ti/ Y de tus gritos petrificados goteando estalactitas/ ¿Quién eres tú habitante de este diminuto cadáver estelar?/ ¿Qué son tus náuseas de infinito y tu ambición de eternidad?» (página 36). Ante esta pregunta responde el poeta irreconciliable: «Hablo porque soy protesta insulto y mueca de dolor» (pág. 37). Y es que no obstante las ocasiones en que cedió a la tentación de falsificar las cosas alentado por sus deseos de distinguirse como precursor, Huidobro sentía un deseo no menos fuerte de sinceridad, de autenticidad. No podía dejar de expresar su personalidad total; no puede reprimir sus dudas para festejar una revolución parcial. De modo que en otros poemas poscreacionistas preconiza una liberación no sólo económica sino sicológica y metafísica: una revolución que signifique un nuevo estado de conciencia personal y colectivo. Dice al mar en «Monumento al mar», escrito hacia 1928: «Escucha los pasos de millones de esclavos/ Escucha la protesta interminable/ de esa angustia que se llama hombre/ Escucha el dolor milenario de los pechos de carne/ Y la esperanza que renace de sus propias cenizas cada día» [9]. Aunque los esclavos lo sean en este momento del capitalismo, la perspectiva temporal y el acento metafísico de estos versos indican que se trata de algo más que de una revolución económica.

De manera inversa, la esperanza social se sobrentiende en poemas por otra parte semejantes a «Monumento al mar» en los que no se alude directamente a lo social. Así en estos versos de «El pasajero de su destino» (1930): «Hombre tú ves que el mar se amalgama y tiene miedo/ Tú bien podrías saltar por encima de la conflagración de mentiras unánimes/ Invade el terreno sideral sin vacilar» [10].

A ese «terreno sideral», paraíso recobrado de alegría, de paz y de justicia, apuntan poemas posteriores como «Ronda de la vida riendo», de *Ver y palpar* [11]. Aquí se presagia «el día del gran triunfo» contra los «espectros que viven de la sangre de millones de hombres». Por culpa de éstos los hombres prefieren la muerte: «Se buscan en los rincones con dedos de puñales». La liberación será un viraje total de la conciencia humana, la aceptación de la vida con todos sus dones, «la vida con sus árboles/ con sus sombreros/ con sus corbatas/ con sus ojos azules trepando por el cielo.../ La vida con sus piedras y sus olas enmohecidas...» Liberación no sólo social sino personal;

[9] Publicado en *Antología*, pp. 174-177.
[10] Publicado en *Antología*, pp. 78-82.
[11] El libro se publicó en Santiago en 1941; los poemas datan, según Huidobro, de 1923 a 1933.

abolición de la división de clases y también de la división psíquica del individuo; olvido del odio hacia otros hombres y del odio de uno mismo.

A este estado de conciencia, que en «Total» se denomina «el sentido de la unidad», hace referencia Huidobro en una serie de poemas incluidos en *El ciudadano del olvido* [12]. Se llama en «En secreto de flor» «... un inmenso futuro de hombres realizados»; el «ansia de renuevo» que siente el poeta en «Reposo», aquel deseo de ver «...corazones libertados/ Sobre la tierra sin cadenas y cuajada de rostros renacidos», anima el tono profético de otros poemas, como «Preludio de esperanza» («...sueñas que la especie olvidará tinieblas/ Pronto el olvido de tanta sombra suspirada/ Pronto el futuro de horizontes que conoce su pasión»); «Pequeño drama» («Si supiérais que uniendo vuestros sueños/ Caería en pedazos la realidad pequeña y sin cimientos»); y «Tiempo de alba y vuelo» («cuando aparezca el sol de los hermanos/ cuando el aire se acerque renovado/ Regalando poemas y corazones llenos de hombre/ Espíritus sin muro capaces de todo viaje»).

En *Ultimos poemas*, libro póstumo, se respira un clima de desaliento debido en parte a las catástrofes de la época y en parte al sentimiento de fracaso que atormentaba a Huidobro durante los últimos años de su vida. Con todo, el poeta logra mantener viva en algún poema la doble esperanza, festejando en «Voz de esperanza» un «futuro coronado», que será el del «hombre de pie sobre sus sueños», y en «Cambio al horizonte», a un «hombre de amanecer y laurel escogido/ Con grandes distancias en la voz/ Y sueños migratorios en cada parte de su carne/ Un hombre del despertar en cuyo pecho/ Murieron los sutiles sonidos del antaño cerrado/ Y se rehace el mundo en escalas sin lágrimas». A este «hombre de ayer» que «viene hacia hoy», que «trae la oscuridad a cuestas como una melodía», es preciso enseñarle «la amistad de la luz/ Y el buen sentido de las manos unidas como flores poderosas».

Sería incompleto este bosquejo de los escritos «sociales» de Huidobro si no hiciéramos las observaciones siguientes: 1) Al abordar las cuestiones sociales ya sabemos que Huidobro no pretendía abandonar sus temas personales preferidos. Por consiguiente, tampoco abando-

---

[12] (Santiago, 1941). Los poemas datan, según el autor, de 1924 a 1934.

na el estilo poético un tanto hermético en el que versaba sus angustias metafísicas. No hay ninguna tentativa de crear un estilo poético realista, ninguna ruptura con la poética de libros enteramente metafísicos como *Temblor de cielo*. Este hecho ha contribuido a que los poemas de tema social no hayan llamado la atención ni de los lectores ni de la crítica. 2) Los poemas de tema social, aunque bastante numerosos en los tres últimos libros de versos, no dejan de ser una minoría. Así es que la impresión global que saca el lector de estas obras sigue siendo la de un poeta de temas predominantemente personales. 3) Los poemas de tema social, nobles por su esfuerzo de unir las dos esperanzas, distan de ser lo más logrado de la producción poética de Huidobro. Como se echa de ver en los versos citados en la última parte de este estudio, falta en muchos de estos poemas la tensión lírica, la palabra cargada de electricidad poética que caracteriza lo mejor de su obra. El tono es retórico. Para lograr la síntesis tan difícil que tiene el honor de haber vislumbrado, hacía falta ser genio; y Huidobro, justo es reconocerlo, no tenía más que talento.

Pero si no logró el fin que se había propuesto, no cabe duda de que al superar, en la medida de lo posible, sus deficiencias personales y literarias, señaló el camino de la autenticidad humana y poética, siguiendo adelante, como dice en «Viajero», de *El ciudadano del olvido*, «en salto de barreras siempre en hombre».

[*Cuadernos Americanos* (Méjico), CXXIV (5 de septiembre-octubre de 1962).]

TADEUSZ PEIPER

LA NUEVA POESIA HISPANICA (1922)

Ningún acontecimiento político de importancia nacional ha bautizado la más reciente poesía hispánica. Ningún hecho histórico ha incubado este nuevo movimiento literario. La anterior generación de escritores creció bajo el signo de luto de aquel famoso año en el cual los descendientes de Carlos V perdieron sus últimos territorios de ultramar. La crisis de conciencia que entonces afectó a la nación entera tuvo honda resonancia en su literatura. Desde aquel momento, pues, en España no ha ocurrido otro terremoto nacional. Por lo tanto, la joven poesía hispánica no se identifica con ningún acontecimiento colectivo que pueda cautivar su conciencia y producir una alucinación de su pensamiento. No hay hecho político en que plasmarse. No hay fecha histórica en que mamar.

Resultado: la poesía española de la generación actual no se siente obligada a tomar una posición en cuanto a la sociedad en que existe. No tiene que definir sus actitudes hacia la vida social. Su ideario, desde luego, no contiene idea social alguna. Esta poesía no lucha contra el pasado histórico de la nación, tampoco lucha por el porvenir del universo. No entierra a nadie y no arrastra a nadie por el pelo hacia los caminos del mañana. Esta poesía utiliza a menudo temas de museo. En cuanto a los temas tomados de las entrañas de la vida contemporánea muestra una actitud más bien de receptor pasivo. No hace temblar la tierra. No apaga el sol.

Sin embargo, esta poesía proclama sus vínculos con *l'avant-garde* literaria pan-europea. Hasta utiliza el término extremo de *ultraísmo* para designarse. De hecho, esta poesía es «ultra». Pero sus tendencias extremistas son puramente literarias. Ha puesto su carga explosiva en las bases de la vieja literatura. No se preocupa por la vida nueva, sino por una nueva escritura. Trabaja por la renovación y el perfeccionamiento del artefacto literario. Se sacrifica con una entrega total, con una veneración casi monacal por el mester artístico, no vista sino quizá en Francia. Fue un poeta suramericano, Vicente Huidobro, el que orientó la nueva poesía hispánica hacia este ambicioso camino de absoluta honradez vis-à-vis del oficio literario. Huidobro, diligente y concienzudo calígrafo de la lengua, fue capaz de imponer al incipiente movimiento poético de España su laudable atención por los valores puramente literarios de la poesía. Lo que Huidobro emprendió, el talento de la raza lo completó. De esta manera, en muy poco tiempo, la poesía en España pudo elevarse al nivel de una nueva belleza literaria, nivel no alcanzado todavía por los movimientos poéticos de otros países.

El culto de la frase, de la línea poética, es el signo distintivo de esta nueva poesía. Todo concuerda para saturar la frase al máximo de creación literaria.

Por esta razón, la frase tiene una inusitada autonomía con respecto a la realidad. Se concentra sobre sí misma y no sobre la realidad exterior. Se preocupa por el valor interno de la materia verbal y no por su correspondencia con otra realidad. Por eso, no se puede hablar aquí de la descripción de un «objeto», de si tal o cual «objeto» representa o no cierto metro cuadrado del mundo exterior o cierto pliegue del alma del poeta. El símbolo autónomo que se aprecia sólo por su propio valor lingüístico no capta el «objeto» para definirlo de una manera unívoca. En esta poesía nueva resulta que la frase rompe por completo todo contacto con el mundo real. Es entonces cuando crea imágenes para las cuales no hay una realidad correspondiente, pero que poseen una suerte de poder sugestivo arrebatador. Cosas que a primera vista no se pueden relacionar parecen juntarse luego en una imprevisible totalidad hipnotizadora. Las distancias desaparecen, lo pesado se aligera y en un momento el tiempo se disuelve. De tal manera surge una nueva realidad, la realidad literaria que nace de sí misma. Realidad en que la vida de la palabra exige todo.

Este cuidado por la expresión poética se nota también en la factura total del poema. La composición de la nueva poesía hispánica se basa casi por completo en el principio de *iuxtapositio* (yuxtaposición). Las frases reposan lado a lado. Sin nexos, sin transiciones. Existe entre ellas sólo el puente conductor de una idea general, el hilo de una telaraña. Las imágenes y los pensamientos pasan delante de nosotros como la luz proyectada en la pantalla por una linterna mágica: imagen, pausa; imagen, pausa. Carencia de continuidad. Ausencia casi total de conjunción. Las frases suceden paralelamente: línea al lado de línea; línea al lado de línea.

Corresponde a esta característica desarticulación de la composición, a esta división lineal, un tratamiento específico del elemento musical. El ritmo y sólo el ritmo ha sido el enlace más aparente de la poesía tradicional, el esqueleto de su unidad. En la nueva poesía hispánica hay una ausencia casi total de rima mientras el ritmo es bastante libre de periodicidad. La cadencia musical de cada frase realiza aquí una vida independiente. Se desarrolla según la necesidad de la expresión. Ignora su relación con la melodía del resto de la obra y no sufre ninguna limitación en obsequio de ella. Cada motivo rítmico mece una frase con su oleaje semántico. Eso es todo. No trata de ir más allá, no se desliza hacia el resto de la composición.

Esta desarticulación ideacional y musical tiene sus virtudes y sus vicios.

La virtud: una posibilidad de limitar la obra exclusivamente a lo fundamental, una posibilidad de excluir todo lo secundario. Todas aquellas «conjunciones» y todas aquellas «transiciones» que abundan en la poesía tradicional son a menudo mero relleno entre los vacíos de la parte sustanciosa de la obra. Son algo agregado, algo no necesario. Si no se construyen pasajes entre las frases, si se deja que ellas caigan de manera independiente y que actúen con la plenitud de su forma escueta, entonces no habrá lugar en la obra para nada que no sea esencial. Tales creaciones tienen un raro encanto, hay en ellas una suerte de concentración especial, de masa sólida, de gravedad específica.

El vicio: existe un campo ilimitado para lo arbitrario. La desarticulación de la obra puede ser tomada como un mero procedimiento que facilita la redacción, y en lugar de ser un recurso para apoyar la disciplina de la creación puede degenerar fácilmente en un amaneramiento barato para juntar frases e ideas inconexas. En tal caso, la creación poética está en peligro de perder su unidad orgánica. Las frases pueden permanecer lado a lado no sólo sin nexos sino también sin unidad interna. Entonces la secuencia natural del discurso no tendrá la característica de la necesidad. Podrían mezclarse, arbitrariamente, las partes distintas del poema sin tomar en cuenta el resultado esencial para con la totalidad de la obra. Desgraciadamente, este aspecto negativo ya se nota en un sector de la nueva poesía hispánica, así como en la poesía de otros países. Inclusive en la del nuestro.

[«Nowa Poezja Hiszpanska», *Nowa Sztuka* (Varsovia), II, 2 (febrero, 1922). Traducción del polaco de Peter F. Dembowski y René de Costa.]

VICENTE HUIDOBRO, EL CREADOR (1945)

UN POCO DE HISTORIA LITERARIA

Para situar a Huidobro hay que, necesariamente, hablar del Creacionismo, escuela poética que él fijara extensamente en su libro *Manifestes*, en el que recopiló todos sus manifiestos anteriores sobre estética y poesía, doctrina que está latente desde sus primeras obras. Ya en 1916, en *El Espejo de agua*, editado en Buenos Aires, en su *Arte Poética*, escribía: «¿Por qué cantáis la rosa, oh, poetas? —Hacedla florecer en el poema», desde donde inicia una carrera vertiginosa en su creación poética, al tiempo que da a conocer la buena nueva en los países de América y Europa. En Francia, al lado de los más grandes poetas de la época, Guillaume Apollinaire, Max Jacob, Louis Aragon, Tristan Tzara, Paul Eluard, André Bréton, André Salmon, Pierre Drieu La Rochelle y muchos otros [1], lleva adelante su poesía por caminos que se separaron prodigiosamente de todo lo tradicional y aun de lo revolucionario. Es así que, si bien la deuda de Huidobro para con Apollinaire —que es, por otra parte, la deuda de toda su generación— es de importancia, no se puede menos de considerar que, sin lugar a dudas, Huidobro superó a Apollinaire en muchos aspectos poéticos. Mucho más pura aparece la poesía huidobriana que la de Apollinaire,

---

[1] «No hace mucho, el poeta catalán Jaime Miratvilles nos decía, en París, que Vicente Huidobro, Tristan Tzara y Paul Eluard eran, indiscutiblemente, los poetas más importantes de hoy. Esta misma afirmación la hemos leído varias veces, y nos parece evidentemente justa. Ellos forman la trinidad de los grandes poetas modernos» (De *Demetrius*, «Los Nuevos», 1928).

en la que cierto dandysmo —que Max Jacob con mucha razón achacaba al autor de *Alcools*— y gusto por lo pintoresco circunstancial vician en no pequeña proporción el canto que corre en el fondo de sus versos. Pero, en lugar de seguir haciendo una historia entre anecdótica y estética de lo que sucedió en la poesía por aquellos tiempos, prefiero anotar brevemente el aspecto más exterior del aporte huidobriano, dejando para las líneas siguientes el análisis de lo intrínseco.

Los libros *Horizon carré, Tour Eiffel, Hallali, Ecuatorial* y *Poemas árticos* (los tres primeros en francés) tuvieron, especialmente en España [2], una enorme trascendencia. Aunque una influencia directa del poeta chileno quisiera ser negada —cosa, por lo demás, bastante improbable—, debería ser reconocida, en todo caso, la revolución poética que significó el hecho que Huidobro diera a conocer a los españoles las nuevas búsquedas y realizaciones que se estaban intentando al otro lado de los Pirineos. Por otra parte, incluso en los libros escritos en francés, se advierte en el poeta chileno una libertad, un pleno aire tan vivo, que, sin pecar de orgullosos, no podemos menos de atribuirlo a la americanidad [3] ancha y virgen que, bajo las apariencias muy europeas de su poesía, alienta y da el clima inconfundible que ningún otro poeta europeo podría ostentar: porque si bien las búsquedas que siguieron al grupo cubista de Apollinaire (surrealistas y demás) integran hallazgos de mucha importancia, en los que Huidobro tuvo una participación menor, el aporte huidobriano fue único, y, cosa curiosa, no tuvo, no podía tenerlos, seguidores; los que le siguieron

---

[2] Gerardo Diego apunta: «Sus magníficos libros franceses *Horizon carré, Tout à coup* y *Automne régulier,* los más bellos libros de la nueva poesía. Los viajes de Huidobro a España (sobre todo su estancia en Madrid, en 1918) significan, en el panorama de la poesía española, algo parecido a lo que representaron, en su tiempo, hace treinta años, los de Rubén Darío, no menos discutido y negado que Huidobro en aquellos días».

[3] Sobre su americanidad, transcribo estas líneas, que confirman algo de lo que afirmo, aunque su interpretación sea diferente: «Nosotros no aceptamos la posición nacionalista o americanista para defender al poeta chileno, posición de pugna contra el europeo y especialmente contra el español, como hemos advertido en muchos ensayos sobre el particular, ensayos que podrían concretarse en ciertas frases de la revista mexicana *Horizonte,* que decía que los jóvenes poetas saben lo que deben a Huidobro, el cual puede estar seguro de que la envidia de un europeo no hará nunca que se pierda su contribución al despertar de nuestras tierras y que sus enemigos no son más que periodiqueros». (De *Demetrius,* «Los Nuevos», 1928.)

—muchos en España, muy pocos en Francia— no pudieron acomodar su alma a esa estética que requería un temperamento tan joven, rico y virgen como el del poeta americano creacionista, a riesgo de caer, como sucedió con muchos, en el *pastiche* o en la *composición*. Por esto, por ejemplo, el creacionismo de Gerardo Diego —uno de los buenos poetas españoles contemporáneos— cayó (véase su libro *Manual de Espumas*) en un mecanicismo lejano del espíritu maestro. Juan Larrea, tal vez el más grande poeta de España en este siglo, no pasó de producir hermosos poemas, hasta que, siguiendo por fin su propio temperamento, pudo dar en su *Obscuro dominio*, donde restos exteriores de influencia huidobriana no perjudican el conjunto y el tono, gran parte de su extraordinario vigor lírico. En América encontramos diseminada, pero no por ello menos presente, la influencia de Huidobro en la poesía contemporánea. Así como hasta en el último rincón de la provincia chilena el anónimo dibujante, al ilustrar la revista liceana, sin saber incurre en formas que sin Picasso no habrían existido jamás, así, hasta el último poeta, sin querer, sin conocerlo directamente tal vez, incurre en huidobrismo. Y es que, en cierto sentido (en Chile, desde luego), todo lo nuevo en técnica poética se debió a Huidobro, ya sea por su poesía misma o porque lo moderno europeo llegó a estas tierras a través de su obra. Fue por su intermedio como arribaron a este querido país mío —donde los más grandes poetas de la lengua se han dado— las preocupaciones y la sensibilidad que hizo nacer la revolución estética universal desatada en París alrededor de la Guerra del 14. En especial, aparte de algunos poetas mexicanos [4], son dos o tres poetas argentinos —los más altos y finos de su patria— los americanos que aparecen más directamente influidos por el poeta de *Ecuatorial*: me refiero a Leopoldo Marechal, Oliverio Girondo y Francisco Luis Bernárdez. En estos poetas, principalmente en lo que se refiere a Bernárdez, sucedió más o menos lo mismo que hemos dicho de Larrea. En Chile,

---

[4] El poeta mexicano Germán List Arzumbide escribe: «Hombre contradictorio, juventud tempestuosa, embriagó al mundo de locura, y el espíritu desequilibrado y radiante de América fue en el verso de Huidobro el milagro de las bodas de Canaán: en el vaso donde los escritores bebían vulgarmente su agua, subió como una aurora el vino rojo. Su nombre señala ya una nueva vida: antes de Huidobro; después de Huidobro, y su lírico influjo va de España a Rusia, como la buena nueva de la más estupenda subversión».

del grupo que Huidobro formara en los primeros años, sólo merece mencionarse el nombre de Angel Cruchaga Santa María —quien escribió algunos poemas creacionistas en la revista *Creación* y luego siguió por otros caminos más personales— y el de otros menores. Es en su último regreso de Europa (1933) cuando Huidobro ejerce su más valiosa influencia. A su llegada se desatan las Ferias de Arte, las Exposiciones. Saltan al público los pintores, hasta entonces desconocidos, María Valencia, Gabriela Rivadeneira, Waldo Parraguez, Jaime Dvor y, más tarde, Carlos Sotomayor. Exponen, por primera vez, en diciembre de ese año, apadrinados, ante el escándalo de unos, la curiosidad y sensibilidad de otros, por la prestigiosa voz de Huidobro, quien los declara como «lo único digno de tomarse en cuenta en estos países». María Valencia presenta hermosos cuadros creacionistas, donde la gracia del color y la forma dan una nota jamás oída por el ojo antimusical de la tradición pictórica; algunos de sus temas están directamente inspirados por versos del poeta: recuerdo un bello óleo, tomado de un poema de Huidobro, que representa una cebra entrando por un ojo del hombre y saliendo por el otro convertida en arco iris. Gabriela Rivadeneira presenta cuadros-esculturas hechos en madera, precisos y de una loca matematicidad; Parraguez planta, ante la concurrencia compuesta de estudiantes, artistas, escritores, médicos y *snobs* (que siempre sirven para dar el color), sus pequeñas esculturas hechas en diversos materiales; alambre, vidrio, discos calentados y maravillosamente contorsionados: no olvidaré jamás una *Lucha de Centauros*, que aún posee Huidobro, magnífica de movimiento («Esto interesaría en cualquier parte de Europa», decía Huidobro); Jaime Dvor hace los primeros *papiers collés*, tan sencillos que desconciertan, mientras Sotomayor incorpora materiales tales como el alambre y la arena junto al color de sus óleos. Las reacciones producidas eran insólitas; los jóvenes artistas partidarios del nuevo arte replicaban con frases tomadas de las obras de Huidobro, con afirmaciones estéticas o, simplemente, con un olímpico desprecio. La fecha de esa primera Exposición iba a darles para mucho tiempo el nombre de «decembristas», con cuyo epíteto los periodistas calificaron desde entonces todo aquello que no entendían ni captaban. Frente a toda esta reacción y ebullición, tanto favorable como contraria, los muchachos exageraron no poco su posición «fiera», cuyo tono correspondió exactamente, dentro de las proporciones, al período *fauve* francés. Fue tal la boga de dicho arte, que hasta en los *sketches* del «Coliseo» fue ridiculizado. Revistas y publicaciones comenzaron a aparecer: ahí están, para quien quiera constatarlo, los 4 ó 5 números de la revista *PRO*, que Edardo Lira, Jaime Dvor (ejecutores), Volodia Teitelboin, Carlos Sotomayor, María Valencia y otros más, entre los que yo formé, editaban, que dan testimonio de los dones de una generación que iba a rendir mucho con el correr de los años. En efecto, si en algo se probó la potencia de mi generación, fue que (cosa no fácil) pudo aprovechar todas las enseñanzas e influencias del maestro sin viciar en lo más mínimo sus sagradas individualidades y el tono personal de su obra: pues si hay una generación con más diversas personalidades, es la nuestra, siendo totalmente injusta la calificación de «huidobristas» con que se quiso adjetivar por igual a todas nuestras realizaciones estéticas. Pero lo que nosotros le debemos a Huidobro no se podrá negar de ninguna manera. El despertó una sensibilidad joven, que iba a responderle admirablemente, e instauró, por otra parte, una dignidad de «oficio» que, antes de él, no existía para los trabajos poéticos. A la indisciplina —desgraciadamente muy nuestra— opuso el rigor y la inteligencia, a que son tan afectos los artistas e intelectuales europeos. Además, nos dio a conocer lo que se realizaba en Francia y Europa, y que era para nosotros casi totalmente desconocido. Las tertulias y discusiones y lecturas de poemas hasta las 5 de la madrugada en casa del poeta durante cerca de seis años, quedarán en nuestra historia literaria como la última muestra de efervescencia y sensibilidad de este estremecido país. El encanto de aquellos años, el aire nuevo que respiramos durante un tiempo, y en el que nuestra propia sensibilidad desconocida tenía participación, no puede ser comunicado en forma tan escueta como lo pretenden estas líneas. Imaginad, para vislumbrar el aroma de aquel clima, una vida que, desprendida directamente de *Ecuatorial*, *Poemas árticos*, *Altazor* y otras obras poéticas, fuera trasladada mágicamente al tiempo y al espacio cuotidianos de estas puras tierras vírgenes.

Vicente Huidobro es un poeta en *état de nature,* bastante salvaje, libre, puro y elevado. Son los versos de su *Ecuatorial,* con que inicia el poema: «Era el tiempo en que se abrieron mis párpados sin alas — Y comencé a cantar sobre las lejanías desatadas», los que dan el tono a toda esa primera etapa de su poesía [*Tour Eiffel, Hallali* (poema de la Guerra), *Poemas árticos*]. Es conciso en la emoción, preferentemente visual, tal vez por su primer aprendizaje estético, hecho con uno de los tres genios del cubismo pictórico, Juan Gris, a quien Huidobro debe verdaderamente su formación. Me vienen versos a la memoria, versos que re-crean para mí toda la atmósfera, esa misma atmósfera que está tan bien captada en el retrato —lo primero que conocimos de Huidobro— que Picasso dibujara de su rostro, de su mirada llena de fuego creador: «El Capitán Cook caza auroras boreales en el polo Sur», o «La luna nueva con las jarcias rotas — ancló en Marsella esta mañana», o «Al pasar arrojo al Sena un ramo de flores — Bajo sus puentes el Sena se desliza — Y en mi garganta un pájaro agoniza», o «Las ventanas cerradas — Y algunas decoraciones deshojadas — La noche viene de los ojos ajenos — Al fondo de los años — Un ruiseñor cantaba en vano — La luna viva — Blanca de la nieve que caía — Y sobre los recuerdos — Una luz que agoniza entre los dedos», o «Aspirar el aroma del Monte Rosa — Trenzar las canas errantes del Monte Blanco — Y sobre el cenit del Monte Cenis — Encender en el sol muriente — El último cigarro», o *Tour Eiffel, guitare du ciel* (Torre Eiffel, guitarra del cielo), y tantos otros hallazgos que no tienen paralelo en la poesía como pureza y simplicidad. Es una poesía directa, sensorial, antiinteligente, antiafectiva; es el poeta en estado puro, el hombre cuyos ojos lavan el mundo que miran; el poeta tal como nos lo podemos imaginar en los albores de la creación. Tal vez Huidobro no ama al mundo, no lo ama tal como aparece hoy, nublado como está por las repetidas insistencias en el Pecado Original; su poesía resplandece, no porque ilumine el interior del mundo pecador, sino, al contrario, porque lo traspasa de tal manera que, semejante a rayos X, se nos aparece en sus versos en su íntima contextura paradisíaca, resplandeciente de angelidad, transparente de verdad in-humana.

EL GRAN PECADO

Con una imaginación de la potencia de la de Huidobro, tal poesía —producida en un medio superintelectual, como fue el de la cultura occidental en los momentos de la irrupción de esta verdadera fiebre del espíritu que fue el movimiento artístico moderno— no podía quedarse en algo así como un estadio contemplativo, donde los sentidos son puros y admiran sin perturbación la obra del Creador. Y por ello el hasta entonces especie de San Juan de la Cruz ateo que fue Huidobro en sus primeros libros, se transforma en un voluntarioso, en cuya obra, siempre genial, y en cuyo ánimo —ahora encauzado en eso que pronto iba a llamarse Creacionismo— el más agudo intelectualismo iba a tomar cuerpo.

La primera inocencia huidobriana se perdió en el instante mismo en que el poeta tomó conciencia de ella, y, con mucha mayor razón, cuanto que trató de enfrentarla a Dios en calidad de virtud por sí misma divina: claro está que tomó otro nombre, cual fue el de «virtud creadora» («El poeta es un pequeño Dios», Huidobro). Si bien es en *Manifestes* donde teoriza su actitud, se advierte, como hemos dicho, en sus libros anteriores el germen de tal soberbia humana. A la inocencia sensorial encantatoria de los primeros poemas sucede poco a poco una poesía en la que la «voluntad de crear» manifiesta sus diamantes. Primero son los versos de este arbitrario, multiforme poema llamado *Altazor*, en que el estilo se desarticula por completo, logrando a menudo los más diversos tonos imprevistos, encontrando a cada paso tesoros que descubre con la punta del pie o con la punta del ojo, poesía rica de pedrerías, imágenes (Huidobro es de lo más brillante en la imagen que haya producido la poesía universal), colores y melodías: se parece a veces a esas estampas orientales, a grabados, a telares valiosos, a bordados florentinos: a todo lo que sea rico y lujoso, sencillo y exquisito. Es también su libro *Automne régulier*, en el que se advierte su posición frente al Creador, mezclada todavía a la primitiva inocencia sensorial: «*L'horizon à l'horizon se lasse — Et ma tête blanchit de moutons qui passent»* (El horizonte en el horizonte se hastía — Y mi cabeza emblanquece de corderos que pasan), *«L'océan se défait — Agité par le vent des pêcheurs qui sifflent»* (El océano se deshace — Agitado por el viento de los pescadores que silban), *«L'été tout d'un coup sur le trottoir d'en face — Du côté de l'ombre le vent passe — Nous sommes assis autour d'une voix — Un oiseau de chaleur se pose sur ton doigt — Tandis que les pêches se gonflent sourdement»* (El verano de pronto sobre la acera de enfrente — Por el lado de la sombra el viento pasa — Nosotros estamos sentados en torno de una voz — Un pájaro de calor se posa sobre tu dedo — Mientras los duraznos se hinchan sordamente). Ya se advierte la imagen creada con el ánimo expreso de oponer al mundo «real» otro que sea obra del hombre mediante sus propios medios. Tanto se hace notar esta posición extrema del orgullo huidobriano que hemos formulado, que no titubeamos en asimilarlo a la etapa máxima del antropocentrismo ateo, en cuya historia aquel grito de Voltaire, con motivo del terremoto de Lisboa («protesto por este desacato de la Naturaleza»; aun escribían —¡oh contradictoria desesperación!— naturaleza con mayúscula), señala el máximo de soberbia antropocentrista. Huidobro opone su poesía al mundo «real»; esto es tanto más notable en los párrafos en que se refiere al poema creado, en especial a lo que él llama «descripción creada», como quien dice, paisajes inventados por el poeta. Un ejemplo es el anotado en la página anterior: *«L'océan se défait — Agité par le vent des pêcheurs qui sifflent».* El océano se deshace, pero no por el viento del cielo o de la tierra, sino por el silbido de los pescadores. He ahí una situación creada, totalmente inventada por el poeta. Esto no sucede, ¿pero por qué no podría suceder?

Pero es preciso considerar *Tout à coup* (De repente) y *Altazor*, para ver a Huidobro en todo su esplendor creacionista. Aun recuerdo cómo los muchachos, allá por los años 30 y siguientes, entre las notas de la Danza de *Petrouschka*, de Stravinsky, leíamos en alta voz los versos del único ejemplar de *Altazor*, que ostentaba en su portadilla el retrato de Huidobro hecho por Picasso, en cuyo prefacio el poeta preparaba con sus maravillosas imágenes la entrada a ese nuevo mundo que presidían los tres artistas: el pintor español, el músico ruso y el poeta chileno. Recuerdo que el poeta conversa con la Virgen sentada en una rosa y cuya aureola «está un poco saltada a causa del tiempo». Es un libro lleno de gracia y frescura, de una imaginación pocas veces dada en la lengua española, en el que tal vez la demasiada fantasía, al trazar tantos caminos a la poesía y a la estilística hispanas, le impiden a él mismo dedicarse e insistir en una sola profundidad: su imaginación dispersa sus propias energías. No obstante, algunas direcciones estéticas de *Altazor* fueron aprovechadas por Huidobro en otras posteriores (fuera de que ese extenso poema constituyó y sigue constituyendo una fuente inagotable de riquezas poéticas al natural). *Tout à coup* —anterior en publicación, pero posterior en su cronología poética— nace de algunos versos de *Altazor*. Lo mismo podemos decir de *Ver y palpar* y *El ciudadano del olvido*. En cuanto a *Tout à coup*, es una de las obras que más íntimamente placen a Huidobro como búsqueda y realización: le agrada cierta rigurosidad geométrica de sus versos e imágenes. Este rigor, en el que hice hincapié en mi charla sobre «Poesía y Tiempo», dictada en 1940, en la Universidad Católica, al analizar el poema de *Ver y palpar*, «Contacto Externo», puede ser probado y analizado con precisión casi matemática. Yo mismo lo hice respecto al poema referido. Dije que ese poema establecía el contacto entre el hombre y el mundo y que esta tesis estaba formulada en los versos finales: «Hay que saltar del corazón al mundo — Hay que construir un poco de infinito para el hombre». Estos versos daban la clave. Examinemos rápidamente el poema: «Mis ojos de plaza pública — Mis ojos de silencio y de desierto — El dulce tumulto interno — La soledad que se despierta — Cuando el perfume se separa de las flores y emprende el viaje — Y el río del alma larga, largo — Que no dice más ni tiempo ni espacio — Un día vendrá ha venido ya — La selva forma una sustancia prodigiosa — La luna tose — El mar desciende de su coche — *Un jour viendra est déjà venu* — Y yo no digo más ni primavera ni invierno — Hay que saltar del corazón al mundo — Hay que construir un poco de infinito para el hombre». Adviértase el contacto establecido entre hombre y mundo, notando los conceptos «humanos» por un lado y los del mundo «exterior» por el otro.

HOMBRE:	MUNDO
ojos	plaza pública
ojos	silencio, desierto
interno	tumulto
despierta	soledad
emprende el viaje	el perfume
alma	río
dice	tiempo, espacio
vendrá, ha venido ya	un día
tose	la luna
desciende de su coche	el mar
viendra, est déjà venu	*un jour*
digo	primavera, invierno
corazón	mundo
hombre	infinito

Durante todo el transcurso del poema, y eso ocurre en *Tout à coup* a menudo, se agranda el mundo humano mediante la imagen cósmica, y se humaniza y domestica el cosmos inmenso al ser relacionado con las cosas humanas y próximas al corazón. Esta clase de búsqueda la encontramos desde sus primeros libros: «Encender en el sol muriente el último cigarro», «El viento que pasaba — Amontonaba sus lágrimas — Entre las nubes — Mojadas de mis lágrimas», «El sol nace en mi ojo derecho y se pone en mi ojo izquierdo», «El tifón despeina las barbas del pirata», «Los veleros que parten a distribuir mi alma por el mundo», etc. Este intento técnico-metafísico es incluso formulado en *Altazor*, a poca distancia del verso últimamente citado: «Tanta exaltación para arrastrar los cielos a la lengua —El infinito se instala en el nido del pecho.» Otra relación metafórica muy típica en Huidobro es la que establece el acorde abstracto-concreto y viceversa. Ejemplos: «En mi memoria un ruiseñor se queja», «Voy andando a caballo en mi muerte —Voy pegado a mi muerte como un pájaro al cielo— Como una fecha en el árbol que crece», «Una hermosa mañana, alta de muchos metros», «Plantar miradas como árboles —Tocar helicópteros como una música— Exhalar alondras como suspiros —Dibujar corderos como sonrisas» (estos cuatro últimos versos citados están tomados dispersamente, no en el orden que tienen, del Canto III de *Altazor*), «Solo como la pluma que se cae de un pájaro en la noche», «El hombre solitario como la campanada de la luna», «*L'été tout d'un coup sur le trottoir d'en face*», «*L'océan est vert de tant d'espoir noyé*», «*J'ai vu l'amour et le cheval antique*», «*L'arbre de la tendresse*», «*Il est aussi joli que soixante mètres d'eau*», «*Nos yeux sont des bouteilles —Vidées à chaque regard*», «*Il y a des morceaux d'âme sciés par mon violon*», «*Au bord intact du silence...*», «*Je chauffe mes mélodies et mes pieds*», «*Et l'émotion ondule sur les artères du vent*», «*Quand tu lèves la main —Chargée des calories vers les nuages extrèmes— Tu ressembles au mot SOUDAIN*», «*C'est l'heure où les poissons attentifs comme des fruits de patience —Écoutent descendre le temps au fond de l'eau*», y este verso genial, donde el acorde entre abstracto y concreto llega a la perfección: «*Le calme est plein de laines de mouton*». Como poema ejemplar de la clase de imágenes a que me estoy refiriendo, tenemos esa bellísima «Canción del Huevo y del Infinito», en donde se realiza, no sólo a imágenes dispersas, sino en visión de conjunto, la integración del mundo «ideal» y del mundo de las percepciones, o sea, más o menos lo que hemos designado con el nombre abstracto-concreto. (Traduzco literalmente los versos anteriormente citados: «El verano de pronto sobre la acera de enfrente», «El océano es verde de tanta esperanza ahogada», «Yo he visto el amor y el caballo antiguo», «El árbol de la ternura», «Es tan bonito como sesenta metros de agua», «Nuestros ojos son botellas —Vaciadas a cada mirada», «Hay trozos de alma aserradas por mi violín», «A la orilla intacta del silencio...», «Caliento mis melodías y mis pies», «Y la emoción ondulada sobre las arterias del viento», «Cuando tú levantas la mano —Cargada de calorías hacia las nubes extremas— Te pareces a la palabra *SOUDAIN* (de repente, de súbito)», «Es la hora en que los peces atentos como frutos de paciencia —Escuchan bajar el tiempo al fondo del agua», «La calma está llena de lanas de cordero».)

La «voluntad de crear», exacerbada con un control consciente agudo, aparece formulada en sus múltiples manifiestos estéticos por fin reunidos en sus *Manifestes* (París, 1925). Allí escribe: «Os diré lo que entiendo por poema creado. Es un poema en el que cada parte constitutiva y todo el conjunto presentan un hecho nuevo independiente del mundo externo, desligado de toda otra realidad que él mismo, pues toma lugar en el mundo como un fenómeno particular, aparte y diferente de los otros fenómenos». «Es bello en sí y no admite términos de comparación. No puede concebirse en otra parte que en el libro. No tiene nada de semejante con el mundo exterior; hace real lo que no existe, es decir, se hace él mismo realidad.» «Crear un poema, tomando de la vida sus motivos, transformándolos para darles una vida nueva e independiente.» «Nada anecdótico ni descriptivo. La emoción debe nacer de la sola virtud creadora. Hacer un poema como la naturaleza hace un árbol.» «El arte es una cosa y la naturaleza es otra; amo demasiado el arte y amo demasiado la naturaleza. Si aceptáis las representaciones que un hombre hace de la naturaleza, eso prueba que no amáis ni la naturaleza ni el arte.» «Hay que crear. He aquí el signo de nuestro tiempo. Inventar es hacer que cosas paralelas en el espacio se encuentren en el tiempo, o viceversa, presentando, así, en su conjunto un hecho nuevo. (El salitre, el carbón, el azufre, existían paralelamente desde el comienzo del mundo; hacía falta un hombre superior, un INVENTOR que los hiciese encontrarse, creando así la pólvora, la pólvora que hace estallar vuestros cerebros, como una bella imagen.)» «El poeta no debe ser más un instrumento de la naturaleza, sino hacer de la naturaleza su instrumento.» «Un poema es un poema, tal como una naranja es una naranja, y no una manzana.» «...Vosotros encontraréis allí lo que nunca habéis visto en otra parte: el poema. Una creación del hombre.» A lo largo de *Manifestes* el poeta formula su orgullo creador. A la manera de los descendientes del Renacimiento (Voltaire, por ejemplo), Huidobro vuelve a postular el dualismo original (que se quiso resolver en una integración a la manera pagana), de Hombre versus Naturaleza; pero habiendo perdido, como el propio Renacimiento, la ligazón con el Creador, tal solución no fue posible, y así como en Voltaire se resume en la frase, plena de ira imponente, «Protesto», en Huidobro, gracias a su temperamento artístico superior, se trueca dicha desesperación en el ejercicio, casi sin finalidad, enloquecido, de la virtud creadora, de la imaginación inventiva.

Si a tal teoría estética no hubiera ido aparejada una poesía de gran potencia emotiva, nada de interesante tendría; pero lo cierto es que el padre del Creacionismo crea con tal propiedad y fuerza, que es imposible desentenderse de su proyección ética.

Habiendo partido de una inocencia sensorial que da su tono inconfundible, no parecido a ningún otro poeta (me place compararlo a San Juan de la Cruz, con la diametral oposición siguiente: Huidobro crea un mundo antropocéntrico ateo, en donde, primero los sentidos, luego la inteligencia —bases materialistas—, edifican un puro canto iluminado —¿iluminado por qué, si él no reconoce otra gran fuerza que el hombre mismo?—), llega, por una progresión inventiva, a construir un mundo casi monstruoso y, a la postre, demasiado *inhumano*. Y es que Huidobro no ama al mundo como es: primero lo limpió con sus sentidos de niño; luego, al propio mundo creado por él en su poesía, NO le insufló amor: como un padre que sólo se contentara con procrear hijos y no les diera sustento: quedando, en última instancia, con un solo resultado, que parece ser la esencia de su poética: el acto de crear, el ejercicio desesperado de inventar, de probarse y contemplarse a sí mismo en la virtud creadora. Con esto, la obra creada, como resultado, logra un aspecto verdaderamente demoníaco: pues, maravillosa de inventiva, de cantidad y diversidad de hallazgos, carece de afección amorosa, lo que la hace aparecer tan rica y pobre, tan grandiosa y desamparada, a la vez, del amor de Dios. No erró el poeta surrealista Benjamín Péret al calificar a Huidobro de «maníaco de la invención». No debe extrañarnos que dicha manera de crear, nacida de una inteligencia occidental (en esto Huidobro es muy europeo) exacerbada, haya producido una profunda impresión en Estados Unidos, en donde a Huidobro le han dedicado extensos estudios, siendo digno de destacar el del profesor Alfred Holmes, aparecido con el título de *Vincent Huidobro and the Creationism*, editado por el Instituto de Estudios Franceses de la Universidad de Columbia, volumen en el que se estudia la obra huidobriana, su teorética y su poesía [5].

En la civilización racionalista, que tiene en Estados Unidos su más alto exponente joven, por sobre la sabiduría espiritual del Hijo y el Amor del Espíritu Santo se ha colocado al Poder creador del Padre. En Huidobro

---

[5] Por su parte, Samuel Putnam lo incluye en su «Antología» v Craig le dedica a él solo mayor número de páginas que al resto de los poetas europeos contemporáneos.

también, con una fuerza e inventiva geniales, el vínculo entre las Tres personas ha sido negado, logrando como resultado una creación monstruosa, bellísima y unilateral. Es un caso único en la poesía universal.

LA PROSA HUIDOBRIANA

La prosa de Huidobro ha recibido también la influencia de su poética creacionista. Dentro de su obra en prosa, hay que destacar *La próxima* («historia que pasó en poco tiempo más»); *Cagliostro*, novela-film; *Mío Cid Campeador*, hazaña; *Gilles de Raiz*, pieza de teatro, y *Sátiro o el poder de las palabras. La próxima* es una visión que el poeta tiene de la próxima guerra, una profecía, escrita con una fuerza por momentos dantesca. Nadie olvidará jamás la petrificación de París, ese espectáculo desolado e inerte, ese paisaje de sueño atroz en el que la vida, más humana que en ningún lugar de la tierra, aún bullía: las calles de París, llenas de humanidad, con virtudes, con vicios, con rostros, con maneras, como personas, calurosas o frías, tercas o amables, pequeñas o grandes, vergonzosas o desfachatadas, en fin: en las páginas de *La próxima* aparecen con tal profundo calor retratadas, que bastarían ellas solas para derrumbar de un solo golpe la falsa imputación estética de que Huidobro carece de emotividad. Nunca he leído unas líneas más emocionadas, más simples (una escueta enumeración narrativa), sobre algo tan cotidianamente a la vista de todos. No exagero si afirmo que esas páginas serán insertadas en antologías y crestomatías como muestra del máximo de emoción lograda con un mínimo de elementos. Pero son *Cagliostro* y *Mío Cid Campeador* (de los que se deriva *Gilles de Raiz*) los que marcan el tono de la prosa huidobriana. *Cagliostro* fue el comienzo de un género que iría a ser más vastamente explotado en su «hazaña» (así denomina el autor el nuevo género) *Mío Cid Campeador*. En la novela-film *Cagliostro* ha sido usada la técnica cinematográfica, no sé si porque fue expresamente escrita para el cine o por la natural tendencia huidobriana a la presentación visual de las situaciones descritas. Llama más que nada la atención en esta novela lo escueto y conciso de la emoción. Una rapidez vertiginosa no impide profundizar al lector las situaciones, sino que, al contrario, permitiendo la presentación casi simultánea de los diversos episodios de la novela, da en forma certera en el blanco, tomando como casi única base técnica la percepción visual. Para explicarnos este fenómeno, remitámonos a lo que hemos dicho de la educación estética de Huidobro llevada a cabo por un pintor y, además, a que, siendo un hombre en muchos aspectos primitivo, Huidobro es un individuo casi exclusivamente sensorial, y, como es lógico, visual, ya que la vista es el primero de los sentidos. *Mío Cid Campeador* renueva totalmente la leyenda y la historia del héroe. No he leído en idioma castellano una obra de mayor imaginación. Las situaciones se suceden unas tras otras sin agotar jamás los recursos, con una libertad que sin su imaginación habría sido un arma de más, con una soltura espantable. Por su parte, el estilo mismo sufre las consecuencias: digámoslo así, concediéndoles un poco a los académicos: pero establezcamos bien claramente que, a pesar de haber sido aceptados barbarismos y neologismos de toda suerte, su estilo es lo más español en su esencia. ¿Por qué ocurre tal prodigio? Es curioso, pero no hay más que constatarlo: ninguno de esos recursos «castizos», tan empleados por los escritores que «escriben bien», ha sido usado. Muy al contrario: en un lenguaje que no podemos menos de calificar de americano, se ha escrito una obra que retrata al Cid en su más poderosa contextura. Es el lenguaje que debe corresponder a una figura ruda y ancha como la del Cid: elevando su gesta con una voz primitiva como la de los siglos X y XI ibéricos, pero cantada por una garganta americana acaso semejante a esa época, Huidobro ha creado la primera obra que con propiedad merecería llamarse hispanoamericana. Lejos quedan las academias y la retórica almidonada que hicieron gritar de asco a los primeros rebeldes de la poesía española contra la «literatura» y la «archiliteratura». En *Mío Cid*, la lengua castellana recupera la fortaleza del Arcipreste, la gracia de Gonzalo de Berceo, enriquecidas por cierto con una imaginación comparable a Quevedo, a Góngora, a Lope. No habíamos leído una obra tan hermosamente desorbitada e insólita en sus movimientos, escenas y desenlaces. Es, como dijo el *Times* de Londres: «Algo nuevo bajo el sol». Por sobre la realidad «realista», en *Cagliostro*, como en el *Mío Cid* y *Gilles de Raiz*, la realidad poética determina los hechos. Estos libros constituyen su trinidad de creaciones en prosa, que, aun prescindiendo de su obra poética restante, bastarían para colocarlo en un puesto privilegiado de la poesía universal. ¡Qué bellas, prodigiosas, son! Apoyándose en la vida de dos magos (Cagliostro y Gilles de Retz) y de un héroe (El Cid), Vicente Huidobro ha levantado para él mismo un monumento de taumaturgo, cuyo epitafio grabara, como su más querida aspiración espiritual, en el verso de su gran poema *Altazor*: «Aquí yace Vicente, antipoeta y mago».

[Escrito en 1943, publicado en la *Antología de Huidobro* (Santiago de Chile Zig-Zag, 1945).]

HERNAN DIAZ ARRIETA («ALONE»)

POESIA DE VICENTE HUIDOBRO (1948)

También dentro del bendito reino literario, «es muy difícil que un rico se salve».

Personas de buena fe, sinceras, sin mala intención, nos han preguntado ingenuamente si Vicente Huidobro tenía o no tenía talento. Esta pregunta no se le habría ocurrido a nadie si el poeta que acaba de morir, hubiera salido de las últimas capas sociales.

A un escritor, en cierto sentido, le conviene ser pobre. La riqueza inspira dudas; se supone que, detrás, hay alguien, otro, un pobre naturalmente, que escribe lo que el rico firma. No importa que los libros se sucedan a los libros y los artículos o los poemas a los poemas y los artículos; tampoco sirve que el «otro», el supuesto autor, desaparezca, por muerte o por viaje. Se le reemplaza. Y se buscan nuevas explicaciones.

La situación social y la opulencia económica influyeron sobre el prestigio literario de Vicente Huidobro, pero no para aumentarlo, sino para disminuirlo.

Primero, por aquella sospecha tenaz de la gente.

Segundo, porque lo inclinó a él a jugar con las palabras, con las imágenes, con las ideas, los sentimientos y, al fin, con la vida. Se sintió no sólo seguro y al abrigo, sino demasiado seguro, fastidiosamente al abrigo, incluido de protecciones invulnerables. Esto le inspiró tempranamente un deseo infantil de romper cosas para ver qué pasaba y desafiar potencias superiores a ver si resistían.

La elevación y la superficialidad, el brillo y la inconsistencia, la gracia y la insignificancia, lo que hay de hermoso y pueril, de atrayente y decepcionador en sus mejores páginas, provienen de ahí.

Talento, claro que lo tenía.

Pero condicionado diríamos, echado a perder por las circunstancias excesivamente fáciles.

Ahora, los amigos...

Entre los grandes principios de la estrategia literaria figura, con importancia máxima, la creación de un grupo, capilla o cenáculo compuesto de admiradores que baten sin fatiga el incensario y se lo pasan unos a otros, hasta que el público acaba viéndolos a todos envueltos en la misma nube. Indudablemente, existe el contagio de la admiración. Y no se va muy lejos sin un partido que forme corriente. Pero aquí, como en la opulencia material, tras las ventajas están las desventajas. El círculo impone una actitud, reduce la independencia y tiende a exagerar la nota. Demasiados elogios cansan al fin y una fila de adjetivos ditirámbicos resultan, a menudo, contraproducentes. Además, nunca faltan los herejes y aun los espíritus fieles, aburridos de la misma canción, suelen desquitarse a escondidas.

Vicente Huidobro padeció de todo eso.

Por eso, podía afirmarse que en Chile, en América y Europa, al menos en algunos centros cosmopolitas, franceses y españoles, tenía un gran nombre, pero no tenía un gran prestigio, era conocidísimo, popular, querido, hasta admirado, pero carecía de autoridad. Todavía, después de tantos años y tantos libros, sus admiradores repiten la cantinela de que en París fue amigo de Fulano, de Zutano, de Perengano y que tal y cual dijeron que era... Y que resulta elogioso para Fulano y Zutano, pero no tanto para Huidobro, el cual ya sería tiempo que fuera tomado como punto de apoyo, no como punto que necesita apoyo.

Pero Vicente Huidobro nunca dejará de ser discutido.

En sus mejores libros, donde da los más fuertes aletazos de poesía, como *Mío Cid Campeador*, de pronto saltan bromas chocarreras de niño que le saca la lengua al profesor. No hay nada suyo perfecto. Estamos leyendo una composición pésima, un drama artificial, un poema mecánico y, en el momento menos pensado, la imagen graciosa surge, el diálogo apremiante, patético, simbólico la página aérea, cargada de aromas celestes que vuelan.

Se comprende el desconcierto de la masa lectora, poco habituada a cambiar de opinión a cada instante y que prefiere tener una sola, compacta y, definitiva.

Luego, si alcanzaba la emoción estética, la fruición de

lo bello puro, Vicente no conseguía nunca —ni tampoco le importaba, probablemente— la emoción humana, el estremecimiento sensible. Se le ha reprochado esto como «falta de contenido social» en su obra. Prejuicio de escuela; y reproche merecido por lo demás al poeta que cayó en la debilidad de hacerse comunista. El artista ha nacido para un fin de arte. Está bien si, después de logrado alcanza lo demás; pero no cabe exigírselo.

Había, además, en él una especie de inocencia que, por una parte, le impedía penetrar hondo en el drama humano, espeso de carne y de sangre, y por otro no permitía considerarlo culpable, hiciera lo que hiciera.

Se afilió al comunismo. Una vez nos mostró su cédula, invitándonos. Después, cerca ya de su fin, recobró la razón y formuló declaraciones anticomunistas. Nada de eso tuvo mayor trascendencia que si lo hubiera hecho el personaje de Cervantes.

En la poesía era así, evasivo, aéreo, construido de imágenes y paradojas. Le gustaban las metáforas cósmicas, las ideas inmensas y, sobre todo, las inmensas, las cósmicas paradojas, las bromas enormes, algunas tan organizadas que no se sabía si eran burlas. En *Altazor*, en *Temblor de cielo*, ¿dónde termina la poesía, dónde empieza la sátira? La escuela misma a que perteneció, la de su época, fecunda en «ismos», le daba el modelo y no tenía sino que dejarse llevar. Con el tiempo, seguramente, esa epidemia disparate calculado y el absurdo metódico, que todavía ataca a algunos, quedará en la historia como la racha, muchísimo más prolongada, de los libros de caballería.

Hay una novela de Huidobro, desdeñada por la crítica, no sin algunas razones, que, como todas las novelas de los que no son novelistas, pinta a su autor y sirve mucho para explicárselo.

Se llama *Sátiro o El poder de las palabras*.

Trátase de la historia de un hombre absolutamente desprovisto de historia. A Bernardo Saguen no le sucede, en realidad, nada; por lo menos nada de lo que consideramos suceso en la vida o en los libros. Todo él constituye una sucesión de estados de ánimo. Joven, rico, artista, podría hacer lo que quisiera, pero no quiere nada o no sabe lo que quiere. Es como un castillo deshabitado. Todo lo que hace Bernardo Saguen le pasa por la epidermis sin dejar huella. No hay en su vida ni abundan en la obra, como el título parece anunciarlo, episodios eróticos excesivamente desarrollados: el asunto gravita entero sobre una palabra, la palabra « ¡sátiro!» que una mujer le grita a Bernardo, porque le ha dado caramelos a una chica. Esa palabra, más fuerte que en la historia de Juan Bojer, conduce al héroe a la locura, la desesperación y la cárcel, lo corroe a manera de un cáncer moral, acaba por perderlo.

Pero la intriga, liviana y entretenida —el libro se lee con agrado— pasa a segundo término ante otros valores, los propiamente estéticos del estilo o, mejor, de las imágenes que continuamente hacen florecer la prosa y la remontan hasta alturas poéticas. A veces un poquito afectadas: Huidobro no le temía al preciosismo efectista, pero en general, felices, leves, transparentes.

He aquí una pequeña nota graciosa: «Iba contento, se reía solo, reía con los árboles, con el aire, con el sol. Se sentía tan liviano que, de repente, movía los hombros como para acomodarse las alas». Otro ánimo, otras imágenes: «Siento una angustia de infinito, como si estuviera lloviendo en todos los astros...» O bien: «¿Qué dice usted? —murmura con esfuerzo Bernardo—. Digo, replica ella, que el viento de la noche trae muchas cosas bellas y recuerdos erguidos en grandes estatuas, como si viniera de un cementerio. Es peligroso el viento de la noche». Siempre los astros, el aire, el viento. A la hora postrera: «No me molesten. Me estoy muriendo en una estrella lejana, tendido sobre olas de música. ¡Qué cosa tan agradable y tan plácida!»

Pero el trozo maestro, la página digna de sacarse para toda antología es la que Vicente Huidobro dedica en *Sátiro* a los árboles, a los grandes árboles:

«Sí, sí, yo quisiera ser un árbol —pensó—. Yo soy un árbol, este bosque es mi familia y todos los árboles del mundo son mis hermanos. Los cedros que pasan de la tierra al cielo sin que los hombres oigan el ruido de sus pasos o el ruido de sus alas... Los álamos que me llaman por mi nombre y cuya gramática conozco... Cada álamo del mundo es más hermoso, más delgado, más penetrante en la atmósfera de nuestros ojos que cada palabra de los hombres... Y esos nobles eucaliptus de acero. El eucaliptus, el antípoda hermano que sale a recibirnos al frente de su tribu y dirige la danza del saludo y del ofrecimiento hospitalario... Los abetos que se echan sus ramas al hombro y trepan cuestas y colinas al son de sus futuras armonías... Los abetos, amigos de la música, rellenos de violines y de castos laúdes... Las acacias humildes, sin orgullo en los huesos, con sus diminutas hojas casi como helechos milenarios... Los nogales ácidos y con olor a yodo, como si vinieran saliendo del fondo del mar a ver qué pasa... Las palmeras que abanican sus islas candentes y sus grandes lagartos y sus tortugas dormidas. Las higueras color asno agonizante frente a la eternidad y con miel espesa cayendo de labio en labio... Y el ébano negro que asusta a los caballos como un fantasma... Cipreses señalando el camino a los muertos y diciendo: Pase usted a las almas nuevas...»

Esta bella fantasía o fantasmagoría arbórea nos muestra al poeta en uno de sus mejores momentos; la poesía divaga un poco hacia la extravagancia, sin tocar sus límites; el humorismo, lleno de gracia sencilla, tampoco baja hasta la broma pueril; y hay un vuelo lírico, un ritmo de soplo hondo, pleno, alegre en esa sucesión de imágenes nuevas, inesperadas, extrañas y, sin embargo, justas, que traduce, sin teorías, por el brotar interno irresistible, el concepto y la embriaguez de la creación estética.

Trozos así, espigados —en los libros de versos o de prosa de Huidobro— formarán, con el tiempo, su verdadera antología y darán un ejemplo de lo que él aportó a las letras nacionales como libertad de pensamiento, de fantasía y de expresión. Que no fue poco.

[*El Mercurio* (Santiago de Chile), 25 de enero de 1948.]

23

DAVID BARY

VICENTE HUIDOBRO: AGENTE VIAJERO DE LA POESIA (1957)

Tengo a la vista al escribir estas líneas el número 1 de una revista internacional de arte que salió en Madrid el primero de abril de 1921. Se llama *Creación*, y al leer el sumario se nota inmediatamente lo bien fundado del adjetivo «internacional».

Contiene, además de los poemas y artículos en español que son de esperar en una revista impresa en Madrid, una serie de cortos poemas en inglés imitados de los *haikai* de la poesía japonesa, dos poemas en alemán, un poema en prosa en italiano, y en francés un artículo, cuatro poemas y un poema en prosa. Van incluidas también la partitura de una canción del compositor Arnold Schoenberg y reproducciones de pinturas de Braque, Picasso, Juan Gris y Albert Gleizes, y de una estatua de Jacques Lipchitz.

Se lee en el manifiesto inicial: «Nosotros llamamos a todos los constructores de todos los pueblos y les ofrecemos nuestras páginas... Este es el ciclo de los creadores y de los hombres que tienen las manos llenas de semillas. No hay término medio: Arriba o abajo.» ¿Será español el director de esta empresa cosmopolita? Así lo promete la intransigencia de esta última declaración que acabamos de citar. Pero el carácter internacional de los trabajos incluidos en la revista nos hace dudar. Uno de los poemas en francés, por ejemplo, lleva la fecha «New-York, 1917» y evoca el ambiente del Museo de historia natural de la calle 81; y debe advertirse que hacia la fecha de abril de 1921 eran poco conocidas en el ambiente madrileño las obras de pintores como Gris y Braque.

Todo esto parece que tiene poco que ver con la vida aislada de la capital de España; huele a París, y se lee en efecto en la última página de este número la nota siguiente: «Adresser tout ce qui concerne la Revue à V. Huidobro, 41, rue Victor Massé, Paris.» Se trata, claro está, de la actividad misionera del conocido poeta chileno. Tiene que ser hispanoamericano el que firma con un apellido tan español y tan montañés como el de Huidobro escritos redactados en una lengua extranjera y que los publica en la intimidad burlona de los círculos literarios de Madrid, así como tiene que serlo también aquel otro joven chileno que en el mismo año de 1921 publica en Santiago un artículo que firma: «Jacques Edwards, chargé d'affaires Dada au Chili»[1].

A partir de la revolución poética que representa tanto para España como para Hispanoamérica el ejemplo de Rubén Darío, quiere la tradición que sean hispanoamericanos los que traen a la literatura española los hallazgos de la literatura universal. Este hecho se debe en parte al arraigado tradicionalismo de los españoles y a su característica ambivalencia respecto a lo que pasa al otro lado de los Pirineos, cosas que determinan también la expatriación definitiva de talentos españoles como Picasso y Gris. Pero hay que subrayar también el hecho de que la cultura de Hispanoamérica se caracteriza por cierta voluntad de aceptar lo nuevo; esto se hace notar, por ejemplo, en el contraste entre la arquitectura de estilo contemporáneo de las nuevas ciudades universitarias de México y de Caracas y las líneas tradicionales de la que se vuelve a construir en Madrid.

No podemos entrar aquí en discusiones sobre el origen del caso. Hay quien alega como explicación una falta de tradición, propia, o así se dice, de los países nuevos. Aceptar esta opinión sin reserva significa desentenderse del valor de las múltiples tradiciones, española, india, negra y otras, que siguen enriqueciendo la cultura hispanoamericana. Existe una explicación geográfica, y otra biológica, según la cual la mezcla de razas ha desatado energías y voluntades nuevas, de orientación universal. Y habría que mencionar finalmente a los que ofrecen como explicación de esta llamada importación de ideas la analogía de la situación económica de estos países, importa-

---

[1] Jacques Edwards, «Espiral», en *Metamorfosis* (Santiago, 1921).

dores hace poco de la mayoría de los artículos que utilizaban.

Manteniendo, con las debidas reservas, esta analogía de la importación de artículos fabricados, debemos adelantarnos a recordar que hasta la guerra de 1939 era París el gran almacén central a donde acudían para hacer sus compras de ideas los agentes viajeros de la literatura hispanoamericana. Allí Rubén Darío continuó el estudio de los «raros» que había conocido en la biblioteca de un amigo chileno. Allí otro chileno, el joven Vicente Huidobro, tomó parte, dentro del grupo cubista, en la revolución artística que se preparaba durante los últimos años de la primera guerra mundial.

La estética que defendían Huidobro y sus compañeros parisienses de la revista *Nord-Sud* —construcción objetiva, abolición de lo retórico y del desahogo romántico, estilo desnudo y telegráfico, extirpación de elementos narrativos y didácticos, y primacía de la imagen nueva[2]— ha sido utilizada después por tantos poetas que resulta difícil reconocerla hoy por la novedad que entonces les parecía ser a los jóvenes poetas españoles. En sus libros y en las conversaciones que tenían lugar durante sus visitas a Madrid, sobre todo la de 1918, durante la que publica cuatro libros de poesía, llama *creacionismo* la doctrina que en París se conocía bajo el nombre bastante vago de cubismo literario. Entre los jóvenes españoles que habían de llamarse creacionistas el prestigio de la doctrina se aumentaba a causa de la leyenda personal de Huidobro, sudamericano, rico, representante de lo que entonces se llamaba la «vanguardia». El poeta y académico Gerardo Diego, discípulo que fue de Huidobro, escribe, recordando aquella época de su juventud: «En España, después de su primera aparición legendaria —Huidobro adolescente, y ya con mujer, hijos, un negrito y millones, se decía por la pobretería de las tertulias cafeteriles de madrugada— el poeta era esperado como un meteoro fabuloso»[3].

Y Diego sigue, evocando los resultados de la propaganda creacionista que hacía Huidobro durante su estancia en Madrid en 1918: «Pocos meses después, y como con-

[2] Véase la nota preliminar de *Horizon carré* (París, 1917).

[3] GERARDO DIEGO, *Vicente Huidobro.* Tirada aparte de la *Revista de Indias,* núms. 33-34, pp. 1.173-1.180 (julio-diciembre, 1948), p. 7. Se halla recogido en este volumen.

secuencia, nacía el ultraísmo, y se armaba en España la que se armó. Polémicas, conferencias, revistas, libros, artículos, a todo acudía Huidobro con admirable constancia en la explicación y defensa de su credo»[4].

De hecho, se muestra Huidobro infatigable en la propagación de su doctrina. Contribuye también a la mejor comprensión entre sus amigos españoles de la pintura cubista, que no se conocía más que por medio de reproducciones, invitando primero a Gerardo y después a su amigo el poeta y filósofo Juan Larrea a visitarlo a París, donde los lleva a los estudios de los pintores cubistas. Una fotografía de la época, comunicada por Gerardo Diego, muestra lo que pudieron significar estas visitas para los recién llegados de España. Se ven, sentados alrededor de la mesa de un restaurante, a Huidobro con sus amigos los pintores Juan Gris y Fernand Léger, el marchante oficial del cubismo D. H. Kahnweiler, y entre otros, los poetas Paul Dermée y Céline Arnauld. Luego, de pie y algo apartado de los demás se destaca la figura del joven Gerardo Diego, quien resumió después sus reacciones en los siguientes términos:

> La pintura... nos ganaba inmediatamente a la contemplación directa y terminaba por conquistarnos cuando escuchábamos de labios de los mismos artistas creadores las nobles preocupaciones del oficio. Por lo que a mí respecta, hubo en esta conversión dos momentos sucesivos. Uno, de presentimiento, de instintiva simpatía, que me orientó inequívocamente hacia Huidobro y sus amigos cubistas, a la simple lectura de sus libros, más sentidos que comprendidos desde mi rincón, avaramente copiados en acariciado cuaderno, para poder devolver puntual los raros ejemplares. Y otro, de entrega deslumbrada al contacto con la persona y con su ambiente, vivido día a día como antiguo vecino de la ciudad[5].

Otro ejemplo de la influencia de la propaganda creacionista en España es el nacimiento, ya aludido en la cita de Gerardo Diego, del ultraísmo, sombra coja de los movimientos de vanguardia parisiense, que sin producir mayores resultados literarios dentro de su propio grupo ayudó mucho con su publicidad escandalosa, de tipo dadaísta, a la difusión de las tendencias nuevas. Para darse una idea de la relación entre la presencia de Huidobro y las

---

[4] *Ibíd.*
[5] Idem, p. 9.

actividades de los ultraístas basta citar unas líneas de un artículo titulado «Vicente Huidobro» que salió en una de sus revistas en 1919: «La admiración pone temblores en nuestra pluma. Ante el raro poeta, cuyo paso por España es fundamentalmente decisivo para la creación de la nueva tendencia literaria ultraísta, nuestras rodillas besan el suelo y nuestras almas se abren comprensivas» [6].

Esta admiración se debe a algo más que al prestigio de París, pues el viajante más hábil fracasa si no tiene mercancías que vender. Aduce testimonio de la riqueza imaginativa de su lenguaje poético, riqueza que algunos de sus colaboradores europeos no tardaron en atribuir a la vitalidad americana. El creacionista español Juan Larrea, quien a pesar de las reducidas dimensiones de su obra poética cuenta como uno de los talentos más logrados de su generación, observa a este sujeto en una carta inédita: «Vicente Huidobro importó a Europa un entusiasmo juvenil, de cepa americana, que la literatura europea desconocía por completo. De ahí la brillantez incomparable de sus metáforas... por medio del ultraísmo, nacido a su calor, ese su entusiasmo de Nuevo Mundo prendió en España y se propagó a toda la poesía nueva que directa o indirectamente le debe no poco» [7].

Más o menos lo mismo decía en una entrevista otorgada en mayo de 1953 el poeta francés Philippe Soupault, colaborador con Huidobro en la revista *Nord-Sud*. Según Soupault, quien no tiene inconveniente en señalar la influencia de Huidobro en su propia poesía, la importancia de Huidobro se encuentra en el poder humanizador de sus imágenes, poder que ejercía domesticando y haciendo íntimos, familiares, los productos neutros y asépticos de la industria moderna que nos acompañan. Lo compara al chófer intuitivo que maneja su coche como el buen jinete su caballo [8].

«Las cosas se humanizan»: así también resume Huidobro el propósito de su poesía en su artículo «El Creacionismo» [9]. Y así su poesía se revela con todas las particularidades de estilo que pueden haber parecido raras

---

[6] Manuel María Durand, «Vicente Huidobro», *Ultra* (Oviedo, 1.º de noviembre de 1919), p. 3.

[7] Carta de Juan Larrea al autor, con fecha del 13 de septiembre de 1953.

[8] Entrevista otorgada al autor en mayo de 1953 por el poeta francés Philippe Soupault.

[9] Véase *Manifestes* (París, 1925), pp. 40-51.

y hasta desequilibradas, como una continuación de la más vieja tradición del lirismo esencial. Tan tradicional fue en el fondo su actitud hacia la poesía que en 1932, ya con las maletas hechas para regresar a Chile, escribe a Juan Larrea que tiene el proyecto de llevar ruiseñores a su país natal, por faltar en su tierra, dice, pájaros tan necesarios a la poesía.

Toda la poesía de Huidobro es una combinación de novedad y de tradición que recuerda las imágenes sagradas que cuelgan en lujosos autobuses mexicanos. Así el producto de una fuerte tradición católica que niega la fe de sus padres expresa en su poesía, con una desesperación cada vez más acentuada, una sed de infinito y de eternidad como la que lectores de Unamuno llamarían hondamente hispana. Es ésta la corriente subterránea que impulsa las construcciones objetivas del período creacionista, y que estalla luego en el grito de *Altazor*, la obra más representativa de su madurez: «Quiero la eternidad como una paloma en mis manos» [10]. Así las preocupaciones del poeta, con su afán de hacer palpable el infinito, coinciden con las de la raza cuyo deseo de adorar un dios de carne y hueso se traduce en el culto de la imagen sagrada. Hasta la misma técnica poética, para muchos incomprensible, de los últimos cantos de *Altazor*, está dentro de la tradición de la poesía española. A pesar de su culto a la metáfora, piedra de toque de la poesía para toda su generación, el consabido realismo hispánico le impide aceptar como verdaderas las visiones que crea con sus manipulaciones verbales. Sus imágenes, como las que utilizaban los místicos para traducir sus visiones de lo inefable, son meros reflejos. Lo que anhela es expresar directamente la realidad eterna. Así escribe en el canto III de *Altazor*: «Manicura de la lengua es el poeta / Mas no el mago que apaga y enciende.» Y reniega de la imagen, ineficaz para conseguir el fin que pretende: «Basta señora harpa de las bellas imágenes / De los furtivos cosmos iluminados / Otra cosa otra cosa buscamos» [11]. Llega como consecuencia, en el canto séptimo y final de su testamento poético a una disgregación de la palabra que termina en una secuencia de puros fonemas, canto sin palabras, que como observa Juan Larrea, «apunta sin duda

---

[10] *Altazor* (Madrid, 1931), p. 25.
[11] Idem, p. 56.

a ese inefable 'no sé qué que queda balbuciendo' en la cumbre contemplativa de un San Juan de la Cruz»[12]. Esta búsqueda de un lenguaje que exprese directamente el infinito, fatalmente destinado al fracaso para quien no comparte la fe típicamente latina en el poder del verbo creador, este «porfiar hasta morir», es la expresión literaria de una intransigencia muy española que en la política literaria y en su vida privada dio lugar a polémicas y a escándalos que contribuyeron al descrédito de su persona y al oscurecimiento del significado de su actividad poética. Significa en el campo de la acción un egoísmo infantil que expresa en la frase «después del diluvio, yo»[13]. No sólo quiere ser iniciador en su poesía; le era menester desempeñar el papel ante el público, recurre a una serie de maniobras tan inútiles como absurdas con el fin de establecer prioridades, que en todo caso no incumbían ni a él ni a sus pretendidos rivales. El tono arrogante que empleaba en sus polémicas, junto con la leyenda de su posición de hijo de familia acaudalada, tuvo como resultado que algunos vieran en él la encarnación del rastacuero. Juan Larrea dice sobre este punto en una carta al autor: «Su temperamento como de adolescente díscolo y un poco presuntuoso, unido a su condición de extranjero y de sudamericano, provocaban reacciones en contra suya, entre las gentes del oficio que acaban por indisponerse con él y negarle respeto»[14].

Lo extraño es que, con tantos inconvenientes, este infatigable viajante de la poesía que fue Huidobro haya podido difundir con los resultados que conocemos la visión, que expresa en el verso «Hay que construir un poco de infinito para el hombre»[15], de una poesía trascendental. Sin embargo, un crítico chileno puede escribir en 1941, cuando la carrera del poeta tocaba el fin, que a Huidobro: «...debemos el afán por la altura del oficio»[16]. Resultado digno de los constantes esfuerzos en los que

---

[12] Carta al autor, New York, 10 de enero de 1954.
[13] *Vientos contrarios* (Santiago, 1926), p. 72.
[14] Carta de Juan Larrea al autor, con fecha del primero de febrero de 1953.
[15] Del poema «Contacto externo», en *Ver y palpar* (Santiago, 1941).
[16] Andrés Sabella, *Crónica mínima de una gran poesía* (Santiago, 1941). Citado en Julio Molina «Vicente Huidobro», *Atenea* año XXI, LXXXIX, números 271-272 (enero-febrero, 1941), pp. 56-78.

vemos a Huidobro ora dando una conferencia sobre poesía en la Sorbona, ora pidiéndole al poeta Tristan Tzara copias de sus poesías para traducirlas y darlas a conocer en América, ora volviendo definitivamente a su tierra con su carga de ruiseñores.

[Ponencia leída en el VII Congreso del Instituto Internacional de Literatura Iberoamericana, *La cultura y la literatura iberoamericanas* (México: Andrea, 1957).]

ENRIQUE LIHN

EL LUGAR DE HUIDOBRO (1970)

Hay que olvidarse de las imágenes circulantes de Vicente Huidobro y descubrir su verdadero rostro. Una cara que nos es, de modo especial a los chilenos, instintivamente familiar. Sí, la de uno de nuestros tres o cuatro grandes poetas modernos, conviene dejarlo establecido; pero haría falta acaso ver a Huidobro por primera vez para reconocerlo por encima de los apólogos, de las generalidades de manual o de los raros estudios especializados de que ha sido objeto. Todo lo que aquí se diga será una primera aproximación a esta imagen distanciada del poeta que quisiera captarlo en su realidad de verdad y en su verdadero irrealismo, y poner en relación las observaciones que surjan de este encuentro con las características de su escritura.

Trabajar con Huidobro, abordarlo como tema, es trabajar contra esas imágenes de Huidobro a las que me referí al comienzo. En primer lugar está su autorretrato, que tiene todo el aspecto de ser una gran mistificación. Ese autorretrato cubre las tres cuartas partes de una obra escrita en primera persona; es una abstracción personificada. Sus rasgos favorecen al mito en que su autor prefería encarnarse. Y no sólo por una cuestión de vanidad personal. El poeta, adoptando en esto el estilo de la época, se identifica con uno de esos seres excepcionales que las literaturas de vanguardia pusieron a la orden del día. Huidobro parece haber sido una persona sumamente vanidosa, pero sólo lo es literariamente cuando su obra decae, y el «yo egolátrico» que campea en ella se torna autobiográfico, prueba a poner su corazón al desnudo, confiesa [1]. En cambio su poesía más lograda —y esto es lo que habría que examinar culturalmente, pues da también la medida de la distancia a que nos encontramos, en este momento, de Huidobro— está centrada y gira continuamente en torno a la idea de una misión espectacular del poeta que «crea fuera del mundo que existe el que debiera existir» [2]. Uno siente, a ratos, la especie de voluptuosidad con que la vanidad infantil de Huidobro juega con esa idea o con esa presunción, y su alegría de entrar a un poema como al escenario de un ritual para hacer surgir de la nada ese mundo que debiera existir, investido de poderes mágicos. En las cimas de su poesía, por lo demás, es donde la relación entre la seriedad y el juego se afina y se atempera mejor. En otros contextos el humor de Huidobro resulta un poco obvio, su ironía de inmoralista, externa y estereotipada. En la primera estrofa de «Monumento al mar», humor e ironía —«el desenfado creacionista y el humor blanco» en la nomenclatura de Braulio Arenas [3]— se deslizan por los versos como la sangre por las venas, y esta perfecta adecuación de poesía y humor tiene todo el sabor de una consustancialidad [4]:

Paz sobre la constelación cantante de las aguas
Entrechocadas como los hombros de la multitud
Paz en el mar a las olas de buena voluntad
Paz sobre la lápida de los naufragios
Paz sobre los tambores del orgullo y las pupilas tenebrosas
Y si yo soy el traductor de las olas
Paz también sobre mí.

---

[1] Lo mejor de *Vientos contrarios* es la «Confesión inconfesable», porque rompe, por completo, la promesa de su título. No hay tal confesión, a menos que el poeta haya sido un ángel. Cada falta aparece en los escritos verdaderamente confesionales de Huidobro bajo la especie de su absolución. O más bien como la culpa del otro, del hombre mediocre. Su divisa es siempre: «todo aquello que es cualidad en el individuo es detestable para la colectividad», nietzscheanismo por el que podía negarse a reconocer determinados problemas de una conciencia formada en la moral tradicional como los que sugiere *Papá o el Diario de Alicia Mir*. Cuando el poeta, por otra parte, desciende a la psicología abisal así en *Sátiro o el poder de las palabras*, lo hace precedido y guiado por una idea que lo mistifica todo a su paso.

[2] «La poesía», conferencia leída en el Ateneo de Madrid, en 1921.

[3] «Vicente Huidobro y el creacionismo», prólogo de las *Obras completas* de V. H., Editorial Zig-Zag, 1963.

[4] «La poesía es hermana carnal del humor; en todo verdadero poeta dormita un mistificador. Desgracia para él y para nosotros si no despierta jamás.» Henri Bremond. *La poesía pura*.

La «personalidad de excepción» que quiere encarnar Huidobro en su persona y en su obra [5] centrada en el yo impersonal o suprapersonal del mago de las palabras, le viene al poeta del simbolismo de cuya ideología se impregnó por completo. «Para la tradición simbolista el poeta es un ser privilegiado, un solitario, un iluminado, un encantador de palabras» [6].

Huidobro pasa por haber liquidado el modernismo, y es, como los modernistas, un simbolista tardío, con la diferencia de que escapó a la influencia de Verlaine o de los simbolistas menores y al retoricismo de la Bella Epoca, para remontarse, en lugar de ello, a las fuentes, y rondar en torno a Baudelaire, Rimbaud y Mallarmé.

Muchos de los tópicos baudelerianos pasan al creacionismo y, esencialmente, el de la sed insaciada que Baudelaire cristalizara así, poéticamente: «Plonger dans l'inconnu pour trouver du nouveau» [7]. El ansia de infinito, el descubrimiento del infinito que Huidobro convierte en lugares comunes de su poesía (en esos «contenidos explícitos» que la estética de Baudelaire rechazaba en beneficio de la «magia sugestiva») son obsesiones de esa escuela

---

[5] «El poeta os tiende la mano para conduciros más allá del último horizonte, más arriba de la punta de la pirámide, en ese campo que se extiende más allá de lo verdadero y de lo falso, más allá de la vida y de la muerte, más allá del espacio y del tiempo, más allá de la razón y de la fantasía, más allá del espíritu y de la materia». V. H., «La poesía», 1921.

[6] José María Castellet, *Veinte años de poesía española*.

[7] Como se sabe, Baudelaire propuso que el artista en lugar de imitar a la naturaleza la asimilara y encarnara en su yo.

«La poesía —escribía Huidobro— no debe imitar los aspectos de las cosas sino las leyes constructivas que forman su esencia y que le dan la independencia propia de todo lo que es.» O bien: «No se debe imitar a la naturaleza, sino que hacer como ella; no imitar sus exteriorizaciones sino su poder exteriorizador».

Antes que abundar en la resabida influencia de Baudelaire sobre las ideas estéticas vanguardistas, yo me permitiría aquí atribuirle la paternidad de una confusión. Gracias a ésta, poesía y pintura moderna se prestaron recíprocamente fuerzas nuevas, y, debido a ella, poetas como Huidobro perdieron el sentido de la diferencia específica que hay entre la poesía y la pintura, pero para atribuirle a ésta, conscientemente o no, un rol subordinante como el que jugó o se pretendió que había jugado la música en el simbolismo. El fetichismo de la imagen, el prurito de hacer de la imagen *un objeto nuevo* equivale al *cuadro-objeto* de los cubistas, que no le debiera nada a lo real; la neutralidad lingüística, una poesía de hechos nuevos, íntegramente creados, «idénticos en todas las lenguas», todas éstas son las consecuencias, en Huidobro, de su entusiasmo militante respecto de la revolución artística iniciada en 1910 por Apollinaire y Picasso; y de su relectura de Baudelaire a la luz de aquélla.

que veía en la poesía, como dice Marcel Raymond, «un instrumento irregular de conocimiento metafísico».

Al «N'importe où, où, bord du monde», responde el creacionismo con el intento de crear fuera del mundo que existe el que debiera existir —«la creación pura»— que es un eco de la tentativa mallarmeana de crear un absoluto contra la vida. Huidobro repite, a su manera, las protestas de un rigor poético del que, en verdad, no siempre dio muestras fehacientes: «Yo, por mi parte, niego absolutamente la *existencia de lo arbitrario en el arte*» [8]. Escribió, de otra parte, un confuso «Tríptico a Mallarmé» en que trató de aprehender los motivos intelectuales del maestro, su voluntad de sustituir a la palabra, por medio de la palabra poética, el silencio, la pureza del no ser, la nada.

Ese itinerario del ser al no ser del lenguaje sería el que describe *Altazor* si nos remitiéramos a la interpretación que hace de este poema Braulio Arenas:

«La historia, contada en siete cantos de la palabra humana vuelta verbo poético.» En realidad, más bien, de las encontradas «filosofías» de Huidobro y de su opción final por el caos de la palabra en libertad o por una poesía del absurdo. «De ahí el desarticulado final —agrega Arenas— con frases rotas y palabras de confusa algarabía, pues consideraba Huidobro que la poesía iba a cumplir su carrera como el sol que se destroza en mil fragmentos de luz sobre el horizonte de la tarde» [9].

---

[8] «Yo encuentro», 1925.

[9] La interpretación de B. A., con ser más convincente que la mía, adolece de la buena voluntad apologética de suponer que *Altazor* es un poema largo, dotado de una unidad de sentido, y que se desarrollaría conforme a un diseño interno, como un drama. Habría que probarlo. Yo veo, por todas partes, tanteos, adiciones, una aventura como dice el poema mismo, «una bella locura en la vida del lenguaje», «un simple sport —en ciertos casos— de los vocablos». A mí me parece que «el desarticulado final con frases rotas y palabras de confusa algarabía» es un canto que podría situarse en cualquier lugar del poema, pues representa, en el total de la poesía de Huidobro, una de las salidas que se le presentaban a éste para escapar a la naturaleza representativa del lenguaje y crear así una realidad otra. Pedro Henríquez Ureña le atribuye al poeta cubano Mariano Brull la invención del poema sin palabras, mera sucesión de sílabas sin sentido, que derivaba todo su encanto, exclusivamente, de la combinación de sonidos: la «jitanjáfora».

En la poesía de Huidobro esta deserción del sentido de las palabras por el sonido tiene el signo de un empecinamiento creacionista, es uno de los callejones sin salida de su poética.

En la tradición del simbolismo, Huidobro, «antipoeta y mago», postula «el poder de las palabras», una cierta reversibilidad entre las palabras y las cosas, la ruptura entre el lenguaje poético y el lenguaje instrumental y oral [10]. Luego habría que ver en qué sentido la teoría del creacionismo —en la que no perseveró prácticamente Huidobro— es congruente con la estética del simbolismo; pero el hecho es que la alquimia del verbo y la palabra esencial de Mallarmé preocuparon a «aquellos que pudieran considerarse, entre nosotros, los Baudelaire, los Rimbaud, los Mallarmé del movimiento nuevo».

La palabra esencial, aquella que presenta en sus vocales y diptongos como una carne (Mallarmé), «instrumento de poder», es, en un momento de la *poética* huidobriana, «el vocablo virgen de todo prejuicio, el verbo creado y creador, la palabra recién nacida». «Ella se desarrolla —agrega, con gracia, Huidobro— en el alba primera del mundo. Su precisión no consiste en denominar las cosas, sino en no alejarse del alba.» Y: «el valor del lenguaje del poeta está en razón directa de su alejamiento del lenguaje que se habla» [11]. Mientras que, por lo que a mí me parece una conjunción de la impotencia en que se resuelve el fetichismo simbolista de las palabras y la tendencia de Huidobro a poetizar sobre sus teorías, por la que, a veces, da en otro blanco que el que se propone flechar, *Altazor* —entre otros textos— explicita, en cierto modo vulgariza, «el drama que se juega entre la cosa y la palabra» su afinidad o identidad mágica.

> Hay palabras que tienen sombra de árbol
> Otras que tienen atmósfera de astros
> Hay vocablos que tienen fuego de rayos
> Y que incendian cuando caen
> Otras que se congelan en la lengua y se rompen al salir
> Como esos cristales alados y fatídicos.

Se habla de esas palabras, no con ellas. De un proyecto incumplido por el discurso que lo explica y que, además, parecería reducirlo al absurdo. La relación de Huidobro con el simbolismo es más bien la de un fraile escéptico con los tesoros de una iglesia agonizante; pero no voy a terminar nunca de determinar esta relación calidoscópica,

---

[10] Huidobro postula esta ruptura, no la consuma.
[11] «La poesía», 1921.

que sería preciso examinar en cada caso sobre el terreno, en los distintos niveles en que se insinúa o patentiza.

El joven Huidobro citaba a Rimbaud y a Mallarmé en 1913. Versos o nociones claves de «El barco ebrio» o de *Las iluminaciones* recorren el mundo poético entero de Huidobro, que responde a esos llamados con señales de entendimiento.

Al «Y a veces he visto lo que el hombre ha creído ver» por el cual «El barco ebrio» se abre paso hacia *Las iluminaciones*, corresponde, en *Altazor*, el whitmaniano: «Yo hablo en nombre de un astro por nadie conocido / hablo en una lengua mojada en mares no nacidos».

El movimiento antihumanista, de odio a la cultura burguesa y a la realidad entera que se ordena en la perspectiva de aquélla, vocifera en Rimbaud por la barbarie —para Jacques Rivière, Rimbaud era el ángel condenado por su rigurosa pureza a incomprender el mundo— y se repite en Huidobro —menos terriblemente angélico y más burgués que Rimbaud—:

> Soy bárbaro tal vez
> Desmesurado enfermo
> Bárbaro limpio de rutinas y caminos marcados
> No acepto vuestras sillas de seguridades cómodas
> Soy el ángel salvaje que cayó esta mañana
> En vuestras plantaciones de preceptos
> Poeta
> Antipoeta
> Culto
> Anticulto
>
> *(Altazor)*

«Mi superioridad —decía Rimbaud— consiste en que no tengo corazón.» Los herederos del simbolismo, para los cuales la poesía sobrepasa al hombre y a sus circunstancias, mantuvieron esa guerra al sentimiento, al personalismo sentimental o al sentimentalismo personal, propio de ciertas vertientes del romanticismo. Se puede huir del «subjetivismo romántico» por muchas razones, y la más fácil de entender será la que da uno de aquellos herederos, al poeta intelectual T. S. Eliot, que huye de la personalidad y de los sentimientos personales para acceder a una «cierta verdad general» [12]. Alfonso Reyes habló de la desentimentalización que significaba, en América

---

[12] «Sobre la poesía y los poetas».

Latina, una reacción contra el sentimentalismo modernista y neomodernista. «Nada de anecdótico ni de descriptivo», había dicho Huidobro, el primero de los poetas vanguardistas de habla española. Según Fernando Alegría: «Huidobro acaba con el sentimentalismo de fin de siglo. Hasta el neorromanticismo místico de Prado, de la Mistral y Cruchaga debe afrontar, como fuerza antagónica, la impersonalidad escéptica y humorística de Huidobro» [13]. Yo no estoy, en cambio, tan seguro de que el primer detractor de Huidobro, el joven Guillermo de Torre de *Literaturas de Vanguardia*, no tuviera en parte la razón cuando hablaba de «las pesquisas imaginistas de los líricos neorrománticos enmascarados bajo la etiqueta imaginista» en un tonito zumbón, al escribir contra su ex maestro: «En general —Huidobro— permanece fiel a los temas sentimentales y románticos...» Menos polémicamente comprometida parece ser la observación de Federico de Onís, según la cual:

> Bien que todos los modos de poesía de la época estén representados en América y que los americanos como Huidobro y Borges hayan colaborado a su creación, la nueva poesía americana prosigue su evolución, que le es propia y que presenta ciertos caracteres durables después de los últimos modernistas Rubén Darío, Lugones, Herrera y Reissig, hasta los poetas de nuestros días, ella no se ha podido despegar del romanticismo como la poesía europea, no por falta de modernidad, sino porque el americano de todos los tiempos, llámese sor Juana, Rubén Darío o Neruda, no puede renunciar a ningún pasado, sino que tiene necesidad de integrarlo en el presente. (*Antología de la poesía española e hispanoamericana.*)

El hecho es que, con el tiempo, el caso de Huidobro ha llegado a interesar tanto por su innegable condición de figura relevante de la vanguardia poética hispanoamericana como por su parentesco con los poetas que le precedieron en el uso de la palabra, en la línea de ese romanticismo que se encierra detrás de todos los impulsos de la literatura hispanoamericana [14]. Creo muy posible entresacar de su personalidad literaria ciertos rasgos típicos, latinoamericanos, que digan relación con el sincretismo cultural al que se refirieran Federico de Onís, Guillermo de Torre y otros.

Su relación con Darío es más profunda acaso que la

---

[13] FERNANDO ALEGRÍA, *Literatura chilena del siglo XX.*
[14] JORGE ELLIOTT, *Antología de la nueva poesía chilena.*

que puede cancelarse invocando una serie de encuentros casuales.

¹ Se sabe, para empezar, que el joven Huidobro hizo, en su adolescencia, malos calcos rubendarianos, entre ellos su «Apoteosis», dedicado al hijo del inmortal Lelián. Que se estimó, a su paso por España, que «...el autor de *Ecuatorial* ha ejercido en toda la lírica castellana el mismo influjo que Darío en su tiempo...» [15], y que todavía en 1935, en *Vientos contrarios*, Huidobro protestaba contra «esos señores que se creen representar la España moderna y que han tomado la moda de reírse de Rubén Darío, como si en castellano desde Góngora hasta nosotros hubiera otro poeta fuera de Rubén Darío».

> Los que conocemos las bases [continúa] del arte y de la poesía modernos, los que podemos contarnos entre sus engendradores, como Picasso, Juan Gris, yo, Pablo Gargallo, hablo de los que pueden leer a Darío en su lengua, sabemos lo que significa el poeta y por eso hablamos de él en otra forma.
> Los falsos modernos lo denigran. *(Vientos contrarios.)*

Que yo sepa, hay un intento al menos de establecer una relación de continuidad entre Darío y Huidobro, pero sólo voy a tocarla aquí a título de información, pues me parece el paradigma de un cierto tipo de mistificación, aunque no dude de su honradez.

Según Juan Larrea —uno de los poetas españoles que siguieron a Huidobro a partir de 1918— el Ultraísmo —el movimiento que desencadenó Huidobro en España— fue «contestación genuina al llamamiento de Rubén Darío y presentaba indicios de una prerreminiscencia americana».

Como Darío el fin del mundo, Huidobro habría vaticinado el fin de la civilización occidental, y, en suma, ambas figuras son flechas indicadoras que apuntan a la identidad «entre el llamado mundo nuevo, a que aspira por múltiples derroteros el subjetivismo de los hombres de hoy, y el objetivo Mundo Nuevo de América» [16].

A mi juicio, si de alguna coincidencia puede hablarse, ésta podría descomponerse en los siguientes elementos: 1) romanticismo de las emociones o de los sentimientos por el que ambos caen en el personalismo sentimental y por el cual al final de sus vidas alcanzan una ascesis no

---

[15] RAFAEL CANSINOS ASSENS, *Verde y dorado en las letras americanas.*
[16] JUAN LARREA, *El surrealismo entre Viejo y Nuevo Mundo.*

de los sentimientos, sí de las actitudes intelectualistas que se demuestran entonces como tales; 2) en la aventura análoga a que se abocaron en momentos distintos y en la órbita de diferentes sistemas de lenguaje poético, mera diferencia de grado en ciertos aspectos ideológicos por los que ambos comulgan en un mismo sistema de creencias simbolistas.

Esa aventura fue obviamente la de desprovincializar, acogiéndose a la influencia francesa, el lenguaje poético latinoamericano, y comprendía en Darío la repristinación de una conciencia lingüística de la gran tradición de la poesía española, su neogongorismo, y en Darío y Huidobro —recuérdese «Las letanías de nuestro señor Don Quijote» y el *Mío Cid Campeador*— una contribución de ambos poetas a España como mito, un españolismo de actitud romántica o un hispanismo vital con algo de un profético saber de salvación.

Falta en Huidobro la aspiración a encontrar una forma en la América oculta, el vertedero de un estilo que permitiera expresar «el alma de la raza» como se decía en tiempos del criollismo [17]. Su «galicismo mental» [18] se niega a resolverse en la inquietud de una conciencia artística desgarrada entre distintas instancias raciales y culturales, articulándose simplemente a su proyecto de «una voz de poeta que pertenece a la humanidad». Su europeísmo sin mala conciencia, que ahora resulta tan anacrónico en cierto modo, como el prurito de expresar «el alma de la raza», es ya un desafío de francotirador vanguardista a la institucionalización del americanismo ocupado en desenterrar a la América oculta con métodos que repugnarían al «lógico desprecio al realismo» que profesaba Huidobro.

El poeta parece no sentir problemáticamente su falta de «raigambre nacional y continental» que, junto a su presunta «falta de humanidad» «son signos —afirma F. Alegría— de la sutil retórica que amenaza, desde adentro, su poesía».

Yo llamaría la atención sobre el hecho de que en ese

---

[17] «Vicente Huidobro resulta inferior, en cuanto creador de arte americano, a Diego Rivera: Huidobro ha puesto en su técnica peculiar, su alma personalísima, mientras que Diego Rivera, el gran pintor, ha puesto en la suya su alma personalísima y además el alma de su raza.» R. BLANCO FOMBONA, *El modernismo y los poetas modernistas*, 1929.

[18] El que dijo Juan Valera de Rubén Darío.

relativo desarraigo —que no llegó, por lo demás, a consumarse, ni biográficamente como en Vallejo, ni lingüísticamente como en el caso de tantos otros poetas latinoamericanos de lengua francesa— se acusa una de las tantas características por las que el poeta pertenece a su clase (con la que sostuvo una relación de rebeldía pero a la que, negándola, permaneció ligado). La gran burguesía chilena es europeísta y afrancesada por tradición. De otra parte Huidobro —bajo la influencia primera y definitiva de Apollinaire— *vive* en la Europa de entreguerras una época de cosmopolitismo cultural, poético, físico («Siglo embarcado en aeroplanos ebrios», dice en *Ecuatorial*), al que se asimila de inmediato tomando esos aires y dándoselos llegado el caso, como en el patético «Viajero sin fin» de sus últimos poemas con que se presenta alegremente en «Poemas árticos»: «Una corona yo me haría / de todas las ciudades recorridas».

En el marco del creacionismo Huidobro se da a sí mismo las condiciones teóricas de su «desarraigo» al afirmar que «Si para los poetas creacionistas lo que importa es presentar un hecho nuevo, la poesía creacionista se hace traducible y universal, pues los hechos permanecen idénticos en todas las lenguas».

El objeto creado, lingüísticamente estandardizado, que «no pierde nada en la traducción de su valor esencial» y que surge de una evaluación parcial, esquemática de los que el poeta llama «detalles lingüísticos secundarios» —«La música de las palabras, los ritmos de los versos»— es una aberración idiomática con la que habría que ver, a través del análisis estilístico, hasta qué punto la poesía de Huidobro está de acuerdo. Pues, evidentemente, el poeta no escribió en esperanto.

Este objeto nuevo —esnobista y tecnocrático— de improbable o defectuosa fabricación, antes que nada se constituye en otro signo de la aspiración a una cultura, un arte, una poesía universales en los cuales Latinoamérica ha querido, época a época, salvarse de su siempre presente pasado colonial, de subdesarrollado.

El rubendarismo de *Prosas profanas* pone al desnudo, patéticamente, nuestro provincianismo allí donde prueba a vestirlo con lo ajeno, y ese primer modernismo tiene todo el aspecto *démodé* propio de la última moda para el uso de los nuevos ricos de las colonias culturales. La poética de Huidobro salva a su poesía de las ridículas preciosidades rubendarianas. O, mejor dicho, los tiempos eran otros; pero su poética, en cambio, condenada a muerte ya por sus esquematismos y sus inconsecuencias, es, como el arsenal metafórico de Darío, un batiburrillo de valores y disvalores por el cual puede inferirse que la relación con la cultura europea no ha cambiado radicalmente en lo que va del modernismo al creacionismo, independientemente del hecho de que se haya vivido o no esa relación de una manera problemática. No descarto la posibilidad de que esa relación sea también, en otro sentido, la nuestra. No se trata aquí de enjuiciar un fenómeno sino de describirlo.

A mi entender hay una ingenuidad en Huidobro, expresada particularmente por él en el orden de las ideas estéticas, y, como actitudes concomitantes a ella, una especie de temeridad, de audacia aventurero-cultural por la que recuerda al Darío de Jean Cassou, al retrato inevitablemente paternalista que éste nos dejara de aquél: «un ingenuo venido de las profundidades del trópico para rejuvenecer, con una mirada nueva, nuestro viejo patrimonio histórico, legendario, cultural».

Sé, por experiencia propia, lo antipática que resulta esta imputación, pero de un modo u otro, Darío y Huidobro nos parecen más genuinos y «explicables» si los relacionamos con el «nivel subalterno del subdesarrollo» desde el que se levantaron, como representantes ecuménicos de una abstracta cultura universal tomada así, por lo alto.

«Quienes sean lo bastante fuertes para tocar a las puertas de la gran cultura universal serán capaces de abrir sus batientes y de entrar en la gran casa», asevera Alejo Carpentier [19], en el convencimiento de que no hay en Latinoamérica un «subdesarrollo intelectual parejo al económico».

Somos muchos los que pensamos y más aún los que queremos pensar así, por una cuestión de principios contrarios al economismo vulgar o al seudomarxismo que todo lo explica en términos económicos. Con todo la opinión contraria no dejaría de señalar —aunque su explicación fuese deficiente, esto es, la explicación por la economía— a un atendible fenómeno por el que el subdesarrollo es también una «actitud del espíritu» de la que

---

[19] Alejo Carpentier en *Tientos y diferencias.*

no se desembarazan ni aun aquellos capaces de instalar-se, por derecho propio, en «la gran casa de la cultura universal», y por la que estos huéspedes de última hora nunca se identifican del todo con sus pariguales europeos, siempre conservan algo de lo que se entiende por provincialismo.

Es que si bien resulta chocante y felizmente incorrecto aceptar que existe, entre nosotros, «un subdesarrollo cultural parejo al económico» o condicionado por éste, la verdad es que salta a la vista una relación de correspondencia entre el atraso social, económico y político y nuestra realidad cultural inquieta, flotante, permeable a todos los desarraigos, que no dispone de una base histórica lo suficientemente sólida, que carece de tradiciones en torno a las cuales articularse orgánicamente o contra las cuales insurreccionarse. Hay que contar, además, con un margen variable de subdesarrollo cultural real que sí es parejo a nuestro subdesarrollo socio-político-económico. Sólo ciertos genios —¿quiénes lo fueron, quiénes lo son entre nosotros?— escaparían a los anacronismos, a las confusiones, a los eclecticismos, a los apresuramientos que resultan, a nivel de las capas ocultas, de la información atrasada o superficial o de segunda mano; pero en este punto más vale recordar al propio Huidobro para quien «la palabra genio es un abuso del lenguaje». También él era si no un escritor subdesarrollado, un poeta de lo que llamamos ahora el Tercer Mundo Americano y su «galicismo mental» no me parece que hiciera de él un poeta culto europeo, hiperconsciente al sumir las tradiciones o al tomarlas por asalto, del peso de las mismas.

Hay un juvenilismo en Huidobro, un infantilismo casi, en que en parte coinciden su temperamento y su carácter con el clima histórico de una época «cuya literatura se parece a un juego delicioso, a la imagen de un mundo que es como un bello domingo después de una fatigosa semana» [20] pero por el que, de otra parte, el poeta acusa nuestras limitaciones y nuestras desmesuras de «pueblos jóvenes».

Aprovecho la coyuntura para insistir en que una cierta actitud «sobradora» de dandysmo literario, cierto engreimiento esnobista, el tono autocomplaciente con que

---

[20] Gaetan Picon, *Panorama de la literatura francesa actual*, 1947.

Huidobro hace como si hablara una literatura de «juegos de salón» aforística, de ocurrencias, estocadas y alfilerazos, brillantes, en todo ello influye su condición de «pije» chileno, a la que están ligadas, por lo demás, una serie de características a un tiempo subversivas y reaccionarias de su estructura ideológica.

Huidobro juega «el juego delicioso» de la literatura de su época como un aficionado de condiciones excepcionales, pero se obstina en probar que ha cambiado las reglas del mismo allí donde, en lugar de sobrepasarlas con una casuística genial, no ha hecho más que infringirlas con una torpeza de recién llegado. Por haber dicho, por ejemplo, que «para mí nunca ha habido un solo poeta en toda la historia de nuestro planeta» habría merecido un correctivo ejemplar en su época misma, aunque ésta le pintara bigotes a la Gioconda. Ahora uno siente vergüenza ajena de muchas de las argumentaciones medio escolares, sentenciosas, con que Huidobro pretendía probar, en última instancia, su condición de primer poeta en toda la historia de nuestro planeta, su prioridad de inventor de la poesía y su originalidad absoluta.

Lo que se espejea en esas argumentaciones —diga lo que dijere el poeta contra la popularidad de la que no alcanzó a gozar en pleno— es un amor contrariado al éxito [21] y el poeta habla por la herida de una semifrustración, todo lo cual no impide que —dicho sea en honor a su intuición, a su fino olfato estético— resulte justo en muchas de sus evaluaciones crítico-literarias.

Pero lo que yo quiero señalar en correlación con las libertades excesivas que puede esperarse se tome un latinoamericano en su trato con las culturas europeas —como producto de un conocimiento exterior de las mismas o de una relativa ignorancia de sus mecanismos internos— es lo que se llamó «la tendencia natural y constante en América a la síntesis de las culturas» [22] —esas

_____

[21] A lo que aspiró Huidobro fue a un éxito «aristocrático», al reconocimiento de los «espíritus selectos», reunidos, por encima de las multitudes, en corro de amigos; a la vez que esperaba que los poetas jóvenes vieran en él al maestro y al primer poeta de su tiempo.

[22] FEDERICO DE ONÍS, *Antología de la poesía española e hispanoamericana.* «Entiende Federico de Onís que la simultaneidad de géneros y tendencias que en las literaturas europeas no suelen coexistir, la supervivencia del pasado en el presente, este proceso de integración de diversas y aun contrarias formas constituyen un carácter específico del espíritu americano.» G. DE TORRE, *Claves de la literatura hispanoamericana.*

transculturaciones que han debido ser nuestra especialidad— por la que «la supervivencia del pasado en el presente, el proceso de integración de diversas y aun contrarias formas culturales constituye un carácter específico del espíritu americano»; razón por la cual, de otra parte, hasta la época del vanguardismo, acaso hasta nuestros días, pervive el romanticismo que «se encierra detrás de todos los impulsos de la literatura hispanoamericana», el personalismo y el individualismo correlativos, menos acaso como signos de una «manifestación del genio de los pueblos a través de la intuición de ciertas individualidades» que, por el contrario, como rasgos inevitables de una producción superflua, que no surge en respuesta a una demanda colectiva, con la naturalidad y el grado de elaboración técnica que caracterizan a los productos culturales de una sociedad de consumo cultural, sino a partir de una decisión íntima, de una necesidad subjetiva al extremo, de una libertad creadora que puede desplegarse en el plano de una abstracción ilimitada [23].

Por la misma razón por la que una obra creada por obra y gracia del yo individual —del «yo absoluto» huidobriano— para un consumo improbable, esto es, en medio de un vacío cultural, no se articula «de por sí» a la historia, su relación con la historia de la cultura puede ser igualmente arbitraria, y, en el caso de Huidobro, su irrealismo, su individualismo y su diletantismo de coleccionista cultural se corresponden. También su espíritu de contradicción [24] que no conlleva una actitud o una vocación especiales para el juego dialéctico de las ideas sino que surge de una relativa imposibilidad de ponerse de acuerdo consigo mismo o para poner de acuerdo ideas a las que se suscribe, procedentes de distintos, antagónicos o irreconciliables campos ideológicos. El intelectual inorgánico del subdesarrollo está más expuesto acaso que cualquier otro a desarrollar una personalidad babélica

---

[23] «Juguemos fuera del tiempo» es la invitación decisiva de *Altazor,* y el abstraccionismo de Huidobro hay que buscarlo, primeramente, en una falta de pesantez temporal de su poesía y en el consiguiente «libertinaje» de su imaginación creadora, en su fantasiosidad.

[24] Dejo de lado, en este punto, el efecto desmoralizador que persigue Huidobro al afirmar, contra el hombre razonable, el derecho a la contradicción; su asalto, por la paradoja, a «los bueyes que pastan en las praderas chilenas»: «Soy inconsecuente con todos mis instantes, porque soy consecuente con cada uno de ellos».

por la que hable la confusión de las lenguas, a adoptar una conducta cultural incongruente.

> Como si mi cerebro estuviese dividido en dos compartimientos absolutamente independientes [escribe Huidobro en «La confesión inconfesable»], me sentía atraído con igual pasión por el estudio de las ciencias, lo que me hizo seguir cursos en la Sorbona y otras universidades europeas sobre Biología, Fisiología y Psicología Experimental, y por el estudio de lo maravilloso, lo que me hizo dedicar muchas horas a la Astrología, a la Alquimia, a la Cábala antigua y al ocultismo en general.

Se dirá que ésta es la expresión normal de una gran curiosidad intelectual —nada del hombre le era ajeno, etcétera—, pero yo creo que esos compartimientos absolutamente independientes que se multiplican en todos sentidos llegan hasta nosotros, muchas veces, bajo la especie de inconsecuencia, como las fallas de una personalidad fragmentada, como debilidades de una excentricidad.

Huidobro es, desde este punto de vista, un fracaso. En él se mezclan, sin combinarse ni entrar en tensión dialéctica, las instancias del racionalismo materialista y el irracionalismo mágico que le indica el camino de las ciencias «malditas», de la filosofía tradicional. Pero del mismo modo, acorde a la imagen de los compartimientos absolutamente separados, Huidobro es nietzscheano en su lucha contra el filisteísmo burgués, y porque ven en el poeta héroe un superhombre cortado a su medida. Marcha así al son del aristocratismo intelectual de la revolución modernista que llevaba no el gorro frigio, sino un blanco penacho de independencia» [25]; repite a Nietzsche y su obra en una larga declaración de los derechos o de las libertades del «yo absoluto», que cristaliza en su «todo aquello que es cualidad en el individuo, es detestable para la colectividad» [26]. Así coincide con el autor de *La rebelión de las masas*, al que destestaba [27].

Pero, al mismo tiempo, el burgués Huidobro, humanista, ligado sentimentalmente al cristianismo, para el cual el comunista por «su nobleza y su generosidad» es —en esta jerga filantrópica— «el más aristocrático de los

[25] R. B. Fombona.
[26] Epígrafe de «Vientos contrarios».
[27] V. H. «Es algo bien triste leer a José Ortega y Gasset desvariando sobre el arte nuevo. ¡Qué manera de aglomerar estupideces e incomprensiones! Tómese todo lo que dice al revés y se estará más cerca de la verdad.»

hombres», en medio del caos de *Altazor* —«En mi cabeza cada cabello piensa otra cosa»— junto con denunciar «la mentira abyecta de todo cuanto edifican los hombres», anuncia el advenimiento de una única y última esperanza encarnada en los «millones de obreros que han comprendido por fin / y levantan al cielo sus banderas de aurora».

Su novela *La próxima* (1930) se cierra al grito de «Rusia, la única esperanza» con que su protagonista Alfredo Roc —«un visionario realista y *pioneer* idealista»— responde al fracaso en que culmina su empresa utópica, por la que toda la novela se inscribe, a despecho de ese grito y de los puntos de vista «marxistas» que se barajan en ella, en una corriente de crítica aristocrática del capitalismo.

Alfredo Roc ha fundado una colonia en Angola, refugio de espíritus selectos contra «la catástrofe total que amenaza a la civilización por obra del capitalismo que había perdido el control de la conciencia humana y de la economía social», pero esa catástrofe sorprende a la colonia desde adentro, pues se ha infiltrado en ella la mediocridad y el fanatismo que Huidobro —aristócrata espiritual y... material— asocia, «por instinto», a la masa.

El comunismo de Huidobro es una última esperanza antiburguesa de un burgués rebelde que prefiere asociarla al «verdadero cristianismo que era en su esencia comunista» a cifrarla en la historia. O por la que se remite, como en 1924, en su «Elegía a la muerte de Lenin», a su fervor romántico por los grandes destinos humanos individuales.

«El héroe —escribía en una meditación entusiasta sobre Napoleón— es un dios irrealizado, más bien es el concepto de dios, nuestro anhelo de dios, nuestro deseo absoluto hecho carne.»

Con esta óptica deificante, Huidobro ponía fácilmente los ojos, en materia de «hombres de acción y de aventura» fabulosos, en personajes como el Mío Cid Campeador o en los mitos simbolistas-decadentistas de Cagliostro o Gilles de Raiz por los que acusa su ascendencia finisecular [28].

Se podría resolver el problema que plantean las dicotomías huidobronianas alegando que se trata de una fi-

---

[28] *Cagliostro*, novela-film, 1934. *Gilles de Raiz*, pieza de teatro, 1932

gura literaria de transición, y además hay que prevenirse contra el error que consiste en pensar a un escritor de otra época como si su coherencia o su incongruencia coincidieran con las nuestras. ¿Pero es que acaso el hecho mismo de que en ciertos aspectos Huidobro perteneciese, en su tiempo, al futuro [29] y su obra aspiraba «a poblar —inmodestamente— para mil años el sueño de los hombres», pone ahora en tanta evidencia, además de sus necesarias, lícitas e inevitables articulaciones con el pasado, los puntos problemáticos en que esas articulaciones adolecen de rigidez o se presentan como trizaduras de las que se resiente ese núcleo, principio unitario o como quiera llamárselo por el que se distingue una creación individual del plancton del que surge, en que fermentan los ingredientes espirituales de una época y en que se cruzan todas sus corrientes y sus contracorrientes?

Lo que hay en Huidobro, en lo que atañe siempre a su ideología y a los momentos en que en su obra habla en nombre de ideas, es, efectivamente, un escritor de transición, de los que vierten el vino nuevo en odres viejos, pero con el añadido de que, en relación a ciertos odres, el vino se comporta como un ácido.

Así ocurre con las profesiones de fe anarco-comunistas de Huidobro que se cruzan, sin entrelazarse en un mismo tejido, con todos esos hilos que traman la urdimbre de la obra de un poeta cuyo mayor orgullo era «haber arrancado la poesía de manos de los vecinos de la ciudad y haberla encerrado en la fortaleza de los caballeros ungidos».

Nietzsche y Marx deben caminar de la mano por *Altazor*, en el que el yo absoluto del poeta —el superego huidobriano— «solitario como una paradoja» se ofrece en el espectáculo de uno de los más impresionantes poemas escritos en lo que va del siglo en lengua castellana, por el que Latinoamérica se pone a la altura de la gran poesía universal, arrastrando consigo —a pesar o por la actitud planetaria asumida por Huidobro en ese texto— todas las irregularidades que pueden registrarse en el de-

---

[29] Sobre la actualidad de Vicente Huidobro tendría que escribir otro trabajo que completara éste. Aparte de que es posible acotar el campo de la incuestionable influencia que ejerció el poeta sobre la nueva poesía hispanoamericana, sería preciso fijar aún los puntos en que se funda su productividad actual.

be de nuestra literatura poética, de nuestra vida cultural, de lo que hemos sido y de lo que acaso somos.

En este poema-encrucijada el hablante se mueve en todas direcciones y el resultado es un laberinto verbal en cuyo pórtico debiera leerse esta definición programática, quizá la más adecuada a su poesía, de las que escribió el teorizador: «Nada de caminos verdaderos y una poesía escéptica en sí misma».

Frente a este poema babélico que es hoy en día en parte una ruina inservible, en parte una cantera o bien un ejemplo edificante de lo que no debe hacerse por ningún modo de manera análoga, ya no sólo se pueden apreciar las oscilaciones de un hombre de transición respecto de sus encontradas ideas, de las que el poeta hace explícitamente derroche en el Primer Canto. Esas trizaduras se hacen visibles también en el cuerpo mismo de la poesía de Vicente Huidobro, que se despedaza a lo largo del poema.

Varios Huidobros son los autores de *Altazor,* y el acuerdo al que llegan a la fecha de la redacción definitiva del texto tiene algo de una componenda por la que las distintas partes del poema sostienen con el total del mismo una relación bastante floja. Hay que recordar que la organización, arquitectura o estructura del poema, era justamente aquello que Apollinaire y los suyos tendían a eliminar, acordes a la poética del cubismo.

Esa había sido la poética de Huidobro en *Horizon carré, Tour Eiffel, Hallali,* pero en *Altazor* —el canto a mí mismo de Huidobro— vuelve por sus fueros —alentado acaso por el whitmanismo de posguerra— el joven poeta seudosimbolista o neomodernista de *Adán* (1916) con su caudalosidad de «bardo-profeta» emersoniano.

Yo creo que el poema no sufriría una lesión orgánica si se le suprimiera parte de sus miembros: las ramas de un árbol que ganaría con la poda, pues *Altazor* está hecho como la naturaleza hace un árbol [30]. Lo que hace la unidad relativa del poema, antes que una organización determinada del mismo, es algo por lo cual justamente postula la imposibilidad de tal organización: la conciencia que lo atraviesa de parte a parte y que se ramifica por él, de una crisis de la realidad —«no hay bien ni mal ni orden ni belleza»— a la que se esfuerza por sustituir-

[30] «Hacer un poema como la naturaleza hace un árbol», Vicente Huidobro.

se «el poema creado en todas sus partes como un objeto nuevo».

En *Altazor*, Huidobro no hace poesía alrededor de las cosas, para satisfacción de su (equivocado) antinaturalismo pictórico; la hace alrededor de sus opiniones e ideas, y no ciertamente con conceptos inventados sino glosando dispares filosofías; la hace contra sus prejuicios y con ellos, alrededor de sus pasiones, esperanzas y temores; *Altazor* explica el creacionismo a la vez que trata de encarnarlo, y, hasta donde lo permite la incoherencia por la que se desliza *Altazor* como por un plano inclinado, esa poética es el eje de su discurso.

Ese texto nos informa en buena medida de la razón de ser del creacionismo y de las preocupaciones intelectuales en que esa razón se funda. Menos y más que un poema creacionista es un discurso en torno al creacionismo: la poetización de una poética antes de que ésta pruebe, finalmente, a identificarse con el poema, disolviéndose en una juguetona «inanidad sonora».

Poesía de la poesía, crítica de la poesía, demolición y construcción simultáneas de un edificio verbal que niega los materiales de que se constituye, postulación de una verdad artística que «empieza allí donde termina la verdad de la vida» pero que acusa por todas partes sus interrelaciones con un discurso más vasto —el de la aspiración de las escuelas de vanguardia a fundar una realidad vital de verdad—; «horror de la vida y éxtasis de la vida» (Baudelaire): tópicos románticos: evasión de lo real, sed de infinito, afirmación, por encima del bien y del mal de un super yo obsesionado por ideas de muerte y supervivencia; profesiones de fe panteístas y fantásticas efusiones sentimentales (como las del Canto II en que, entre versos perfectos, de una genuina originalidad, se escuchan voces que vienen de la hojarasca romántica) *Altazor* quiere ser la praxis del creacionismo, o, mejor dicho, de las distintas y no bien articuladas piezas teóricas que Huidobro pretendiera integrar en una poética más ingeniosa que rigurosa: en parte el dechado de la insensatez de la que se resiente el teorizador pero por la que el poeta llega a veces —no obstante el tiempo le haya gastado las cartas entre las manos— a deslumbrar:

Al horitaña de la montazonte
La violondrina y el goloncelo

Descolgada está la noche de la lunala
Se acerca a todo galope
Ya viene la golondrina
Ya viene la golonfina

Huidobro consideraba *Altazor* su texto más importante, bien que lo publicara en Madrid en 1931, el mismo año en que dio allí a la publicidad otro de sus poemas largos: «Temblor de cielo». Bueno sería, desde luego, conocer la cronología de los distintos Cantos o de los diversos fragmentos que componen *Altazor* y que está en la base —esa pluralidad de tiempos— del carácter caótico y fragmentario del poema.

Evidentemente el Prefacio de *Altazor*, con su chisporroteo de imágenes y sus rápidas estocadas aforísticas, y «Temblor de cielo», corresponden a una misma época de heterodoxia creacionista y de madurez, en que campean, decididamente por encima de las fórmulas de la escuela, «el desenfado creacionista y el humor blanco» de Huidobro y su exaltación neorromántica, esto es, su estilo personal.

En «Temblor de cielo» se cumple el propósito creacionista pero bajo su especie más dúctil: el de una transfiguración, metafórica e imaginista, de lo real; pero ese poema es menos interesante que *Altazor*: la encrucijada de todo lo que imaginó, pensó y sintió Huidobro en el curso de doce decisivos años de su vida literaria [31].

Aunque el fiel de la balanza del juicio artístico se inclinara del lado de «Temblor de cielo», yo veo en *Altazor* el total de la aventura poética de Huidobro, con sus altos y bajos y hasta con su perdidizo o desventurado o problemático final. Algo así como un poema-río en que encallara aquí y allá la poética de Huidobro, salvándose no obstante su carga de poesía. *Altazor* es también un documento que aclara, hasta la trivialidad de la que no escapa, la o las genealogías poéticas de su autor, sus fuentes filosóficas o literarias de inspiración.

Es ese poema el que, por su sola presencia en nuestro

---

[31] El supuesto teórico que mejor le cuadra a «Temblor de cielo», podría ser el que apunta Huidobro en su «manifiesto de manifiestos», 1925, en un momento de sagacidad y modestia: «es evidente —escribe— que nada de aquello a que estamos acostumbrados nos emociona. Un poema debe ser algo inhabitual, pero hecho a base de cosas que manejamos constantemente, cosas que están cerca del pecho, pues si el poema inhabitual también se ha ya construido a base de elementos inhabituales, nos asombrará más que emocionarnos».

idioma, exige que se le haga justicia histórica a Huidobro, rescatándolo del olvido o de las ceremonias anacrónicas en que se procede a su glorificación intemporal.

Los últimos libros poéticos de Huidobro, cuya publicación data de 1941 pero que fueron escritos, sin duda, al mismo tiempo que partes de *Altazor* —entre 1923 y 1934— *Ver y palpar* y *El ciudadano del olvido* son parte, como es natural, del itinerario de aquél, del reconocimiento de unas mismas zonas de la escritura. Estos libros, en los cuales no hay poemas mejores que los mejores fragmentos de *Altazor,* deslucen tanto junto a este volcán en erupción que arrojó materiales de todos los estratos geológicos del creacionismo, como junto al virtuosismo imaginista de «Temblor de cielo».

Las otras cimas de la poesía de Huidobro hay que buscarlas a través de sus libros o fuera de ellos, en sus *Ultimos poemas.* «Monumento al mar» se cuenta entre éstos.

> Cuando Huidobro murió en 1948 —escribe Juan Jacobo Bajarlía, uno de los apologistas más exaltados del poeta— era prácticamente un olvidado: sólo, según nuestro conocimiento, el *Journal des Poétes,* de Bruselas, señaló su desaparición publicando nuestra traducción de un largo poema («Monument à la mer»), del cual Emilie Noulet ha podido decir «que jamás, salvo quizá en Valéry, el amor al mar se ha expresado con tanto fervor, con tanta grandeza» [32].

No sé quién sea Emilie Noulet [*] pero me suscribo a la intención de sus palabras: poner a Huidobro en el lugar que muchos otros le niegan, en relación a los grandes poetas de su tiempo.

[*Los vanguardismos en la América Latina,* recopilación de textos por Oscar Collazos (La Habana: Casa de las Américas, 1970)]

---

[32] JUAN-JACOBO BAJARLIA, en *La polémica Rouerdy-Huidobro: Origen del Ultraísmo.*

[*] Crítica belga. Estuvo casada con el poeta español José Carner.

BIBLIOGRAFIA

OBRAS DE VICENTE HUIDOBRO

Ecos del alma. Santiago, Imprenta Chile, 1911.
La gruta del silencio. Santiago, Universitaria, 1913.
Canciones en la noche. Santiago, Imprenta Chile, 1913.
Pasando y pasando. Santiago, Universitaria, 1914.
Las pagodas ocultas. Santiago, Universitaria, 1914.
Adán. Santiago, Universitaria, 1916.
El espejo de agua. Buenos Aires, Orión, 1916 (existe edición facsí-
    mil en *Peña Labra* (Torrelavega), III, 12 (verano, 1974).
Horizon carré. París, Paul Birault, 1917.
Tour Eiffel. Madrid, Pueyo, 1918.
Hallali. Madrid, Jesús López, 1918.
Ecuatorial. Madrid, Pueyo, 1918.
Poemas árticos. Madrid, Pueyo, 1918.
Saisons choisies. París, La Cible, 1921.
Finis Britanniae. París, Fiat Lux, 1923.
Autonne régulier. París, Librarie de France, 1925.
Tout à coup. París, Au Sans Pareil, 1925.
Manifestes. París, La Revue Mondiale, 1925.
Vientos contrarios. Santiago, Nascimento, 1926.
Mío Cid Campeador. Madrid. C. I. A. P., 1929.
Altazor o El viaje en paracaídas. Madrid, C. I. A. P., 1931.
Temblor de cielo. Madrid, Plutarco, 1931.
Gilles de Rais. París, Totera, 1932.
Cagliostro. Santiago, Zig-Zag, 1934.
La Próxima. Santiago, Walton, 1934.
Papá o El diario de Alicia Mir. Santiago, Walton, 1934.
En la luna. Santiago, Ercilla, 1934.
Tres inmensas novelas (en colaboración con Hans Arp). Santiago,
    Zig-Zag, 1935.
Sátiro o El poder de las palabras. Santiago, Zig-Zag, 1939.
Ver y palpar. Santiago, Ercilla, 1941.
El ciudadano del olvido. Santiago, Ercilla, 1941.
Ultimos poemas. Santiago, Ahués Hnos., 1948.
Obras completas. Santiago, Zig-Zag, 1964.

25

ESTUDIOS SOBRE VICENTE HUIDOBRO
Y EL CREACIONISMO

ALEGRÍA, Fernando: «Ideas estéticas de la poesía moderna», *Multitud* (Santiago), I, 30-32 (octubre-diciembre, 1939), 21-35.

ANGUITA, Eduardo: «Vicente Huidobro», *La Nación* (Santiago), 18 de enero, 1948.

ARCOS, Juan, y BAEZA FLORES, Alberto: «Dos poetas chilenos: Pablo de Rokha y Vicente Huidobro», *América* (La Habana), octubre-diciembre, 1941.

ARENAS, Braulio: *Luz adjunta*. Santiago, Tornasol, 1950.

— «Vicente Huidobro» en *Homenaje a Vicente Huidobro* (de la «Juventud intelectual de Chile»). Santiago, 1938.

ASTABURUAGA, Ricardo: «Vicente Huidobro, poeta y mago», *Estudios*, 179 (diciembre, 1947), 69-70.

AUBRUN, Charles: «Huidobro y el Creacionismo», *Revista Iberoamericana*, XXXII, 61 (enero-junio, 1966), 85-89.

BAJARLÍA, Juan Jacobo: «Orígenes del vanguardismo», *Atenea*, XXIX, 319-320 (enero-febrero, 1952), 94-112.

— *La polémica Reverdy - Huidobro: Origen del Ultraísmo*. Buenos Aires, Devenir, 1964.

BARROS, Pedro: «Los tres grandes poetas», *Actual* (septiembre, 1944), 3-14.

BARY, David: «*Altazor*, o la divina parodia», *Revista Hispánica Moderna*, XXVIII, 2-4 (abril-octubre, 1962), 287-294.

— «Apollinaire y Huidobro: dos extranjeros en París», *Insula*, XXVI, 291 (febrero, 1971), 1-12.

— *Huidobro, o la vocación poética*. Granada, Consejo Superior de Investigaciones, 1973.

— «Perspectiva europea del Creacionismo», *Revista Iberoamericana*, XXVI, 51 (enero-junio, 1961), 127-136.

— «Vicente Huidobro: comienzos de una vocación poética», *Revista Iberoamericana*, XXIII, 45 (enero-junio, 1958), 9-41.

— «Vicente Huidobro: el estilo *Nord-Sud*», *Revista Iberoamericana*, XXVIII, 53 (enero-junio, 1962), 87-101.

— «Vicente Huidobro: el poeta contra su doctrina», *Revista Iberoamericana*, XXVI, 52 (julio-diciembre, 1961), 301-312.

BEAUDUIN, Nicolás: «La Poésie nouvelle et Vincent Huidobro», *La Bataille Littéraire* (París), II (junio, 1920).

BERCKELAERS, Ferdinand Louis: «Kronijk uit Paris», *Het Overzicht* (Amberes), 21 (abril, 1924), 147-150.

BORGES, Jorge Luis: «Al margen de la nueva estética», *Grecia*, III, 39 (31 de enero, 1920).

BOSQUET, Joe; MENIL, René, y HELION, Jean: *Presentaciones* (textos sobre Vicente Huidobro). Barcelona, 1932.

BULNES, Alfonso: «Vicente Huidobro», *El Mercurio* (Santiago), 11 de enero, 1948.

BUNSTER, Enrique: «Recuerdos de Vicente Huidobro», *El Mercurio* (Santiago), 1 de agosto, 1965.

CARNER-NOULET, Emilie: «Sobre Vicente Huidobro», *Synthèse* (Bruselas), 140-141 (1958).

Costa, René de: «Darío en la primera crítica de Huidobro», *Peñalabra* (Torrelavega), III, 11 (Primavera, 1974).

— «Nota bibliográfica a la edición facsímil de *El espejo de agua*», *Peñalabra* (Torrelavega), III, 12 (Verano, 1971).

Cruchaga Santa María, Angel: «El creacionismo y Vicente Huidobro», *La Nación* (Santiago), 16 de julio, 1924.

— «En torno a la vanguardia», *Letras* (Santiago), III, 25 (octubre, 1930), 13-14.

— «Vicente Huidobro en Estados Unidos», *El Diario Ilustrado* (Santiago), 25 de julio, 1927.

Cruz Ocampo, Luis David («Licenciado Vidriera»): «Conversaciones: Vicente García Huidobro», *Ideales* (Concepción), III, 58 (2 de octubre, 1915).

Delano, Luis Enrique: «Esquema de la poesía joven en Chile», *Atenea*, XI, 113 (noviembre, 1934), 24-35.

Delmar Serafín: *«Vientos contrarios*, por Vicente Huidobro», *Amauta* (Lima), I, 8 (abril, 1926), 42.

Demarigny, Claude; León, Jimena, y Mosca Lepe, Peregrina: «Les données de la poétique de Huidobro dans *Horizon carré*», *Bulletin Hispanique*, 73 (1971), 319-340.

Díaz Arrieta, Hernán («Alone»): «Crónica literaria: el Creacionismo», *Zig-Zag* (Santiago), XV, 755 (9 de agosto, 1919).

— «La proclamación de Vicente Huidobro», *La Nación* (Santiago), 18 de octubre, 1925.

— «Los últimos libros de Vicente Huidobro», *La Nación* (Santiago), 23 de julio, 1931.

— «Ultimos poemas de Vicente Huidobro», *El Mercurio* (Santiago), 25 de julio, 1948.

— «Vicente Huidobro y Guillermo de Torre», *La Nación* (Santiago), 26 de julio, 1925.

Diego, Gerardo: «Hablando con Vicente Huidobro», *Estudios*, 204 (abril, 1950), 33-34.

Echeverría, Inés («Iris»): «Vicente Huidobro y la trascendencia del Creacionismo», *La Nación* (Santiago), 23 de abril, 1925.

Edwards Bello, Joaquín: «Vicente Huidobro», *La Nación* (Santiago), 8 de enero, 1948.

Eguren, José María: «Línea, forma, creacionismo», *Amauta* (Lima), V, 28 (enero, 1930), 1-3.

Ferrero, Mario: «Retratos y siluetas: Vicente Huidobro al galope por la orilla del mar...» *La Nación* (Santiago), 30 de mayo, 1965.

Flores, Angel: «A High-Speed Cagliostro», *New York Herald Tribune Books*, 29 de noviembre, 1931.

Forster, Merlin H.: «Vicente Huidobro's *Altazor*: A Reevaluation», *Kentucky Romance Quarterly*, XVII (1970), 297-307.

Garfias, Mario: «Vicente Huidobro, escritor de ciencia-ficción», *La Nación* (Santiago), 28 de febrero, 1965.

Goic, Cedomil: *La poesía de Vicente Huidobro*. Santiago, AUCH, 1955.

— «Vicente Huidobro y la primera etapa del Creacionismo», *Estudios*, 241 (noviembre-diciembre, 1954).

Grove, Marmaduke: «Vicente Huidobro», *La Nación* (Santiago), 11 de agosto, 1925.

Guzmán, Ernesto A.: *«Adán*, por Vicente Huidobro», *Los Diez* (Santiago), I, 1 (septiembre, 1916), 78-79.

HIDALGO, Alberto: «Arco para que pase Reverdy», *Atenea*, VIII, 73-74 (marzo-abril, 1931), 464-467.
HOLMES, Henry Alfred: «The Creationism of Vicente Huidobro», *The Spanish Review*, I, 1 (1934), 9-16.
— *Vicente Huidobro and Creationism.* Nueva York, Institute of French Studies, 1934.
HUBNER BEZANILLA, Jorge: «Vicente Huidobro», *Selva Lírica* (Santiago), I, 9 (agosto de 1918), 3.
LAFFRANQUE, Marie: «Aux sources de la poésie espagnole contemporaine: la querelle du "créationnisme"», *Bulletin Hispanique*, 64 bis (1962), 479-489.
LARREA, Juan: *Del surrealismo a Machupicchu.* México, Joaquín Mortiz, 1967.
LASSO DE LA VEGA, Rafael: «La "sección de oro"», *Cosmópolis*, II, 12 (diciembre, 1920), 642-667.
LATCHAM, Ricardo A.: «Diagnóstico de la nueva poesía chilena», *Sur* (Buenos Aires), I, 3 (invierno, 1931), 138-154.
— «Gerardo Diego y Vicente Huidobro», *La Nación* (Santiago), 6 de diciembre, 1959.
— «Vicente Huidobro», *La Nación* (Santiago), 5 de enero, 1948.
LATORRE, Mariano: «Los libros» (Sobre Vicente Huidobro), *Zig-Zag*, 11 de abril, 1925.
LOVELUCK, Juan: «Un recuerdo para Huidobro», *El Sur* (Concepción), 4 de enero, 1959.
MACHADO, Antonio: «Al margen de un libro de Vicente Huidobro», *Cuadernos Hispanoamericanos* (Madrid), 19 (enero-febrero, 1951), 19-20.
MANTILLA, Fernando G.: «*Mio Cid Campeador*, film de Vicente Huidobro», *Atlántico* (Santiago), mayo, 1930.
MARTÍNEZ, Juan Luis: «Huidobro, poeta y mago», *La Unión* (Valparaíso), 28 de enero, 1968.
MASPENS, Francesco: «Une des sources de malaise espagnole», *Revue Bleue* (julio, 1924), 440-443.
MASSIS, Mahfud: *Los 3.* Santiago, *La Nación*, 1944.
MEZA FUENTES, Roberto: «*Mio Cid Campeador*, por Vicente Huidobro», *Atenea*, VII, 66 (agosto, 1930), 120-125.
MOLINA, Julio: «Vicente Huidobro», *Atenea*, XXV, 271-272 (enero-febrero, 1948), 56-76.
MOLINA NÚÑEZ, Julio, y ARAYA, Juan Agustín: «Vicente Huidobro», en *Selva lírica, estudios sobre los poetas chilenos.* Santiago, Universo, 1917.
MONTES, Hugo: «Huidobro», *Amargo*, I, 5 (abril, 1947), 24-29.
— «Un poeta y un antipoeta», *Alférez* (Madrid), II, 20 (septiembre, 1948), 3.
— «Vicente Huidobro», *Amargo*, I, 8 (abril, 1948), 8-10.
NERUDA, Pablo: «Defensa de Vicente Huidobro», *Claridad* (Santiago), V, 122 (junio 1924), 8.
OYARZUN, Luis: «Vicente Huidobro: *Altazor*», *Pro-Arte*, I, 52 (7 de julio, 1949), 4.
PETIT, Magdalena: «Barba azul en el teatro de Huidobro», *La Nación* (Santiago), 28 de febrero, 1965.
PIZARRO, Ana: «La práctica huidobriana, una práctica ambivalente», *Atenea*, XLV, 420 (abril-junio, 1968), 203-224.
— *Vicente Huidobro, un poeta ambivalente.* Concepción, Universidad de Concepción, 1971.

RAYNAL, Maurice: «Préface», en *Une exposition des poèmes de Vincent Huidobro*. París, Imp. Unión, 1922.

SABELLA, Andrés: «Crónica huidobriana», *El Mercurio* (Santiago), 8 de abril, 1941.

SÁNCHEZ, Luis Alberto: «Siluetas latinoamericanas: Vicente Huidobro», *Nuevo Zig-Zag* (Santiago), 23 de diciembre, 1950.

— «Vicente Huidobro», *Revista Nacional de Cultura* (Caracas), XVIII, 115 (marzo-abril, 1956), 45-54.

SILVA CASTRO, Raúl: «En el mundo creacionista», *El Mercurio* (Santiago), 24 de agosto, 1961.

— «Vicente Huidobro, redivivo», *El Mercurio* (Santiago), 6 de diciembre, 1960.

— «Vicente Huidobro y el Creacionismo», *Revista Iberoamericana*, XXV, 49 (enero-junio, 1960), 115-124.

SILVA YOACHAM, Víctor: «*Horizon carré*, por Vicente Huidobro». *Pacífico Magazine*, XIV, 81 (septiembre, 1919), 330-332.

SOLAR, Claudio: «Huidobro, poeta y taumaturgo», *El Mercurio* (Valparaíso), 7 de febrero, 1965.

SOLAR, Hernán del: «Vicente Huidobro y la seriedad», *Estudios*, 127 (agosto, 1943), 29-34.

TIEMPO, César: «Vicente Huidobro y *Las pagodas ocultas*», *Zig-Zag* (Santiago), 8 de mayo, 1964.

TORRES RIOSECO, Arturo: «Poetas líricos de Chile», *Nosotros* (Buenos Aires), XXII, 225-226 (febrero-marzo, 1928), 145-166.

UNDURRAGA, Antonio de: «Huidobro en la revolución poética de 1921», *Revista Nacional de Cultura* (Caracas), XVIII, 114 (enero-febrero, 1956), 118-127.

— «Huidobro y Apollinaire, génesis de la poesía contemporánea», *Revista Nacional de Cultura*, XXI, 134 (mayo-junio, 1959), 90-109.

— «Teoría del Creacionismo», en *Poesía y prosa* (antología de Vicente Huidobro). Madrid, Aguilar, 1957.

— «Vicente Huidobro, poeta gótico», *Atenea*, XXX, 274 (abril, 1948), 15-21.

VAISSE, Emilio («Omer Emeth»): «"Automne", por Huidobro», *El Mercurio* (Santiago), 6 de mayo, 1918.

— «*Finis Britanniae*, por Vicente Huidobro», *El Mercurio* (Santiago), 28 de abril, 1924.

YÁNEZ, María Flora: «Los últimos poemas de Vicente Huidobro», *Histonium* (Buenos Aires), septiembre, 1949.

ESTE LIBRO SE TERMINO DE IMPRIMIR
CON PAPEL DE TORRAS HOSTENCH
EL DIA 7 DE ABRIL DE 1975,
EN LOS TALLERES TIPO-
GRAFICOS «VELOGRAF»,
TRACIA, 17.
MADRID-27